C0-AWD-501

DANS LA MEME COLLECTION :

LANGAGES

- Théorie et pratique de la programmation FORTRAN, par J. VIGNES et M. LA PORTE avec la collaboration de B. HALLOPEAU
- Le langage APL, par B. ROBINET
- Ordinateur CDC 3600. Le langage COMPASS et le système, par M. GINESTE, G. GUIHO, C. PROST et J. VIGNES
- Théorie et pratique de la programmation COBOL, par J. VIGNES, C. COURTY et C. DEBOST

ALGORITHMES

- Algorithmes numériques. Analyse et mise en œuvre.
  Tome 1. Arithmétique des ordinateurs. Systèmes linéaires, par M. LA PORTE et J. VIGNES.
  Tome 2. Équations et systèmes non linéaires, par J. VIGNES avec la collaboration de R. ALT et M. PICHAT.
- Algorithmes d'accélération de la convergence. Étude numérique, par C. BREZINSKI.

collection langages et algorithmes de l'informatique

sous la direction de JEAN VIGNES
Professeur à l'Université Pierre et Marie Curie de Paris (Paris VI)
Conseiller scientifique à l'Institut Français du Pétrole

PHILIPPE CHRÉTIENNE
Maître Assistant à l'Université Pierre et Marie Curie
de Paris (Paris VI)

YVON PESQUEUX
Docteur ès Sciences Économiques
Agrégé des Techniques Économiques de Gestion

JEAN-CLAUDE GRANDJEAN
Licencié ès Sciences Mathématiques
Agrégé des Techniques Économiques de Gestion
Assistant à l'Université de Reims

ALGORITHMES ET PRATIQUE DE PROGRAMMATION LINÉAIRE

1980

ÉDITIONS TECHNIP • 27 RUE GINOUX • 75737 PARIS CEDEX 15

technip

ISBN 2-7108-0364-X

avant-propos

La programmation linéaire, outil fondamental de la Recherche Opérationnelle, est très largement utilisée aujourd'hui. C'est pourquoi une présentation de ses fondements mathématiques et d'utilisations possibles dans de nombreux domaines doit permettre aux lecteurs d'en maîtriser le contenu et ses applications.

L'ambition de ce livre est d'être accessible au plus grand nombre (entreprises, administrations, étudiants, écoles...). C'est pourquoi la présentation des algorithmes ne repose que sur des notions simples de mathématiques. Des exercices pratiques portant sur des secteurs divers (gestion, finance, industrie...) donnent des illustrations et sont résolus. Enfin, l'aspect informatique de la question est analysé en détails de manière à permettre aux utilisateurs de traîter des problèmes de grande taille.

La programmation linéaire intéresse surtout l'économiste du fait de sa problématique de base qui repose sur l'optimisation. Il suffit d'illustrer ceci par quelques exemples tirés de la pratique des entreprises :

- optimisation du résultat généré par des moyens limités;
- nécessité d'utiliser au mieux ces ressources rares;
- recherche d'un coût minimal de fabrication.

Néanmoins, la programmation linéaire connaît de nombreuses applications en macroéconomie, en particulier en matière de planification. Ainsi, Kantorovitch exposait la problématique de la programmation linéaire dès 1938 et l'algorithme du simplexe était mis en évidence dix ans plus tard par Dantzig.

L'attribution en 1975 du Prix Nobel d'Economie à Koopmans et Kantorovitch prouve l'importance de cette approche.

Les traits généraux de la programmation linéaire peuvent être résumés ainsi :

- des variables réelles non négatives;

- des relations linéaires entre les variables (c'est-à-dire des effets proportionnels aux causes et additifs) sous forme de contraintes;

- une fonction économique à optimiser.

Après quelques rappels simples d'algèbre linéaire, le premier chapitre aboutit à la formalisation d'un programme linéaire, en montre la spécificité par rapport aux autres problèmes d'optimisation.

Etant donnée la puissance de la solution théorique purement géométrique, ce livre ne pouvait l'ignorer. Aussi le second chapitre donne les définitions et résultats essentiels sur lesquels se fonde le raisonnement géométrique.

Le troisième chapitre présente la solution algébrique illustrée par un exemple. Le problème délicat de la recherche d'une solution initiale est posé simplement. Les approches classiques sont développées et complétées par des références aux méthodes récentes.

Le concept de dualité, très important aussi bien sous son aspect théorique que par ses retombées pratiques est largement développé. Les applications essentielles à la paramétrisation sont accompagnées d'exemples.

Le chapitre VII est central car tous les autres s'y refèrent. Il présente une organisation des données et un ordonnancement des calculs à la fois simple et systématique. Les exercices et la compréhension des programmes informatiques reposent sur cette architecture.

La forme révisée du simplexe, algorithme plus récent et plus performant, fait l'objet du chapitre VIII et permet d'aborder les problèmes de précision des calculs traités plus particulièrement dans l'ouvrage de M. La Porte et J. Vignes de la même collection.

La méthode Primal-Dual a été développée pour établir la liaison entre les formulations en termes de programmation linéaire et la résolution des problèmes de transport.

L'ouvrage se termine sur la présentation du programme informatique de résolution des programmes linéaires, illustrée par un jeu d'essai et complétée par les explications destinées à en éclaircir le contenu.

table des matières

CHAPITRE III

la méthode du simplexe

CHAPITRE IV

un exemple numérique

CHAPITRE V

base réalisable initiale

CHAPITRE VI

la dualité en programmation linéaire

CHAPITRE VII

pratique de la méthode du simplexe

CHAPITRE VIII

la méthode révisée du simplexe

CHAPITRE IX

principaux algorithmes issus de la dualité

CHAPITRE X

résolution informatique des programmes linéaires

introduction

La programmation linéaire s'intègre bien dans la dynamique de la Recherche Opérationnelle puisqu'il s'agit d'optimiser sous contrainte. La constitution du programme linéaire reposera, avant sa résolution technique :

- sur la formalisation des contraintes au moyen d'inégalités;
- sur la formalisation de la fonction économique (à maximiser ou à minimiser).

On ne saurait trop souligner l'importance de cette phase, qui est la plus difficile à mettre en oeuvre, dans la réalité, les techniques de programmation linéaire risquant autrement de se résumer à l'application d'algorithmes.

L'attribution, en 1975, du prix Nobel d'Economie à Hoopmans et Kantorovitch prouve, s'il en était besoin, l'importance considérable du phénomène. Par des démarches analogues dans des pays à systèmes économiques différents, les travaux de ces auteurs ont été peu à peu complétés, l'apport majeur ayant été constitué par la formulation de l'algorithme du simplexe en 1948.

Depuis, l'intérêt des chercheurs s'est poursuivi dans les différents pays. Electricité de France a joué le rôle de pionnier dans notre pays avec Massé, Gibrat, Boîteux et Abadie. Plusieurs enseignants ont, d'autre part, largement contribué à améliorer et à répandre la connaissance de ces méthodes.

La programmation linéaire constitue un cas particulier de la programmation mathématique, domaine d'études plus général aux origines plus anciennes.

Les instruments de la programmation linéaire.

1) Les variables :

- réelles;
- non négatives.

2) Les relations :

- linéaires : un lien de proportionnalité simple existe entre les effets et les causes. De même, les variables sont homogènes, c'est-à-dire additives;

- formalisation par des équations ou inéquations appelées contraintes.

3) Une fonction économique : il s'agit de maximiser ou de minimiser l'ensemble des variables selon un critère.

Les hypothèses.

1) Convexité du domaine délimité par les contraintes.

2) Continuité des variables, bien que certains développements de la théorie permettent de résoudre le problème dans le cas de variables discrètes.

3) Aspect synchronique de l'optimisation : les conditions sont celles qui sont exprimées par les contraintes et celles-là seulement. La programmation linéaire se rattache donc au grand courant de l'analyse statique.

Objet de l'ouvrage.

L'ambition de cet ouvrage est d'être accessible, puisque la présentation théorique a été effectuée au moyen d'un minimum de notions mathématiques, l'illustration des problèmes étant réalisée par des cas tirés du domaine de la gestion des entreprises. Les outils issus de la programmation linéaire et servant, dans d'autres branches de la Recherche Opérationnelle, ont été présentés à partir de la notion essentielle de dualité (passage aux programmes de transport par exemple).

Un souci très constant a été de faciliter la mise en équations des problèmes, cette modélisation qui, selon certains, ne peut s'apprendre que sur le tas.

La résolution des cas proposés utilise, dès le départ, la méthode des tableaux présentée dans toute son ampleur dans un chapitre ultérieur. Le lecteur se reportera donc à ce chapitre, du moins pour le principe général, dès le départ. La notation utilisée dans chaque cas a été précisée.

CHAPITRE I

généralités

Bien qu'ils ne représentent souvent qu'une approximation brutale de la réalité, les modèles linéaires sont les plus répandus et utilisés en Recherche Opérationnelle.

Un modèle linéaire est décrit par un vecteur $x = (x_1, x_2, \ldots, x_p)$ de variables dites "principales". Ces variables sont soumises à un nombre fini de contraintes du type :

$$\sum_{j=1}^{p} a_{ij} x_j \quad \begin{matrix} \geqslant \\ = \\ \leqslant \end{matrix} \; b_i \qquad i = 1, 2, \ldots, m \tag{i}$$

Les coefficients a_{ij}, ainsi que les seconds membres b_i sont *réels*. Souvent les variables principales représentent des "niveaux d'activité" et doivent être positives ou nulles, si bien que certaines contraintes de (i) s'écrivent :

$$x_j \geqslant 0 \tag{ii}$$

Un vecteur x^0 satisfaisant (i) est appelé *solution réalisable*, ou seulement solution de (i). Nous noterons E l'ensemble des solutions de (i). Pour comparer les éléments de E, le modèle linéaire propose d'évaluer x par une forme linéaire du type :

$$z(x) = \sum_{j=1}^{p} c_j x_j$$

ce qui peut encore s'écrire, sous forme vectorielle (voir plus loin la définition d'une variable d'écart) :

$$z(x) = cx$$

avec :

$$c = (\underbrace{c_1, c_2, \ldots, c_p}, \underbrace{0, 0, \ldots, 0})$$

et :

$$x = (\overbrace{x_1, x_2, \ldots, x_p}^{\text{variables principales}}, \overbrace{s_1, s_2, \ldots, s_k}^{\text{variables d'écart}})'$$

Selon le cas, il conviendra de maximiser ou de minimiser $z(x)$.

Dans le cas d'une maximisation, l'objet du programme linéaire est la recherche d'une solution x^* de E vérifiant :

$$\forall\ x \in E \qquad z(x) \leqslant z(x^*)$$

Nous dirons alors que x^* est une solution optimale du programme linéaire.

Nous donnerons ici une *présentation algébrique* de la programmation linéaire car d'une part, nous la croyons plus simple et d'autre part, nous pensons qu'elle ne fait appel qu'aux concepts fondamentaux de l'algèbre linéaire.

La géométrie du simplexe est abordée dans le chapitre suivant. Les deux présentations (algébrique et géométrique) ont pour objet de donner une vue *synthétique* de la programmation linéaire.

Pour pouvoir appliquer les résultats de l'algèbre linéaire au programme linéaire défini par (i), nous transformerons (i) en un système d'équations linéaires en ne laissant subsister que des inéquations de type (ii).

Considérons en effet la contrainte :

$$\sum_{j=1}^{p} a_{ij} x_j \leqslant b_i \qquad (1)$$

nous pouvons lui associer le système suivant :

$$\left\{ \sum_{j=1}^{p} a_{ij} x_j + s_i = b_i \qquad s_i \geqslant 0 \right. \qquad (2)$$

Si (x^0, s^0) est solution de (2), x^0 est solution de (1).

Si x^0 est solution de (1), nous posons :

$$s^0 = - \sum_{j=1}^{p} a_{ij} x_j^0 + b_i$$

et (x^0, s^0) est alors solution de (2).

Il en résulte que les deux ensembles de solutions "en x" sont les mêmes et que nous pouvons remplacer (1) par (2). De la même façon, l'inéquation :

$$\sum_{j=1}^{p} a_{ij} x_j \geqslant b_i$$

peut être remplacée par le système :

$$\sum_{j=1}^{p} a_{ij} x_j - s_i = b_i \qquad s_i \geqslant 0$$

Les variables s_i ainsi définies sont appelées *variables d'écart*.

Si donc nous appliquons cette transformation aux inéquations de (i) qui ne sont pas déjà de type (ii), nous aboutissons au système suivant :

- pour les inéquations $\leqslant$:

$$\sum_{j=1}^{p} a_{ij} x_j + s_i = b_i \qquad s_i \geqslant 0$$

- pour les inéquations $\geqslant$:

$$\sum_{j=1}^{p} a_{ij} x_j - s_i = b_i \qquad s_i \geqslant 0$$

Nous avons donc maintenant obtenu un système qui ne comporte que deux types de contraintes, équations et contraintes de positivité de certaines variables (type (ii)).

Pour pouvoir traiter de la même manière toutes les variables (principales et d'écart), il serait souhaitable que *toute variable* soit soumise à une contrainte de positivité.

Pour cela, nous utiliserons l'artifice suivant ([1]) :

Soit x_j une variable de signe quelconque; considérons le changement de variable :

$$x_j = x'_j - x''_j \qquad x'_j \geqslant 0 \qquad x''_j \geqslant 0$$

Si x^0 est solution de (i), quel que soit le signe de x^0_j, on peut trouver deux nombres réels positifs x'^0_j et x''^0_j tels que :

$$x^0_j = x'^0_j - x''^0_j$$

Grâce à cet artifice, et avec une extension des notations précédentes évidente, tout programme linéaire peut être formulé de la manière suivante :

$$PL^0 \begin{cases} Ax = b & \text{(i)} \\ x \geqslant 0 & \text{(ii)} \\ \text{OPT } z(x) = cx & \text{(iii)} \end{cases}$$

Nous devons faire un certain nombre de remarques sur cette formulation.

Remarque 1. L'ensemble des transformations qui nous ont permis de passer de l'expression initiale du programme à la forme PL^0 précédente est d'une part *fort coûteux* (addition de nombreuses variables) et d'autre part *fort peu élégant*. C'est une partie du prix à payer pour la simplicité de l'exposé qui va suivre. En effet, les présentations à caractère géométrique n'ont nul besoin de différencier les contraintes ou les variables. Ajoutons cependant que la présentation donnée ici est celle qui est en général utilisée pour les *codes de programmation* sur ordinateur.

([1]) La démonstration rigoureuse de la validité de ce procédé sera faite au chapitre VI consacré à la dualité.

Remarque 2. (i) étant un système d'équations linéaires, nous pouvons en toute généralité supposer que le vecteur b a toutes ses composantes positives ($b \geqslant 0$).

Remarque 3. Nous noterons m le nombre de lignes de A, n le nombre de colonnes de A. Nous supposerons que $n > m$; sinon E ne possède qu'un ou zéro élément, et la solution, si elle existe, de notre programme linéaire est triviale.

Remarque 4. (i) et (ii) définissent E, l'ensemble des solutions réalisables. (iii) est la *fonction objectif* (encore appelée *économique*) à optimiser, c'est-à-dire à maximiser ou à minimiser.

Remarque 5. Nous supposerons que *le rang* de la matrice A est égal à m. S'il n'en n'était pas ainsi, certaines contraintes seraient *redondantes* (combinaison linéaire d'autres contraintes) et donc inutiles car ne modifiant pas E.

La forme générale de la matrice A est la suivante :

$$
\begin{array}{c|cccccccccccc|}
 & 1 & 2 & . & . & p & . & . & . & . & . & . & n \\
\hline
1 & a_{11} & a_{12} & . & . & a_{1p} & 1 & 0 & 0 & 0 & 0 & 0 & 0 \\
2 & a_{21} & a_{22} & . & . & a_{2p} & 0 & 1 & 0 & 0 & 0 & 0 & 0 \\
m_1 & . & . & . & . & . & 0 & . & 1 & 0 & . & . & 0 \\
m_1 + 1 & . & . & . & . & . & 0 & . & 0 & -1 & 0 & 0 & 0 \\
. & . & . & . & . & . & 0 & . & 0 & 0 & -1 & 0 & 0 \\
. & . & . & . & . & . & 0 & . & 0 & 0 & 0 & -1 & 0 \\
m_2 & . & . & . & . & . & 0 & . & 0 & 0 & 0 & 0 & -1 \\
m_2 + 1 & . & . & . & . & . & 0 & 0 & 0 & 0 & 0 & 0 & 0 \\
. & . & . & . & . & . & 0 & 0 & 0 & 0 & 0 & 0 & 0 \\
m & a_{m1} & . & . & . & a_{mp} & 0 & 0 & 0 & 0 & 0 & 0 & 0
\end{array}
$$

On remarque que les colonnes d'écart (associées aux variables d'écart) sont des vecteurs canoniques vrais ou changés de signe de R^m.

Nous noterons a_j le $j^{ième}$ vecteur colonne de la matrice A.

Avant de terminer ce chapitre par deux exemples, revenons sur l'adéquation d'un modèle linéaire à une situation donnée. Le caractère linéaire à la fois des équations de (i) et de la fonction objectif (iii) impose que les propriétés suivantes soient respectées :

- la *divisibilité* : par exemple, le "niveau d'activité" x_j d'un produit j doit pouvoir être divisé d'une manière quelconque;

- l'*additivité* : par exemple, l'addition des revenus dans la fonction objectif doit être licite.

EXEMPLE I

Considérons le programme linéaire :

$$3x_1 + 4x_2 + 5x_3 + 6x_4 \leqslant 5$$

$$2x_1 + 6x_2 + x_3 + 5x_4 \geqslant 6$$

$$x_1 + x_2 + 5x_3 + x_4 = 7$$

$$x_1; \quad x_2; \quad x_3; \quad x_4 \geqslant 0$$

$$\text{MAX } z = 3x_1 + 2x_2 + x_3 + 5x_4$$

Pour aboutir à la formulation PL^0, il nous faut adjoindre une variable d'écart pour la première contrainte, soit s_1, ainsi que pour la seconde, soit s_2. Nous obtenons :

$$3x_1 + 4x_2 + 5x_3 + 6x_4 + s_1 = 5$$

$$2x_1 + 6x_2 + x_3 + 5x_4 - s_2 = 6$$

$$x_1 + x_2 + 5x_3 + x_4 = 7$$

$$x_1;\quad x_2;\quad x_3;\quad x_4;\quad s_1;\quad s_2 \geqslant 0$$

$$\text{MAX } z = 3x_1 + 2x_2 + x_3 + 5x_4 + 0s_1 + 0s_2$$

Il en résulte que les différents éléments de la formulation PL^0 sont :

$$A = \begin{pmatrix} 3 & 4 & 5 & 6 & 1 & 0 \\ 2 & 6 & 1 & 5 & 0 & -1 \\ 1 & 1 & 5 & 1 & 0 & 0 \end{pmatrix} \qquad b = \begin{pmatrix} 5 \\ 6 \\ 7 \end{pmatrix}$$

$$c = \begin{pmatrix} 3 & 2 & 1 & 5 & 0 & 0 \end{pmatrix}$$

EXEMPLE II

Dans une entreprise de construction de matériel électrique, on dispose de 1 200 h/machine par mois et 1 500 h/ouvrier par mois.

Les contacteurs nécessitent 15 h/machine, 12 h/ouvrier et rapportent 8 F (par unité).

Les disjoncteurs nécessitent 30 h/machine, 30 h/ouvrier et rapportent 20 F (par unité).

Les compteurs nécessitent 20 h/machine, 25 h/ouvrier et rapportent 18 F (par unité).

La formalisation en termes de programmation linéaire est donc :

- soient x_1 les quantités de contacteurs;
- soient x_2 les quantités de disjoncteurs;
- soient x_3 les quantités de compteurs.

On cherche à maximiser le bénéfice mensuel :

$$15x_1 + 30x_2 + 20x_3 \leqslant 1\ 200$$

$$12x_1 + 30x_2 + 25x_3 \leqslant 1\ 500$$

$$x_1; \quad x_2; \quad x_3 \geqslant \quad 0$$

$$\text{MAX} \quad 8x_1 + 20x_2 + 18x_3$$

Si on adjoint les variables d'écart :

$$15x_1 + 30x_2 + 20x_3 + s_1 \qquad = 1\ 200$$

$$12x_1 + 30x_2 + 25x_3 \qquad + s_2 = 1\ 500$$

$$\text{MAX} \quad 8x_1 + 20x_2 + 18x_3 + 0s_1 + 0s_2$$

$$A = \begin{pmatrix} 15 & 30 & 20 & 1 & 0 \\ 12 & 30 & 25 & 0 & 1 \end{pmatrix} \qquad b = \begin{pmatrix} 1\ 200 \\ 1\ 500 \end{pmatrix}$$

$$c = \begin{pmatrix} 8 & 20 & 18 & 0 & 0 \end{pmatrix}$$

EXEMPLE III
(à résoudre par le lecteur)

Une papèterie dispose de 1 000 h par semaine du système de concassage et 2 000 h par semaine du système de pâte. Elle compte 300 ouvriers d'exécution travaillant en moyenne 42 heures par semaine.

1 m^2 de carton d'emballage nécessite 15 h du système de concassage et 25 heures du système de pâte et rapporte 10 F.

1 m^2 de papier d'emballage nécessite 18 h du système de concassage et 40 heures du système de pâte mais rapporte 14 F.

La production respective de 1 m^2 de carton et 1 m^2 de papier occupe 18 h/ouvrier et 30 h/ouvrier.

L'entreprise cherche à maximiser son bénéfice hebdomadaire.

Formaliser ce cas en termes de programmation linéaire.

CHAPITRE II

géométrie du simplexe

Nous allons dans ce chapitre donner les propriétés géométriques essentielles des *parties de* R^n que sont les espaces de solutions réalisables d'un programme linéaire continu.

Nous adopterons comme forme initiale d'un programme linéaire la forme PL^0, c'est-à-dire :

$$\begin{cases} Ax = b \\ x \geqslant 0 \end{cases} \qquad \text{(i)}$$

$$\text{MAX } z = cx$$

où A possède m lignes et n colonnes.

E_0 désignera, dans la suite, l'ensemble des points de R^n vérifiant (i).

I. PARTIE CONVEXE DE R^n

I.1. Définitions et exemples.

Soit $E \subset R^n$, E est convexe si et seulement si :

$$x_1 \in E \text{ et } x_2 \in E \Rightarrow \forall\lambda \quad 0 \leqslant \lambda \leqslant 1 \qquad \lambda x_1 + (1 - \lambda)\, x_2 \in E$$

Plus simplement, E est convexe si et seulement si le segment défini par tout couple de points de E est inclus dans E.

Exemples.

1) Soit $x \in R^2$; $\{x\}$ est convexe.

2)

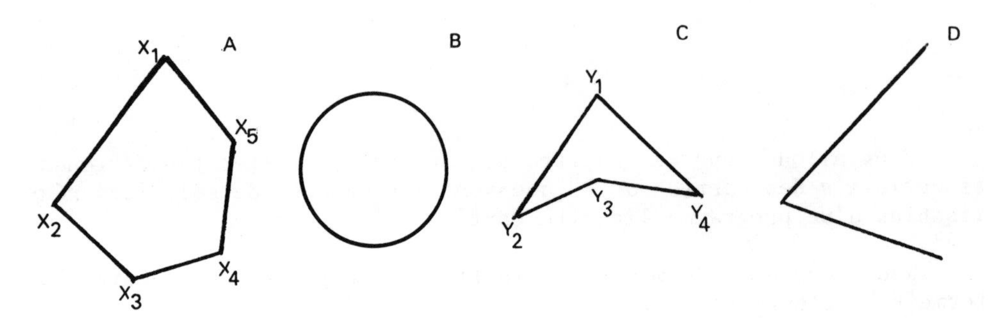

A, B, D sont des parties convexes du plan; C n'est pas convexe.

3) n quelconque.

- Un demi-espace fermé est convexe :

Soit h l'hyperplan défini par :

$$\sum_{j=1}^{n} u_j x_j = v$$

où les x_j sont réels, et $E^+(h)$ le demi-espace fermé défini par :

$$\sum_{j=1}^{n} u_j x_j \geqslant v$$

Considérons deux points quelconques de $E^+(h)$, x^1 et x^2; nous avons :

$$\sum_{j=1}^{n} u_j x_j^1 \geqslant v \qquad (1)$$

et :

$$\sum_{j=1}^{n} u_j x_j^2 \geqslant v \qquad (2)$$

Un point quelconque du segment $(x^1 x^2)$ est défini par : $\lambda x^1 + (1 - \lambda)\, x^2 \quad 0 \leqslant \lambda \leqslant 1$; il nous faut montrer que :

$$\sum_{j=1}^{n} u_j(\lambda x_j^1 + (1 - \lambda)\, x_j^2) \geqslant v$$

La démonstration est triviale en utilisant (1) et (2).

- <u>L'intersection de deux ensembles convexes est un ensemble convexe</u> :

Nous laisserons cette démonstration très simple au soin du lecteur.

A partir de ces deux résultats, nous en déduisons les corollaires suivants :

- *un hyperplan est convexe* $(h = E^+(h) \cap E^-(h))$;

- E_0 *est convexe* (intersection *finie* de convexes).

I.2. Particularités d'une partie convexe de R^n.

SOMMETS.

Si nous nous reportons à l'exemple A, il apparaît que les "points anguleux" $(x_1, x_2, \ldots, x_5)$ n'ont pas la même structure géométrique que les autres. Eux seuls ne peuvent être considérés comme milieu d'un segment non réduits à un point. Ces points seront appelés *sommets* (ou encore "coins") et seront caractérisés par la propriété suivante :

x est sommet de l'ensemble convexe E $\Longleftrightarrow$

Il n'existe pas $x^1 \in E$ et $x^2 \in E$ $(x^1 \neq x^2)$ et $\lambda (0 < \lambda < 1)$ tels que :

$$x = \lambda x^1 + (1 - \lambda)\, x^2$$

L'examen de l'exemple B montre que chaque point de la circonférence est un sommet et que, par conséquent, les appellations "coins" ou "points anguleux" sont mauvaises.

Les sommets vont jouer un rôle essentiel dans la recherche de la solution optimale d'un programme linéaire, nous montrerons en effet que les solutions de base ne sont rien d'autre que les sommets de E_0.

HYPERPLAN D'APPUI.

Soit E une partie convexe de R^n et h_0 l'hyperplan défini par : $cx = z_0$; h_0 est un hyperplan d'appui de E si et seulement si :

1) Il existe x_0 dans E tel que $cx_0 = z_0$.

2) E est inclus dans l'un des deux demi-espaces fermés ($E^+(h_0)$ ou $E^-(h_0)$) engendrés par h_0.

Conséquence immédiate de cette définition.

Si x_0 est une solution *optimale* d'un programme linéaire et si z_0 (fini) est la valeur optimale de la fonction objectif, l'hyperplan h_0 défini par :

$$cx = z_0$$

est un hyperplan d'appui pour E_0.

Exemples.

Reprenons les exemples A et B.

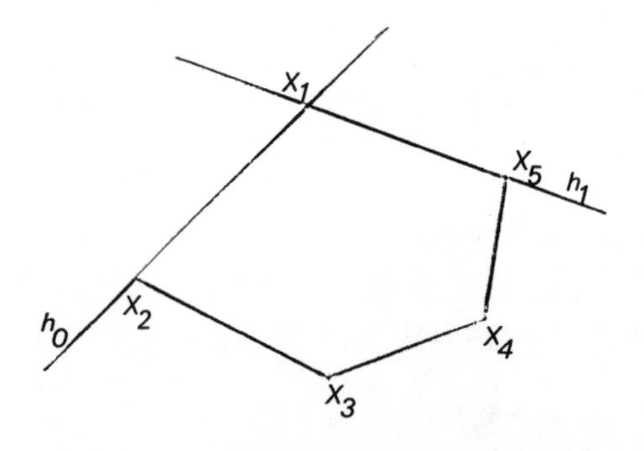

h_0 et h_1 sont des hyperplans d'appui

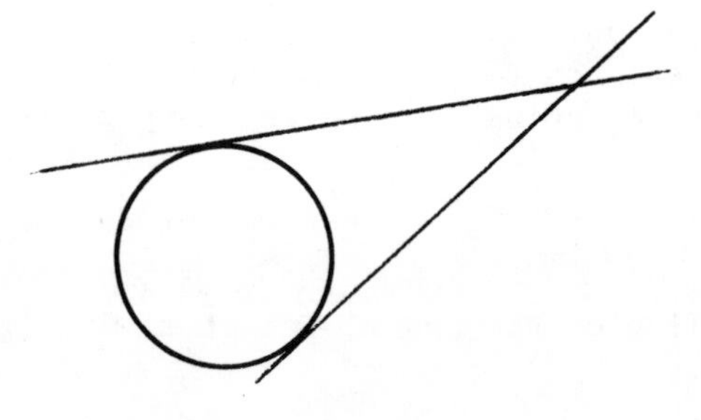

Les hyperplans d'appui sont les tangentes au cercle

ARÊTES.

Soit E une partie convexe de R^n, et deux *sommets* de E, s_1 et s_2.

Le segment $(s_1 s_2)$ est une *arête de* E si et seulement si ce segment appartient à un hyperplan d'appui.

Exemples.

Le segment $(x_1 x_2)$ est une arête de A.

B ne possède pas d'arête.

Nous allons désormais étudier la structure de certaines parties convexes de R^n, appelées polyèdres convexes et dont font partie les espaces de solutions réalisables des programmes linéaires (c'est-à-dire du type E_0).

II. POLYEDRE CONVEXE DE R^n

II.1. Définition.

On appelle *polyèdre de* R^n une partie convexe de R^n possédant un nombre fini de sommets.

Exemples.

A est un polyèdre convexe de R^2 (5 sommets); il en va de même pour D.

B n'est pas un polyèdre convexe de R^2 (nombre infini de sommets).

Conséquences.

L'enveloppe convexe d'un *nombre fini* de points de R^n est un polyèdre convexe de R^n.

En effet, étant donnés p points x^1, x^2,..., x^p de R^n, l'enveloppe convexe de ces p points est définie par :

$$E = \left\{ x / x = \sum_{i=1}^{p} \lambda_i x^i \text{ avec } \middle| \begin{array}{l} \forall i \quad 0 \leq \lambda_i \leq 1 \\ \\ \sum_{i=1}^{p} \lambda_i = 1 \end{array} \right\}$$

La propriété essentielle des polyèdres convexes, que nous ne démontrerons pas car ce livre n'est pas un livre de géométrie, est la suivante :

Une partie convexe de R^n*, fermée et bornée, ne possédant qu'un nombre fini de sommets, est en fait l'enveloppe convexe de ses sommets.*

Résumons à présent nos connaissances sur les propriétés géométriques de E_0; nous savons que :

- E_0 est fermé;
- E_0 est convexe.

Dans le cas où E_0 ne serait pas borné, ce qui ne signifie pas forcément que la fonction objectif peut devenir infinie (voir le schéma ci-dessous), nous pouvons ajouter une contrainte supplémentaire du type :

$$x_1 + x_2 + \ldots + x_n \leq M$$

où M est choisi arbitrairement grand. Ceci va alors nous permettre d'affirmer que E_0 est borné.

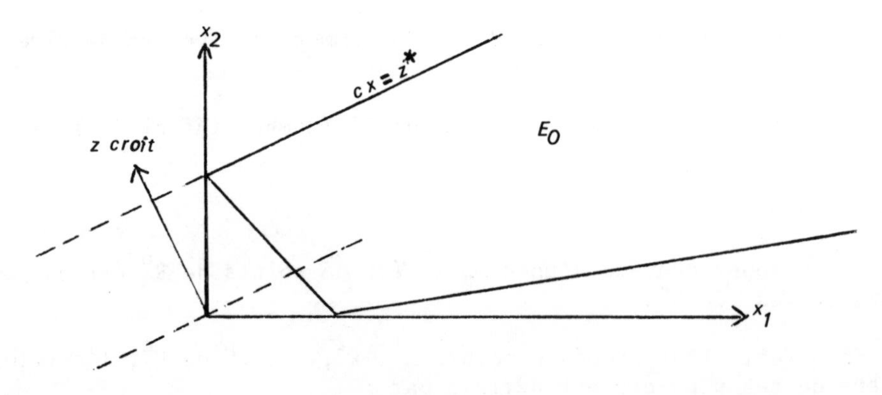

E_0 n'est pas borné; la valeur optimale de z est finie.

Il nous reste à montrer que E_0 possède un *nombre fini de sommets* pour pouvoir affirmer qu'il s'agit d'un polyèdre convexe défini comme enveloppe convexe de ses sommets. C'est l'objet de la démonstration qui va suivre.

II.2. L'ensemble des sommets de E_0 est identique à l'ensemble des solutions de base de (i).

Soit B une base réalisable ([1]) de E_0, que nous supposerons être composée des colonnes $a_{i_0}, a_{i_1}, \ldots, a_{i_{m-1}}$. Notons x la solution de base associée (vecteur colonne); montrons que x est un sommet de E_0.

Raisonnons par l'absurde.

Si x n'est pas sommet de E_0, il existe deux points distincts de E_0, x^1 et x^2 ainsi qu'une valeur de $\lambda (0 < \lambda < 1)$ tels que :

$$x = \lambda x^1 + (1 - \lambda)\, x^2$$

Examinons les coordonnées de x^1 et x^2 sur les colonnes a_j hors-base, nous obtenons :

pour tout a_j hors base : $x_j^1 + (1 - \lambda)\, x_j^2 = 0$

ce qui entraîne, puisque les deux poids (λ et $1 - \lambda$) sont strictement positifs :

pour tout a_j hors base : $x_j^1 = x_j^2 = 0$.

D'autre part, nous avons :

$$Ax^1 = Ax^2 = b$$

et, par conséquent, d'après ce qui précède :

$$Bx^1 = Bx^2 = b$$

([1]) Le concept de solution de base d'un programme linéaire est défini au chapitre III (paragraphes 1 et 2); le lecteur peut n'aborder la fin de ce chapitre II (paragraphes II.2 et II.3) qu'après la lecture du chapitre III.

ce qui implique : $x^1 = x^2$

et *constitue la contradiction.*

Considérons maintenant un sommet x de E_0.

Notons $g = \{j/x_j > 0\}$; nous allons voir que $\{a_j\}_{j \in g}$ est une famille libre.

Raisonnons par l'absurde.

Supposons que $\{a_j\}_{j \in g}$ soit une famille liée, il existe alors des réels u_j, *non tous nuls*, tels que :

$$\sum_{j \in g} u_j a_j = 0$$

Nous avons d'autre part :

$$\sum_{j \in g} x_j a_j = b$$

et, par conséquent, pour tout réel r :

$$\sum_{j \in g} (x_j + r.u_j)\, a_j = b$$

ainsi que :

$$\sum_{j \in g} (x_j - r.u_j)\, a_j = b$$

Dans la suite, nous nous restreindrons aux valeurs de r positives ou nulles.

Appelons x^1 le point de R^n défini par :

$$x_j^1 = x_j + r.u_j \qquad j \in g$$

$$x_j^1 = 0 \qquad j \notin g$$

et x^2 le point de R^n défini par :

$$x_j^2 = x_j - r.u_j \qquad j \in g$$

$$x_j^2 = 0 \qquad j \notin g$$

Notons $g^+ = \{j/j \in g \text{ et } u_j > 0\}$ et $g^- = \{j/j \in g \text{ et } u_j < 0\}$.

Le point x^1 appartient à E_0 si et seulement si :

pour tout j dans g^- : $\qquad x_j + r.u_j \geqslant 0$

c'est-à-dire : $\qquad r \leqslant x_j/(-u_j)$

Le point x^2 appartient à E_0 si et seulement si :

pour tout j dans g^+ : $\qquad x_j - r.u_j \geqslant 0$

c'est-à-dire : $\qquad r \leqslant x_j/u_j$

Par conséquent, si nous définissons r_0 par :

$$r_0 = \min (a, b)$$

avec :

$$a = \min_{j \in g^-} \{x_j/(-u_j)\}$$

et :

$$b = \min_{j \in g^+} \{x_j/u_j\}$$

alors, pour tout r vérifiant $0 < r < r_0$:

x^1 et x^2 appartiennent à E_0

x^1 et x^2 sont distincts

De plus, nous avons :

$$x = 1/2\ x^1 + 1/2\ x^2$$

ce qui contredit le fait que x soit un sommet.

Nous avons donc démontré que l'ensemble des sommets de E_0 est identique à l'ensemble des *solutions réalisables de base de* PL^0.

Remarquons alors que le nombre de solutions de base de PL^0 est fini et borné supérieurement par C_m^n, nombre de combinaisons de m colonnes (de base) parmi n colonnes.

Il en résulte que le *nombre de sommets de* E_0 *est fini.*

II.3. Structure géométrique de la méthode simpliciale.

Pour comprendre la démarche de la méthode simpliciale, il nous reste à démontrer la propriété suivante :

Si E_0 est borné, alors il existe au moins un sommet de E_0 donnant à la fonction objectif z la valeur optimale.

Bien entendu, cette propriété apparaît clairement dans le plan; mais il nous faut la démontrer dans R^n.

D'après le théorème précédent, le nombre de sommets de E_0 est fini, nous pouvons alors les noter $x^1, x^2, \ldots, x^q$. Supposons que l'optimum de z soit atteint en x^0 et que x^0 *ne soit pas un sommet de* E_0. E_0 est l'enveloppe convexe de ses sommets, par conséquent il existe des réels u_i, i = 1, 2,..., q tels que :

$$x^0 = \sum_{i=1}^{q} u_i x^i \quad \text{avec} \quad \left| \begin{array}{l} 0 \leqslant u_i \leqslant 1 \\ \\ \sum_{i=1}^{q} u_i = 1 \end{array} \right.$$

Nous pouvons donc écrire que :

$$z(x^0) = \sum_{i=1}^{q} u_i z(x^i) \qquad \text{(i)}$$

Raisonnons par l'absurde.

Si aucun sommet n'est solution optimale, alors :

$$\sum_{i=1}^{q} u_i z(x^i) < z(x^0)$$

ce qui contredit (i).

Il existe donc au moins un indice k $(1 \leqslant k \leqslant q)$ tel que :

$$z(x^0) = z(x^k)$$

Nous savons désormais que, dans le cas d'un polyèdre borné, l'optimum de PL^0 est atteint en *au moins un sommet de* E_0 et que le nombre de ces sommets est fini. La méthode du simplexe va consister à construire et examiner une suite de *sommets adjacents* $x^0, x^1, \ldots, x^k, x^{k+1}, \ldots, x^p$ telle que :

1) Le segment $(x^k x^{k+1})$ est une arête de E_0.

2) $z(x^{k+1}) > z(x^k)$.

La convergence de cette méthode est assurée par la *convexité de* E_0 et le caractère *linéaire* de la fonction objectif z. En effet, quel que soit le sommet de départ x^0, le cheminement de sommet en sommet conduira au même sommet optimal x^p. Bien entendu, le nombre de sommets examinés (p) dépend du cheminement, ce nombre est *en général très inférieur à* C_m^n, ce qui d'ores et déjà nous fait affirmer que l'algorithme du simplexe est un *excellent algorithme de recherche opérationnelle*.

Exemple dans le plan.

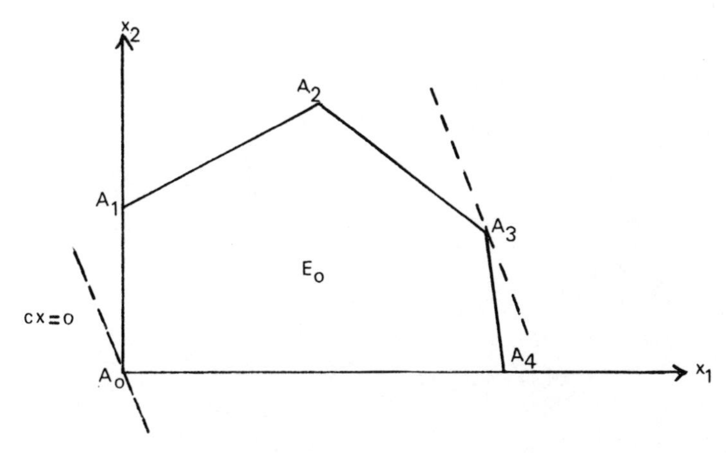

Considérons le polyèdre E_0 correspondant à la zone hachurée du schéma précédent, ainsi que la direction de la fonction économique indiquée à l'origine.

Les sommets de E_0 sont A_0, $A_1, \ldots, A_4$. Le premier sommet considéré sera A_0. Deux arêtes sont issues de A_0, à savoir : A_0A_1 et A_0A_4; nous verrons au prochain chapitre sur quel critère les départager. Si nous choisissons A_0A_1, le sommet suivant examiné sera A_1 et le cheminement sera constitué de la suite des sommets A_0, A_1, A_2, A_3, ce dernier constituant le sommet optimal.

Nous engageons dès maintenant le lecteur, à titre d'exercice, à essayer de déterminer dans le cas du plan tous les cas particuliers qui peuvent se présenter concernant E_0, la direction de la fonction objectif, et l'ensemble des solutions optimales. En effet, toutes ces particularités se généraliseront dans R^n, le fait que n augmente n'en engendrant pas de nouvelles.

CHAPITRE III

la méthode du simplexe

I. RAPPELS D'ALGEBRE LINEAIRE

L'espace vectoriel qui nous intéresse ici est R^m bien que l'espace E des solutions de notre programme est, nous l'avons vu, inclus dans R^n. Nous désignerons par $C = (e_1, e_2, \ldots, e_m)$ la base canonique [1] de R^m. Nous supposerons que les vecteurs a_j (colonnes de la matrice A) sont exprimés dans la base C.

Si $B_1 = (e^1_1, e^1_2, \ldots, e^1_m)$ et $B_2 = (e^2_1, e^2_2, \ldots, e^2_m)$ sont deux bases de R^m, la matrice de passage de B_1 à B_2 admet comme $j^{\text{ième}}$ colonne les coordonnées de e^2_j sur la base B_1. Si x est le vecteur colonne des coordonnées sur B_1 d'un vecteur de R^m, et X le vecteur colonne des coordonnées sur B_2 de ce même vecteur, la relation fondamentale du changement de coordonnées s'écrit :

$$x = P_{12}X$$

où P_{12} est la matrice de passage de B_1 à B_2.

La notion de base est essentielle dans la suite; en effet, nous montrerons que l'algorithme du simplexe consiste à construire une suite de bases $B_0, B_1, B_2, \ldots, B_k, \ldots$ telle que :

- B_k est constitué de m vecteurs colonnes a_j;
- B_{k-1} et B_k ne diffèrent que par un seul vecteur a_j.

---

(1) $e_i = (0, 0, \ldots, 0, \underset{i^{\text{ième}}\ \text{coordonnée}}{1}, 0, \ldots, 0)$.

II. BASE REALISABLE D'UN PROGRAMME LINEAIRE

A partir de maintenant, seules les bases de R^m construites avec des vecteurs colonnes a_j nous intéresseront. Rappelons la définition de l'espace des solutions E de notre programme linéaire :

$$\begin{cases} Ax = b & \text{(i)} \\ x \geqslant 0 & \text{(ii)} \end{cases}$$

Sous forme vectorielle, E peut être défini par :

$$\sum_{j=1}^{n} a_j x_j = b \qquad x \geqslant 0$$

(a_j est le $j^{\text{ième}}$ vecteur colonne de A).

Appelons $N = \{1, 2, 3, \dots, n\}$ l'ensemble des indices des colonnes de A. Une *base réalisable* de E est un ensemble de m vecteurs colonnes a_j, soit $\{a_j\}_{j \in \beta}$, tels que :

1) Les a_j, $j \in \beta$, sont indépendants.

2) L'unique solution du système :

$$\sum_{j \in \beta} a_j x_j = b$$

vérifie : $\forall\, j \in \beta \; x_j \geqslant 0$.

D'après cette définition, nous pouvons identifier une base réalisable de E à l'ensemble β des indices de N qui la composent.

Nous appellerons *variables de base* les x_j, $j \in \beta$ et nous noterons x_β le vecteur colonne associé.

Nous appellerons *variables hors-base* les x_j, $j \in N - \beta = \bar{\beta}$ et nous noterons $x_{\bar{\beta}}$ le vecteur colonne associé.

Si B est la matrice carrée des vecteurs colonnes a_j, $j \in \beta$, la solution du système (i) est donnée par ([1]) :

$$x_B = B^{-1}b$$

B est la matrice de passage de la base canonique C dans la base β; il en résulte que le vecteur colonne des coordonnées de a_j dans la base β, soit y_j s'exprime par :

$$y_j = B^{-1}a_j$$

Il est important de remarquer que si β est une base réalisable de E, alors le vecteur de R^n défini par :

$$x_B = B^{-1}b \qquad j \in \beta$$

et :

$$x_j = 0 \qquad j \in \bar{\beta}$$

est une solution du programme linéaire, c'est un élément de E. Nous appellerons une telle solution "*solution de base*". Notons qu'une solution de base possède au moins (n - m) coordonnées nulles.

La valeur de la fonction économique associée à une base β est :

$$z_B = z(x_B) = \sum_{j \in \beta} c_j x_j + \sum_{j \in \bar{\beta}} c_j . 0$$

nous obtiendrons une expression plus condensée en notant c_β le vecteur ligne des c_j, $j \in \beta$, si bien que l'expression de la valeur de la fonction objectif pour la solution de base associée à la base β est :

$$z = c_\beta x_B = c_\beta B^{-1}b$$

Définissons également, en liaison avec la notion de base réalisable, les quantités :

([1]) x_β est un vecteur colonne de variables; par contre x_B est un vecteur colonne numérique.

$$z_j = c_\beta y_j = c_\beta B^{-1} a_j \qquad j = 1,2,\ldots, n$$

Ces quantités, ou plus précisément, les scalaires $c_j - z_j$ $j=1,2,\ldots,n$ vont jouer un rôle important dans la suite. Appelons, en effet, $\bar{B}$ la matrice des colonnes hors-base ($\bar{B}$ possède n - m) colonnes et m lignes) associée à une base β. Nous pouvons exprimer les variables de base en fonction des variables hors-base de la façon suivante :

(i) peut s'écrire :

$$Bx_\beta + \bar{B}x_{\bar{\beta}} = b$$

en prémultipliant par B^{-1}, nous obtenons :

$$x_\beta = B^{-1}b - B^{-1}\,\bar{B}x_{\bar{\beta}} \tag{i'}$$

D'autre part, (ii) peut s'écrire :

$$x_\beta \geqslant 0 \qquad x_{\bar{\beta}} \geqslant 0 \tag{ii'}$$

Pour la fonction objectif, nous avons :

$$z = c_\beta x_\beta + c_{\bar{\beta}} x_{\bar{\beta}}$$

donc, en substituant, d'après (i'), nous obtenons :

$$z = c_\beta B^{-1} b - c_\beta B^{-1}\,\bar{B}x_{\bar{\beta}} + c_{\bar{\beta}} x_{\bar{\beta}}$$

soit :

$$z = z_\beta + (c_{\bar{\beta}} - c_\beta B^{-1}\,\bar{B})\,x_{\bar{\beta}} \tag{iii'}$$

Examinons le vecteur $c_{\bar{\beta}} - c_\beta B^{-1}\,\bar{B}$; c'est un vecteur ligne dont la composante associée à l'indice j de $\bar{\beta}$ est :

$$c_j - c_\beta B^{-1} a_j$$

c'est-à-dire $c_j - z_j$. Nous voyons donc que $c_j - z_j$ est le coefficient de la variable x_j ($j \in \bar{\beta}$) lorsque l'on exprime la fonction objectif z par rapport aux variables hors-base.

Remarque 1 : La formulation PL^0 du chapitre précédent est *strictement équivalente* au système (i'), (ii'), (iii') et ceci quelle que soit la base β.

Remarque 2 : Les scalaires $c_j - z_j$ $j = 1,2,\ldots, n$ sont appelés les *coûts marginaux* associés à la base β. Ils représentent en effet l'accroissement de la fonction objectif correspondant à un accroissement d'une unité de la variable x_j. Cette définition cependant n'a un sens que si le point de R^n correspondant appartient à E. Considérons les scalaires $c_j - z_j$ pour j appartenant à la base β; d'après la définition des y_j (composantes de a_j sur β), il est clair que :

- pour j appartenant à β, y_j est un vecteur colonne *canonique*;

- seule la composante associée à a_j est égale à 1, les autres étant nulles.

Il en résulte :

$$c_\beta y_j = c_j \qquad j \in \beta$$

Nous voyons donc que les coûts marginaux associés aux *variables de base* sont *nuls*. Une démonstration plus directe peut être faite par simple examen de (iii').

Comme nous l'avons déjà signalé, nous ne nous intéresserons désormais dans E qu'aux *solutions de base*; pour cela, nous allons examiner dans le paragraphe suivant comment, à partir d'une base réalisable donnée, en construire une nouvelle :

- qui n'en diffère que par *un seul vecteur*;

- telle que la solution de base correspondante soit *meilleure* au sens de la fonction objectif.

III. AMELIORATION D'UNE SOLUTION DE BASE

Considérons ici une base réalisable β supposée connue. Rappelons que, par abus de langage, nous assimilons la base à l'ensemble des indices des vecteurs colonnes de A qui la composent.

Soit alors j_0 un indice "*hors-base*" et i_0 un indice *de base*; déterminons une condition nécessaire et suffisante pour que le nouvel ensemble d'indices (de même cardinalité que β) :

$$\gamma = \beta - \{i_0\} \cup \{j_0\}$$

soit une base réalisable du programme linéaire.

La matrice des coordonnées des vecteurs de γ dans la base β est la suivante en posant $\beta = (a_{i_0}, a_{i_1}, a_{i_2}, \ldots, a_{i_{m-1}})$ et $\gamma = (a_{j_0}, a_{i_1}, a_{i_2}, \ldots, a_{i_{m-1}})$:

$$\begin{array}{c} \\ a_{i_0} \\ a_{i_1} \\ a_{i_2} \\ \cdot \\ \cdot \\ \cdot \\ a_{i_{m-1}} \end{array}
\begin{array}{c} \begin{array}{cccccccc} a_{j_0} & a_{i_1} & a_{i_2} & \cdot & \cdot & \cdot & a_{i_{m-1}} & \end{array} \\
\begin{pmatrix}
y_{i_0 j_0} & 0 & 0 & 0 & 0 & 0 & 0 \\
y_{i_1 j_0} & 1 & 0 & 0 & 0 & 0 & 0 \\
y_{i_2 j_0} & 0 & 1 & 0 & 0 & 0 & 0 \\
\cdot & \cdot & \cdot & 1 & \cdot & \cdot & \cdot \\
\cdot & \cdot & \cdot & \cdot & 1 & \cdot & \cdot \\
\cdot & \cdot & \cdot & \cdot & \cdot & 1 & \cdot \\
y_{i_{m-1} j_0} & 0 & 0 & 0 & 0 & 0 & 1
\end{pmatrix} \end{array}$$

Une condition nécessaire et suffisante pour que les vecteurs de γ soient indépendants est que la matrice précédente soit régulière. Or, si nous développons son déterminant par rapport à la première ligne, il apparaît que celui-ci est égal à $y_{i_0 j_0}$.

Une condition nécessaire et suffisante pour que γ soit une base est que :

$$\boxed{y_{i_0 j_0} \neq 0}$$

Examinons maintenant quelles sont les conditions pour que γ soit réalisable. β est une base réalisable, il en résulte que la solution unique de l'équation vectorielle :

$$\sum_{k=0}^{m-1} a_{i_k} x_{i_k} = b \tag{1}$$

est telle que $\forall$ k $\quad x_{i_k} \geqslant 0$.

L'équation vectorielle associée à γ est :

$$x'_{j_0} a_{j_0} + \sum_{k=1}^{m-1} x'_{i_k} a_{i_k} = b$$

mais :

$$a_{j_0} = \sum_{k=0}^{m-1} y_{i_k j_0} a_{i_k} \tag{2}$$

Si donc nous éliminons a_{i_0} de (1) en le tirant de (2), nous obtenons :

$$x_{i_0} \left(\frac{1}{y_{i_0 j_0}} a_{j_0} - \sum_{k=1}^{m-1} \frac{y_{i_k j_0}}{y_{i_0 j_0}} a_{i_k} \right) + \sum_{k=1}^{m-1} x_{i_k} a_{i_k} = b$$

et en regroupant les termes :

$$\frac{x_{i_0}}{y_{i_0 j_0}} a_{j_0} + \sum_{k=1}^{m-1} \left(x_{i_k} - x_{i_0} \frac{y_{i_k j_0}}{y_{i_0 j_0}} \right) a_{i_k} = b$$

Les x_{i_k} sont connus puisque β est connu; nous pouvons donc exprimer les coordonnées de la décomposition de b sur γ (à savoir les x') :

$$x'_{j_0} = \frac{x_{i_0}}{y_{i_0j_0}}$$

$$x'_{i_k} = x_{i_k} - x_{i_0}\frac{y_{i_kj_0}}{y_{i_0j_0}} \qquad k = 1,2,\ldots, m-1$$

γ ne sera réalisable que si les x' sont positifs ou nuls; pour poursuivre, il nous faut maintenant envisager deux cas :

Cas 1.

$$x_{i_0} = 0$$

Nous obtenons alors $x'_{j_0} = 0$; pour $k = 1,2,\ldots, m-1$ $x'_{i_k} = x_{i_k}$.
Nous reviendrons plus loin sur ce cas, signalons seulement pour l'instant qu'ici, la seule condition pour que γ soit réalisable est $y_{i_0j_0} \neq 0$.

Cas 2.

$$x_{i_0} > 0$$

La condition $x'_{j_0} \geqslant 0$ implique $y_{i_0j_0} > 0$.

Examinons maintenant les m-1 conditions $x'_{i_k} \geqslant 0$.

Pour les indices k tels que $y_{i_kj_0} \leqslant 0$, on a : $x'_{i_k} \geqslant 0$.

Soit K^+ l'ensemble des indices k tels que $y_{i_k} > 0$; remarquons déjà que 0 doit appartenir à K^+; d'autre part, pour vérifier sur K^+ les conditions $x'_{i_k} \geqslant 0$, on doit avoir :

$$\forall\, k \in K^+ \quad \frac{x_{i_0}}{y_{i_0 j_0}} \leqslant \frac{x_{i_k}}{y_{i_k j_0}}$$

Cette dernière condition est encore appelée "*deuxième critère de Dantzig*".

<u>*Remarque 3*</u> : Si l'on se fixe a_{j_0} comme vecteur "entrant" dans la base β, alors nous voyons qu'en général, le vecteur "sortant" de cette même base est *déterminé de façon unique* par le deuxième critère de Dantzig. Nous aborderons plus loin le cas particulier où plusieurs vecteurs peuvent sortir de la base.

<u>*Remarque 4*</u> : Notons que la discussion du cas 2 a été fondée sur l'existence d'un indice i_0 tel que i_0 appartienne à K^+ ($y_{i_0 j_0} > 0$); que se passe-t-il lorsque l'ensemble K^+ est vide ? Nous l'analyserons plus loin.

Plaçons-nous dans le cas général ($K^+ \neq \emptyset$) et examinons maintenant dans quelles conditions le changement de base réalisable précédent peut être profitable sur le plan de la fonction objectif. Notons que, jusqu'à présent, nous ne nous sommes pas souciés de la valeur des solutions obtenues. Pour cela, nous allons noter r la valeur du rapport issu du second critère de Dantzig, à savoir :

$$r = \underset{K \in K^+}{\text{MIN}} \left(\frac{x_{i_k}}{y_{i_k j_0}} \right)$$

Exprimons la valeur z_γ de la solution de base associée à la base γ. Nous avons :

$$z_\gamma = c_{j_0} x'_{j_0} + \sum_{k=1}^{m-1} c_{i_k} x'_{i_k}$$

En remplaçant les x' par leur expression en fonction des x, on obtient :

$$z_\gamma = c_{j_0} \frac{x_{i_0}}{y_{i_0 J_0}} + \sum_{k=1}^{m-1} c_{i_k} \left(x_{i_k} - x_{i_0} \frac{y_{i_k j_0}}{y_{i_0 j_0}} \right)$$

Remarquons que dans cette dernière expression de z_γ nous pouvons étendre la sommation du deuxième terme au cas k = 0 et écrire :

$$z_\gamma = c_{j_0} \frac{x_{i_0}}{y_{i_0 j_0}} + \sum_{k=0}^{m-1} c_{i_k} \left(x_{i_k} - x_{i_0} \frac{y_{i_k j_0}}{y_{i_0 j_0}} \right)$$

En regroupant les termes, il vient :

$$z_\gamma = \sum_{k=0}^{m-1} c_{i_k} x_{i_k} + \frac{x_{i_0}}{y_{i_0 j_0}} \left(c_{j_0} - \sum_{k=0}^{m-1} c_{i_k} y_{i_k j_0} \right)$$

D'une manière plus condensée, nous pouvons écrire :

$$z_\gamma = z_\beta + r(c_{j_0} - z_{j_0})$$

Si donc nous voulons que z_γ soit meilleure que z_β, nous devons choisir le vecteur entrant a_{j_0} de manière à agir sur le terme $r(c_{j_0} - z_{j_0})$ qui représente l'accroissement de la fonction objectif lorsque l'on passe de la solution de base associée à β à la solution de base associée à γ.

D'après la discussion des cas 1 et 2 précédents, nous savons que $r \geqslant 0$; en effet, par extension du cas 2, nous pouvons écrire que r = 0 dans le cas 1. Il en résulte que si l'optimisation est une maximisation, il faut choisir a_{j_0} tel que le *coût marginal* $c_{j_0} - z_{j_0}$ soit *positif strictement*; en pratique on choisira :

- soit le plus grand coût marginal positif;
- soit le plus grand accroissement $z_\gamma - z_\beta$.

Dans le cas d'une minimisation, nous laissons au lecteur le soin d'étendre les résultats précédents. Il s'agit là du *premier critère de Dantzig*.

Terminons ce paragraphe par deux remarques.

<u>*Remarque 5*</u> : Si, après avoir choisi a_{j_0} comme vecteur entrant, on est dans le cas 1, nous savons alors que r = 0 et donc : $z_\gamma = z_\beta$; nous n'avons pas fait progresser la fonction économique. Nous allons revenir sur ce cas dans le paragraphe suivant.

<u>*Remarque 6*</u> : Si une base β est telle que tous les coûts marginaux $c_j - z_j$ j = 1,2,..., n sont négatifs ou nuls, et si l'optimisation est une maximisation, il n'existe pas de base γ telle que :

γ soit réalisable

$\gamma = \beta - \{i_0\} \cup \{j_0\} \qquad i_0 \in \beta,\ j_0 \in \overline{\beta}$

$z_\gamma > z_\beta$

Nous démontrerons plus loin que la solution de base associée à β est une solution optimale du programme linéaire, ce qui à ce niveau et sans explication supplémentaire est assez surprenant.

Dans le paragraphe suivant, nous allons nous "débarasser" des cas particuliers qui peuvent se présenter lors d'un changement de base réalisable, nous étudierons ensuite les conditions d'optimalité de la solution de base associée à une base réalisable.

IV. CAS PARTICULIERS

Le premier cas particulier que nous allons analyser est celui que nous avions évoqué dans la remarque 4 lors de l'établissement du deuxième critère de Dantzig au paragraphe précédent.

Supposons donc que nous ayons choisi un vecteur entrant dans la base β conforme au premier critère de Dantzig. Soit a_{j_0} ce vecteur; rappelons la définition de K^+ associé à a_{j_0} :

$$K^+ = \left\{ k / y_{i_k j_0} > 0 \right\}$$

Supposons que K^+ soit vide. Nous savons alors qu'il n'existe pas de base réalisable "adjacente". Nous allons tout de même construire une solution (élément de E) non "de base" à partir de nos hypothèses.

β est une base réalisable, nous avons donc l'équation vectorielle :

$$\sum_{k=0}^{m-1} x_{i_k} a_{i_k} = b \qquad x_{i_k} \geqslant 0 \quad k = 0,1,\ldots, m-1 \tag{3}$$

D'autre part, a_{j_0} s'exprime dans la base β de la manière suivante :

$$a_{j_0} = \sum_{k=0}^{m-1} y_{i_k j_0} a_{i_k} \tag{4}$$

Considérons alors un nombre réel v *strictement positif*, nous allons retrancher et ajouter au premier membre de (3) le vecteur $v.a_{j_0}$; il vient :

$$\sum_{k=0}^{m-1} (x_{i_k} - v.y_{i_k j_0})\, a_{i_k} + v.a_{j_0} = b$$

K^+ est vide, donc pour tout k, $k = 0,1,\ldots, m-1$ $y_{i_k j_0} \leqslant 0$;

l'équation vectorielle (3) constitue une solution du programme linéaire puisque toutes les coordonnées sont positives ou nulles. A toute valeur positive de v, nous pouvons associer une solution (non basique car elle possède en général m + 1 composantes non nulles) dont l'évaluation par la fonction objectif est :

$$z = \sum_{k=0}^{m-1} c_{i_k} (x_{i_k} - v.y_{i_k j_0}) + c_{j_0} v$$

En regroupant les termes, on obtient :

$$z = z_\beta + v(c_{j_0} - z_{j_0})$$

Selon le sens de l'optimisation, on constate que l'on peut rendre z *aussi grand ou aussi petit* que l'on veut puisque :

v est quelconque positif

et $c_{j_0} - z_{j_0}$ a été choisi conforme au premier critère de Dantzig.

On dit alors que la solution du programme linéaire est *infinie*, ou encore que le programme possède une *solution infinie dans la direction* a_{j_0}.

Examinons maintenant le second cas particulier, évoqué déjà à deux reprises lors de la discussion du second critère de Dantzig (Cas 1 et remarque 1 du paragraphe précédent).

Supposons alors que K^+ possède un élément k_0 tel que :

$$x_{i_{k_0}} = 0 \qquad y_{i_{k_0}j_0} > 0 \;(k_0 \in K^+) \tag{5}$$

Le deuxième critère de Dantzig nous *impose* alors de choisir le vecteur $a_{i_{k_0}}$ comme vecteur sortant de la base β, et de plus nous avons : $r = 0$. Nous avions déjà fait la remarque (p. 36) que lorsque $r = 0$, l'accroissement de la fonction objectif était nul. Lorsque la condition (5) est réalisée, on dit que la *base* β *est dégénérée*. Le Cas 1 de la discussion du second critère de Dantzig est donc un cas de dégénérescence. Revenons maintenant sur la remarque 3. Supposons qu'il existe au moins deux indices k_0 et k_1 de K^+ qui correspondent au rapport minimal r (voir p. 35). Nous pouvons alors choisir comme vecteur sortant soit $a_{i_{k_0}}$ soit $a_{i_{k_1}}$; choisissons k_0 et appliquons les formules de changement de coordonnées de la solution de base (voir p. 34). Puisque nous avons :

$$\frac{x_{i_{k_1}}}{y_{i_{k_1}j_0}} = \frac{x_{i_{k_0}}}{y_{i_{k_0}j_0}} = r$$

il résulte que, pour la base réalisable γ :

$x'_{i_{k_1}}$ *variable de base* est nulle

$x'_{i_{k_0}}$ *variable hors-base* est nulle (ce qui est le cas général)

La base réalisable γ est donc *dégénérée*.

Examinons quelles peuvent être les conséquences d'une dégénérescence. Soit β une base réalisable dégénérée, c'est-à-dire telle que :

$$\exists\, k_0 \in K^+ \qquad x_{i_{k_0}} = 0$$

alors la nouvelle base γ obtenue en faisant rentrer a_{j_0} et sortir $a_{j_{k_0}}$ est réalisable et *encore dégénérée*, puisque $x'_{j_0} = 0$. Mais alors la dégénérescence n'est-elle pas un piège d'où l'on ne peut sortir ? La réponse théorique à cette question est : "oui". En fait, le danger vient du fait que la fonction objectif reste constante tant que l'on construit des bases dégénérées (voir p. 39), aussi peut-on être amené à reconstruire une base que l'on a déjà examinée et, par conséquent, on va réexaminer le même sous ensemble de bases "ad infinitum". C'est ce qui est appelé le *phénomène de cyclage*.

Rassurons les esprits par deux remarques.

Remarque 7 : Jusqu'à présent, aucun programme linéaire issu d'un problème concret et non fabriqué pour les besoins de la démonstration, n'a donné lieu à un phénomène de cyclage. De toute manière il existe des procédures qui permettent d'éviter la possibilité de cycler.

Nous renvoyons le lecteur intéressé aux ouvrages spécialisés [18].

Remarque 8 : Comment peut-on sortir d'une suite de bases dégénérées ?

Considérons une base réalisable β dégénérée. Supposons que le premier critère de Dantzig nous a fait choisir a_{j_0} comme vecteur entrant; β est dégénérée, nous pouvons donc appeler :

$$K^0 = \{k / x_{i_k} = 0\}$$

alors, si $K^0 \cap K^+ = \emptyset$, la base réalisable γ sera en général moins dégénérée car deux cas seulement sont possibles ici :

- $r > 0$ et la nouvelle variable de base x'_{j_0} est positive;

- a_{j_0} est une direction infinie pour le programme linéaire.

Dans le premier de ces deux cas, la fonction objectif a subi un accroissement strict, donc même si la nouvelle base est encore dégénérée, le nouveau palier (pour la fonction objectif) est *strictement meilleur* que l'ancien. Notons qu'en général, dans la situation précédente, la nouvelle base n'est pas dégénérée car r est strictement positif.

En conclusion de ce paragraphe, nous dirons que, si le cas d'une direction infinie est *peu fréquent* lorsqu'il s'agit de problèmes concrets (il est dû le plus souvent à des erreurs dans les données ou à une analyse erronée de la fonction objectif et des contraintes), le cas de la dégénérescence est *beaucoup plus fréquent* et souvent dû à la nature même du programme linéaire étudié. Nous donnerons à la fin de ce chapitre des exemples (problèmes d'écoles) concernant ces cas particuliers.

Terminons la partie théorique de ce chapitre par l'analyse des conditions d'optimalité d'une solution de base et par l'énoncé des règles opératoires de l'algorithme du SIMPLEXE.

V. CONDITIONS D'OPTIMALITE

Considérons une base réalisable β. Nous avons déjà vu lors de la remarque 6 que, dans le cas d'une maximisation, si tous les coûts marginaux associés à β sont négatifs ou nuls, il n'existe pas de base réalisable adjacente dont la solution de base serait strictement meilleure que celle associée à β. Montrons que la solution de base associée à β est une solution optimale de notre programme linéaire.

Soit $x' = (x'_1, x'_2, \ldots, x'_n)$ un élément quelconque de E (ensemble des solutions du programme linéaire). La valeur de cette solution est :

$$z' = z(x') = \sum_{j=1}^{n} c_j x'_j$$

x est la solution de base associée à la base β. Rappelons que :

$$\beta = \{i_0, i_1, \ldots, i_{m-1}\}$$

et que :

$$\forall j \notin \beta \qquad x_j = 0 \quad \text{(variable hors-base)}$$

$$x_{i_k} \geqslant 0 \quad k = 0, 1, \ldots, m-1$$

D'autre part, d'après l'hypothèse, nous avons :

$$c_j - z_j \leqslant 0 \qquad j = 1,2,\ldots, n$$

Nous allons montrer qu'alors :

$$z = z(x) \geqslant z(x') = z'$$

x' est une solution du programme linéaire, il en résulte que ses composantes vérifient l'équation vectorielle :

$$\sum_{j=1}^{n} x'_j a_j = b \qquad (6)$$

or, si nous exprimons chaque a_j sur la base, il vient :

$$a_j = \sum_{k=0}^{m-1} y_{i_k j} a_{i_k}$$

et (6) devient :

$$\sum_{j=1}^{n} x'_j \sum_{k=0}^{m-1} y_{i_k j} a_{i_k} = b$$

En inversant les signes somme, nous obtenons :

$$\sum_{k=0}^{m-1} \left(\sum_{j=1}^{n} x'_j y_{i_k j} \right) a_{i_k} = b$$

Comme la décomposition de b sur la base β est unique, on a les relations suivantes :

$$x_{i_k} = \sum_{j=1}^{n} x'_j y_{i_k j} \qquad k = 0,1,\ldots, m-1 \qquad (7)$$

x est une solution de base; il en résulte que :

$$z(x) = \sum_{k=0}^{m-1} c_{i_k} x_{i_k}$$

et, en remplaçant x_{i_k} par son expression dans (7), il vient :

$$z(x) = \sum_{k=0}^{m-1} c_{i_k} \left(\sum_{j=1}^{n} x'_j y_{i_k j} \right)$$

En inversant à nouveau les signes somme, nous avons :

$$z(x) = \sum_{j=1}^{n} x'_j \sum_{k=0}^{m-1} c_{i_k} y_{i_k j} = \sum_{j=1}^{n} x'_j z_j$$

Or d'après l'hypothèse nous savons que $\forall\, j = 1,2,\ldots,\, n \quad z_j \geqslant c_j$; comme d'autre part $\forall\, j = 1,2,\ldots,\, n \ x'_j \geqslant 0$, nous avons :

$$z(x) \geqslant \sum_{j=1}^{n} x'_j c_j = z(x')$$

Nous venons donc de démontrer que la *solution de base* x associée à la base β est une solution optimale du programme linéaire.

Les conditions d'optimalité d'une solution de base sont donc :

- dans le cas d'une maximisation $\forall\, j = 1,2,\ldots,\, n \quad c_j - z_j \leqslant 0$;
- dans le cas d'une minimisation $\forall\, j = 1,2,\ldots,\, n \quad c_j - z_j \geqslant 0$.

Nous savons désormais reconnaître une solution de base optimale. Nous savons d'autre part construire une suite de bases adjacentes deux à deux consécutivement, en améliorant la valeur de la fonction objectif. Nous allons donc maintenant donner des *règles opératoires* dont nous allons montrer qu'elles constituent un algorithme *convergent*.

Prenons le cas d'une maximisation (le lecteur pourra déterminer lui-même les règles associées à une minimisation) et, connaissant une base réalisable initiale β_0, appliquons les règles suivantes en partant de $i = 0$:

REGLES OPERATOIRES : Déterminer les coûts marginaux associés à la base β_i en cours; choisir le plus grand; s'il est négatif ou nul, la *base* β_i *est optimale*; sinon, faire entrer le vecteur colonne correspondant dans la base (premier critère de Dantzig) et faire sortir le vecteur imposé par le second critère de Dantzig. Si un tel changement de base n'est pas possible, la *solution du programme linéaire est infinie*, sinon incrémenter d'une unité la valeur de i et nommer β_i la nouvelle base réalisable. Retourner à REGLES OPERATOIRES.

Il nous faut maintenant nous assurer de la *convergence* d'un tel algorithme. Plaçons-nous alors délibérément dans le cas où il ne peut se produire de phénomène de cyclage (nous savons que certaines procédures le permettent) et supposons également que le programme ne possède pas de direction infinie. Nous allons alors avoir besoin de trois propriétés.

Propriété 1. Le nombre de bases réalisables est *fini*. En effet, il est majoré par le nombre de combinaisons de m colonnes parmi n, soit C_m^n.

Propriété 2. Si l'espace des solutions E n'est pas vide, il existe au moins une base réalisable. Soit x une solution du programme linéaire. Nous avons alors :

$$\sum_{j=1}^{n} x_j a_j = b \qquad j = 1,1,\ldots, n \quad x_j \geqslant 0 \tag{8}$$

Pour faciliter l'exposé, nous allons définir les ensembles suivants :

$$J = \{1,2,3,\ldots, n\} \qquad J^+ = \{j/x_j > 0\}$$

Nous envisageons alors deux cas :

1) Si $|J^+| < m$, la famille de vecteurs $A^+ = \{a_j/j \in J^+\}$ est une famille de rang p inférieur à m. Nous pouvons extraire de A^+ un ensemble de p vecteurs indépendants. D'autre part, la matrice A est de rang m, il existe donc une famille au moins de m vecteurs colonnes indépendants (base de R^m pas forcément réalisable). Nous *complétons* (théorème de la base incomplète) par conséquent les p vecteurs par (m - p) vecteurs colonnes issus de cette base. De plus, les p vecteurs ainsi complétés constituent une *base réalisable* du programme linéaire.

2) Si $|J^+| > m$, la famille A^+ est une *famille liée*. Il existe donc des réels v_j, $j \in J^+$, tels que :

$$\sum_{j \in J^+} u_j a_j = 0 \tag{9}$$

En associant (8) et (9), nous obtenons pour tout nombre réel v :

$$\sum_{j \in J^+} (x_j + v.u_j)\ a_j = b$$

Il nous faut donc maintenant choisir v de manière à ce que :

$$\forall\, j \in J^+ \qquad x_j + v.u_j \geqslant 0$$

Si nous choisissons v tel que :

$$v_0 = \text{MIN}\ (- \frac{x_j}{u_j}\ /u_j < 0)$$

Pour cette valeur particulière on a :

$$\forall\, j \in J^+ \qquad x_j + v_0 u_j \geqslant 0$$

$$\exists\, j \in J^+ \qquad x_j + v_0 u_j = 0$$

Si donc nous posons :

- pour $j \in J^+$ $\quad x'_j = x_j + v_0 u_j$
- pour $j \notin J^+$ $\quad x'_j = 0$

le vecteur x' ainsi construit est une solution réalisable du programme linéaire qui est telle que :

$$|J'^+| < |J^+|$$

On peut donc réitérer la procédure précédente jusqu'à l'obtention d'une solution comportant *au plus* m variables strictement positives, ce qui nous ramène au cas 1.

Nous avons donc démontré que si E n'est pas vide, il existe au moins une base réalisable.

Propriété 3. La suite des valeurs de la fonction objectif obtenue en appliquant l'algorithme REGLES OPERATOIRES défini précédemment est :

- *croissante au sens large* par application du premier critère de Dantzig;

- *finie*, car d'une part le nombre de bases réalisables est fini (Propriété 1) et, d'autre part, on ne repasse pas deux fois par une même base réalisable (il n'y a pas de cyclage).

En conclusion, si l'ensemble E des solutions n'est pas vide, il existe (Propriété 2) une base réalisable β_0 que nous pouvons considérer comme initiale, et en appliquant l'algorithme REGLES OPERATOIRES, d'après la propriété 3, nous obtiendrons au bout d'un *nombre fini d'itérations*, une base réalisable que l'on ne pourra améliorer. Cette base vérifiera donc les conditions d'optimalité (tous les coûts marginaux négatifs ou nuls) et la solution de base associée sera *optimale*.

En conclusion, ce chapitre constitue une présentation théorique de la méthode dite du "SIMPLEXE"; celle-ci a été analysée d'un point de vue purement algébrique; rappelons qu'un lecteur désireux d'un autre aspect de cette méthode pourra se reporter aux ouvrages suivants (6) (8).

Presque tous les problèmes théoriques ont été "réglés" dans ce chapitre, seuls restent en suspens :

- l'obtention d'une base réalisable initiale;
- le problème de l'unicité de la solution optimale.

Ils seront résolus dans le chapitre V, car s'agissant de problèmes mineurs, il nous a paru bon :

- de les séparer de l'essentiel;
- de consacrer le chapitre suivant à l'étude complète d'un exemple numérique et d'un cas.

CHAPITRE IV

un exemple numérique

Le programme linéaire que nous nous proposons de résoudre est le suivant :

$$
\begin{aligned}
4x_1 + 3x_2 &\geq 12 \\
-x_1 + x_2 &\leq 4 \\
x_1 + 3x_2 &\leq 24 \\
x_1 \qquad &\leq 6 \\
x_1 ; \quad x_2 &\geq 0 \\
\text{MAX } z = x_1 + 3x_2 &
\end{aligned}
$$

Le chapitre précédent ne nous a pas appris à déterminer une base réalisable initiale, aussi nous allons nous en donner une "a priori" en laissant au prochain chapitre le soin de régler cette question. Commençons cependant par mettre notre programme linéaire sous la forme standard PL^0 (voir p. 8, chapitre I), à savoir :

$$
\begin{array}{lllllll}
4x_1 + 3x_2 - s_1 & & & & = 12 \\
-x_1 + x_2 & + s_2 & & & = 4 \\
x_1 + 3x_2 & & + s_3 & & = 24 \\
x_1 & & & + s_4 & = 6 \\
x_1; \quad x_2; \quad s_1; & s_2; & s_3; & s_4 & \geqslant 0
\end{array}
$$

$$\text{MAX } z = x_1 + 3x_2 + 0s_1 + 0s_2 + 0s_3 + 0s_4$$

En dehors des contraintes de positivité de x, ce programme possède quatre contraintes; il serait facile de vérifier que ces contraintes ne sont pas redondantes, aussi toute base réalisable est constituée de quatre vecteurs colonnes de la matrice A. Il est aisé de vérifier que les vecteurs colonnes associés aux variables x_1, s_2, s_3, s_4 constituent une base réalisable du programme; en effet, si nous annulons les variables x_2 et s_1, le système est Cramérien et possède comme unique solution :

$$x_1 = 3; \; s_2 = 7; \; s_3 = 21; \; s_4 = 3$$

Nous savons maintenant que l'ensemble des solutions n'est pas vide, le programme possède une solution optimale finie ou infinie. Appelons β_0 la base initiale et B_0 la matrice associée, à savoir :

$$\beta_0 = \{x_1, s_2, s_3, s_4\}$$

et :

$$B_0 = \begin{pmatrix} 4 & 0 & 0 & 0 \\ -1 & 1 & 0 & 0 \\ 1 & 0 & 1 & 0 \\ 1 & 0 & 0 & 1 \end{pmatrix}$$

Au chapitre précédent, nous avons vu comment appliquer la méthode du simplexe à partir d'une base réalisable initiale. Pour cela, déterminons les quantités associées à la base β_0. Nous avons alors à calculer la matrice B_0^{-1}; soit :

$$B_0^{-1} = \begin{pmatrix} 1/4 & 0 & 0 & 0 \\ 1/4 & 1 & 0 & 0 \\ -1/4 & 0 & 1 & 0 \\ -1/4 & 0 & 0 & 1 \end{pmatrix}$$

Pour calculer les coûts marginaux associés à β_0, il faut d'abord déterminer les coordonnées des vecteurs hors-base (a_2, a_{s_1}) dans la base β_0. Nous avons :

- pour le vecteur associé à x_2 :

$$y_{x_2} = B_0^{-1} \begin{pmatrix} 3 \\ 1 \\ 3 \\ 0 \end{pmatrix} = \begin{pmatrix} 3/4 \\ 7/4 \\ 9/4 \\ -3/4 \end{pmatrix}$$

- pour le vecteur associé à s_1 :

$$y_{s_1} = B_0^{-1} \begin{pmatrix} -1 \\ 0 \\ 0 \\ 0 \end{pmatrix} = \begin{pmatrix} -1/4 \\ -1/4 \\ 1/4 \\ 1/4 \end{pmatrix}$$

D'autre part, nous avons $c_{B_0} = (1, 0, 0, 0)$; et nous pouvons calculer les coûts marginaux associés aux variables hors-bases x_2 et s_1, soit :

- pour x_2 :

$$\Delta(x_2) = c_{x_2} - c_{B_0} y_{x_2} = 3 - 3/4 = 9/4$$

- pour s_1 :

$$\Delta(s_1) = c_{s_1} - c_{B_0} y_{s_1} = 0 - (-1/4) = 1/4$$

D'après les règles opératoires du chapitre III et les conditions d'optimalité, la base réalisable β_0 n'est pas optimale. Il nous faut donc réaliser un changement de base selon les deux critères de Dantzig.

D'après le premier critère, nous devons faire entrer le vecteur associé à la variable x_2 dans la base (coût marginal le plus grand). Pour savoir quel vecteur sort de la base β_0, il faut calculer les rapports $x_{i_k}/y_{i_k j_0}$ pour les indices k tels que $y_{i_k j_0}$ est trictement positif (voir p. 35). Dans notre cas, seuls les rapports associés aux variables de base x_1, s_2 et s_3 doivent être calculés, ce qui donne :

- pour x_1 : $3/(3/4) = 4$;
- pour s_2 : $7/(7/4) = 4$;
- pour s_3 : $21/(9/4) = 84/9$.

Les 2 premiers rapports sont minimaux, nous choisirons s_2 comme variable sortante. La nouvelle base β_1 est donc constituée des vecteurs associés aux variables x_1, x_2, s_3, s_4. La nouvelle matrice B_1 est donc égale à :

$$B_1 = \begin{pmatrix} 4 & 3 & 0 & 0 \\ -1 & 1 & 1 & 0 \\ 1 & 3 & 0 & 0 \\ 1 & 0 & 0 & 1 \end{pmatrix}$$

De même, nous avons $c_{B_1} = (1, 3, 0, 0)$. Il nous faut calculer B_1^{-1}; il vient :

$$B_1^{-1} = \begin{pmatrix} 1/7 & -3/7 & 0 & 0 \\ 1/7 & 4/7 & 0 & 0 \\ -4/7 & -9/7 & 1 & 0 \\ -1/7 & 3/7 & 0 & 1 \end{pmatrix}$$

La valeur des variables de base s'obtient (voir chapitre III, p. 34) par :

$$x_{B_1} = B_1^{-1} b = B_1^{-1} \begin{pmatrix} 12 \\ 4 \\ 24 \\ 6 \end{pmatrix} = \begin{pmatrix} 0 \\ 4 \\ 12 \\ 6 \end{pmatrix}$$

Calculons maintenant les coordonnées des vecteurs associés aux variables hors-base s_1 et s_3. Nous obtenons de la même façon que précédemment dans la base β_1 :

- pour le vecteur associé à s_1 :

$$y_{s_1} = B_1^{-1} \begin{pmatrix} -1 \\ 0 \\ 0 \\ 0 \end{pmatrix} = \begin{pmatrix} -1/7 \\ -1/7 \\ 4/7 \\ 1/7 \end{pmatrix}$$

- pour le vecteur associé à s_3 :

$$y_{s_3} = B_1^{-1} \begin{pmatrix} 0 \\ 0 \\ 1 \\ 0 \end{pmatrix} = \begin{pmatrix} -3/7 \\ 4/7 \\ -9/7 \\ 3/7 \end{pmatrix}$$

Nous en déduisons les coûts marginaux des variables hors-base, soit :

- pour s_1 :

$$\Delta(s_1) = c_{s_1} - c_{B_1} y_{s_1} = 0 - (-4/7) = 4/7$$

- pour s_3 :

$$\Delta(s_3) = c_{s_3} - c_{B_1} y_{s_3} = 0 - (9/7) = -9/7$$

La base β_1 n'est pas optimale puisque $\Delta(s_1)$ est strictement positif, il nous faut donc étudier une base β_2 déduite de β_1 :

- par adjonction du vecteur colonne associé à s_1 (premier critère);

- par suppression du vecteur colonne associé à s_4; en effet, d'après le deuxième critère de Dantzig, il nous faut comparer les rapports 12/(4/7) et 6/(1/7); le premier rapport étant le plus petit, c'est la variable s_2 qui devient hors-base.

La matrice B_2 associée à la base β_2 est alors la suivante :

$$B_2 = \begin{pmatrix} 4 & 3 & -1 & 0 \\ -1 & 1 & 0 & 0 \\ 1 & 3 & 0 & 0 \\ 1 & 0 & 0 & 1 \end{pmatrix}$$

et nous pouvons calculer son inverse :

$$B_2^{-1} = \begin{pmatrix} 0 & -3/4 & 1/4 & 0 \\ 0 & 1/4 & 1/4 & 0 \\ -1 & -9/4 & 7/4 & 0 \\ 0 & 3/4 & -1/4 & 1 \end{pmatrix}$$

Les variables hors-base sont alors s_2 et s_3. Les coordonnées des vecteurs colonnes associés à ces variables, dans la base β_2 sont données par :

$$y_{s_2} = B_2^{-1} \begin{pmatrix} 0 \\ 1 \\ 0 \\ 0 \end{pmatrix} = \begin{pmatrix} -3/4 \\ 1/4 \\ -9/4 \\ 3/4 \end{pmatrix}$$

et :

$$y_{s_3} = B_2^{-1} \begin{pmatrix} 0 \\ 0 \\ 1 \\ 0 \end{pmatrix} = \begin{pmatrix} 1/4 \\ 1/4 \\ 7/4 \\ -1/4 \end{pmatrix}$$

Les coûts marginaux associés à ces variables sont alors les suivants :

$$\Delta(s_2) = c_{s_2} - c_{B_2} y_{s_2} = 0$$

et :

$$\Delta(s_3) = c_{s_3} - c_{B_2} y_{s_3} = -1$$

La base β_2 est optimale puisque les coûts marginaux des variables hors-base sont négatifs ou nuls. La solution de base optimale associée est la suivante :

$$x_{B_2} = B_2^{-1} \begin{pmatrix} 12 \\ 4 \\ 24 \\ 6 \end{pmatrix} = \begin{pmatrix} 3 \\ 7 \\ 21 \\ 3 \end{pmatrix}$$

Une solution optimale du programme linéaire est donc donnée par :

$$x_1 = 3;\ x_2 = 7;\ s_1 = 21;\ s_2 = 0;\ s_3 = 0;\ s_4 = 3$$

Ajoutons quelques remarques au déroulement de l'exemple précédent.

Remarque 1. La base β_1 est une base dégénérée, en effet la variable de base x_1 est nulle; cependant, les coordonnées des vecteurs associés aux variables s_1 et s_3 (hors-base) sur le vecteur de la base associé à x_1 étant négatives (-1/7 et -3/7), x_1 est restée dans la base et il n'y a pas eu dégénérescence pour la fonction économique. Vérifions l'évolution de la valeur de celle-ci pour les différentes solutions de base déterminées précédemment :

- pour la base β_0 :

$$z_{B_0} = c_{B_0} x_{B_0} = (1,0,0,0) \begin{pmatrix} 3 \\ 7 \\ 21 \\ 3 \end{pmatrix} = 3$$

- pour la base β_1 :

$$z_{B_1} = c_{B_1} x_{B_1} = (1,3,0,0) \begin{pmatrix} 0 \\ 4 \\ 12 \\ 6 \end{pmatrix} = 12$$

- pour la base β_2 :

$$z_{B_2} = c_{B_2} x_{B_2} = (1,3,0,0) \begin{pmatrix} 3 \\ 7 \\ 21 \\ 3 \end{pmatrix} = 24$$

Remarque 2. Notons le rôle très important joué par la matrice B^{-1} à chaque itération de la méthode du simplexe; nous verrons au chapitre VII qu'en fait le calcul peut être pour beaucoup simplifié par rapport au calcul brutal d'une matrice inverse. S'il n'en était pas ainsi, le succès de la méthode simpliciale aurait été bien moindre pour les chercheurs opérationnels qui n'ont, bien entendu, à traiter que de grosses matrices.

Remarque 3. Dans la base optimale β_2, le coût marginal associé à la variable hors-base s_2 est nul; il en résulte que si nous faisions entrer s_2 dans une nouvelle base β_3 et sortir le vecteur associé à s_4 (second critère de Dantzig), la base β_3 serait également optimale. Nous reviendrons plus en détail sur ce point dans le prochain chapitre.

EXERCICE

Une entreprise de produits alimentaires désire orienter ses activités sur 3 lignes de produits I, II et III.

Le profit moyen par produit est estimé à 300 F par tonne pour le produit I, 200 F pour le produit II et 500 F pour le produit III.

Les équipements sont répartis en trois départements de production :

- fabrication des composantes élémentaires (supposées de coût moyen);
- mélange;
- empaquetage.

La durée normale de charge est de 8 h par jour.

Les processus de production relatifs aux trois produits font l'objet des opérations successives suivantes :

- Produit I : fabrication-mélange. La production est enlevée par les utilisateurs dès qu'elle est réalisée. Chaque tonne ainsi produite exige 3 h d'utilisation de la capacité de fabrication et 1 h de capacité du département "mélange".

- Produit II : réalisé à partir d'achats de composantes alimentaires non produites dans l'entreprise, fait l'objet des seules opérations de mélange et empaquetage. Chaque tonne produite exige 1 h d'utilisation de capacité "mélange" et 2 h de capacité "emballage".

- Produit III : il subit les 3 séries d'opérations fabrication, mélange, emballage, chacune d'entre elles exigeant respectivement 2 h, 1 h et 1 h de capacité des équipements.

1) Ecrire le programme linéaire correspondant.

2) Donner le principe d'analyse mathématique des solutions d'un programme linéaire.

3) Indiquer la dimension des matrices à partir desquelles peuvent être calculées les solutions de base du programme. Généralisation.

4) Indiquer les cas possibles de dégénérescence d'un tel système à transformer à titre d'exemple.

5) Donner le principe d'un algorithme de recherche des solutions et amorcer l'analyse.

RESOLUTION

Introduction.

Avant de formaliser le problème et d'adopter le cheminement défini dans le texte, on tâchera de traduire les hypothèses sous forme d'inégalités et de dégager la fonction économique.

HYPOTHESES.

Inconnues : les 3 lignes de produits I, II et III

Profits :

300 F/t	produit I
200 F/t	produit II
500 F/t	produit III

3 départements de production :

F : fabrication des composants élémentaires (coût moyen identique à la tonne)	8 h/jour
M : mélange	8 h/jour
E : empaquetage	8 h/jour

Processus de fabrication ou contraintes de production :

produit I	3F + 1M
produit II	1M + 2E
produit III	2F + 1M + 1E

d'où le programme linéaire correspondant.

I. Mise en place du programme de production.

a. PROGRAMME LINEAIRE CLASSIQUE.

Appelons x_1, x_2, x_3 le nombre d'unités de produit I, II et III :

$$x_1 ; \quad x_2 ; \quad x_3 \geq 0$$

$$3x_1 + 2x_3 \leq 8$$

$$x_1 + x_2 + x_3 \leq 8$$

$$2x_2 + x_3 \leq 8$$

$$\text{MAX } z = 300x_1 + 200x_2 + 500x_3$$

b. LA CONVEXITE DE L'ESPACE DES SOLUTIONS POSSIBLES.

La linéarité des équations suffit. Dès que la linéarité n'existe plus, d'importants problèmes se posent. Toute contrainte est de la forme : $\Sigma a_{ij} x_j \leqslant b_i$ et définit un demi-espace dans le plan.

Convexité.

Définition. Si l'on prend 2 points quelconques dans un espace, le segment qui les joint doit être entièrement contenu dans l'ensemble :

- un demi-espace est convexe;

- l'intersection de 2 espaces convexes est un espace convexe (démonstration par l'absurde et l'ensemble vide est convexe par convention). Ceci implique que la recherche des solutions optimales devra se faire par cheminement sur les arêtes du polyèdre convexe au moyen d'un plan défini à partir des contraintes de la fonction économique;

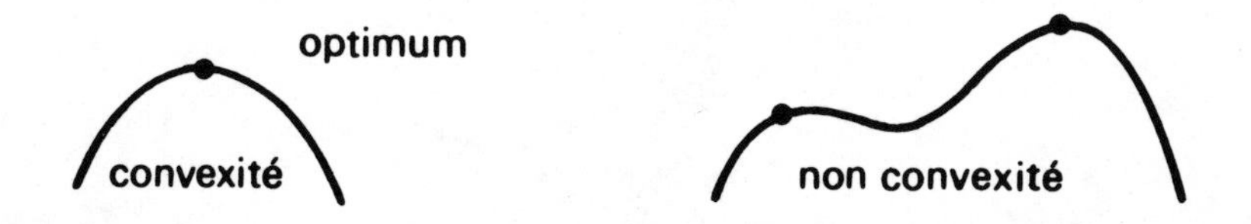

- le plus petit convexe qui contient les points optimaux est optimal;

- grande conséquence de la convexité : un optimum local est global.

II. Approche matricielle.

	x_1	x_2	x_3	MIN
y_1	3	0	2	8
y_2	1	1	1	$\leqslant$ 8
y_3	2	1	1	8
MAX	300	200	500	

Primal	Dual
$X \geq 0$	$Y \geq 0$
$AX \leq B$	$YA \geq C$
MAX CX	MIN YB

Vérification de la compatibilité des dimensions pour la multiplication des matrices :

$$AX \leq B \qquad (3,3)(3,1) = (3,1)$$

$$YA \geq C \qquad (1,3)(3,3) = (1,3)$$

L'interprétation matricielle du problème permet d'obtenir directement le dual :

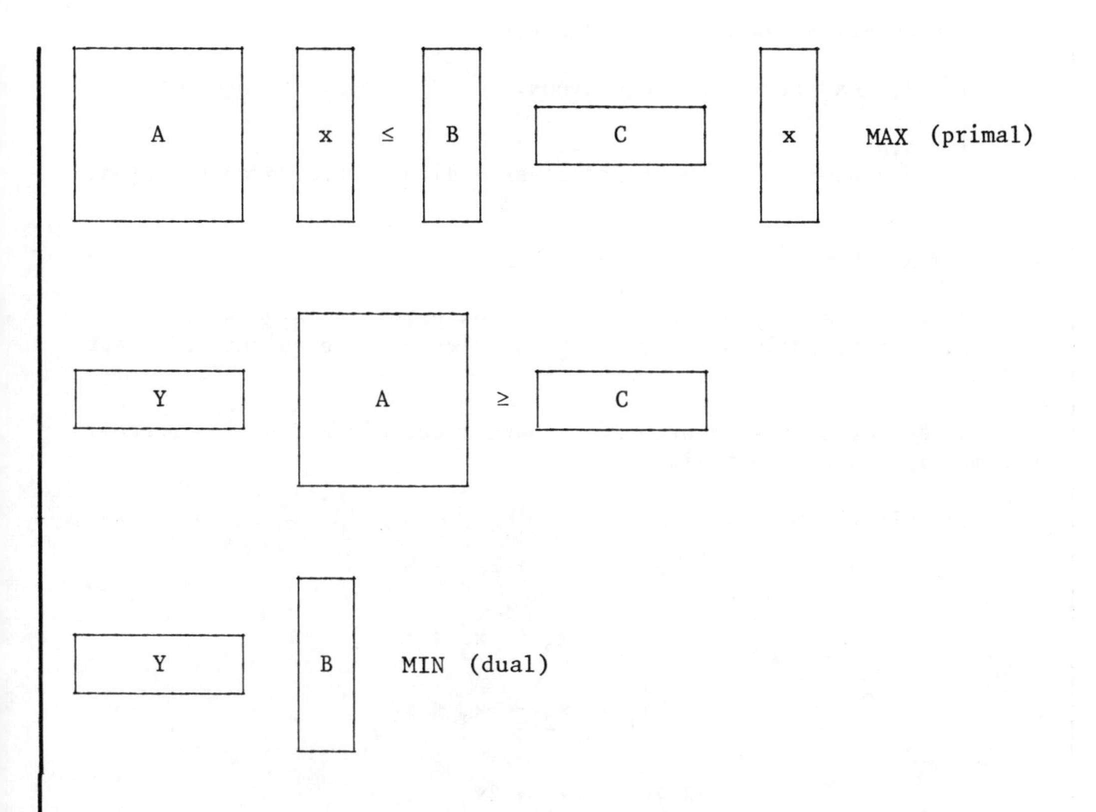

III. Etude du programme de production.

a. MATRICE DE BASE DE L'ALGORITHME DU SIMPLEXE.

c_i	i	j	1	2	3	$\bar{1}$	$\bar{2}$	$\bar{3}$		(0)
0	$\bar{1}$		3	0	2	1	0	0		8
0	$\bar{2}$	(A)	1	1	1	0	1	0	(I)	8
0	$\bar{3}$		2	1	1	0	0	1		8
		c_j	300	200	500	0	0	0		
		sol	0	0	0	8	8	8		
		Δ_j	300	200	500	0	0	0		0 = F

Introduction des variables d'écart :

I = 3,3 car il y a 3 inéquations.

I = n,n
n = nombre d'inéquations c'est-à-dire nombre de contraintes.

b. DEGENERESCENCE.

S'il existe deux points optimaux, les points du segment entre ces deux points optimaux sont optimaux, c'est-à-dire qu'une arête est optimale.

• Dégénérescence de première espèce : cas d'une fonction économique multiple d'une contrainte.

Exemple :

$$3x_1 + 2x_3 \leq 8$$

$$x_1 + x_2 + x_3 \leq 8$$

$$2x_1 + x_2 + x_3 \leq 8$$

$$\text{MAX } 4x_1 + 2x_2 + 2x_3$$

On obtient un Δ_j nul pour une colonne de la base et une colonne hors base et on ne sait, parmi ces 2 Δ_j nuls, lequel appartient à la base et lequel est hors base.

• Dégénérescence de deuxième espèce : un deuxième membre est nul. Il faut introduire un ε dans la résolution :

$$3x_1 + 2x_3 \leq 0$$

$$x_1 + x_2 + x_3 \leq 8$$

$$2x_1 + x_2 + x_3 \leq 8$$

$$\text{MAX } 300x_1 + 200x_2 + 500x_3$$

Résolution de ces deux types de dégénérescence.

Dégénérescence de première espèce :

c_i	i	j	1	2	3	$\bar{1}$	$\bar{2}$	$\bar{3}$	(0)	$\frac{x_i}{x_{ij}}$	
0	$\bar{1}$		(3)	0	2	1	0	0	8	$\frac{8}{3}$	⇒
0	$\bar{2}$		1	1	1	1	0	0	8	8	
0	$\bar{3}$		2	1	1	1	0	0	8	4	
		c_j	4	2	2	0	0	0			
		sol	0	0	0	8	8	8			
		Δ_j	4	2	2	0	0	0	0	= F	
			⇑								

c_i	i	j	1	2	3	$\bar{1}$	$\bar{2}$	$\bar{3}$	(0)	$\frac{x_i}{x_{ij}}$	
4	1		1	0	$\frac{2}{3}$	$\frac{1}{3}$	0	0	$\frac{8}{3}$	-	
0	$\bar{2}$		0	1	$\frac{1}{3}$	$-\frac{1}{3}$	1	0	$\frac{16}{3}$	$\frac{16}{3}$	
0	$\bar{3}$		0	(1)	$-\frac{1}{3}$	$-\frac{2}{3}$	0	1	$\frac{8}{3}$	$\frac{8}{3}$	⇒
		c_j	4	2	2	0	0	0			
		sol	$\frac{8}{3}$	0	0	0	$\frac{16}{3}$	$\frac{8}{3}$			
		Δ_j	0	2	$-\frac{2}{3}$	$-\frac{4}{3}$	0	0	$\frac{32}{3}$	= F	
				⇑							

c_i	i	j	1	2	3	$\bar{1}$	$\bar{2}$	$\bar{3}$	(0)	
4	1		1	0	$\frac{2}{3}$	$\frac{1}{3}$	0	0	$\frac{8}{3}$	
0	$\bar{2}$		0	0	$\frac{2}{3}$	$\frac{1}{3}$	1	-1	$\frac{8}{3}$	
2	2		0	1	$-\frac{1}{3}$	$-\frac{2}{3}$	0	1	$\frac{8}{3}$	
		c_j	4	2	2	0	0	0		
		sol	$\frac{8}{3}$	$\frac{8}{3}$	0	0	$\frac{8}{3}$	0		
		Δ_j	0	0	0	0	0	0	$\frac{48}{3}$	= F

Dégénérescence de deuxième espèce :

c_i	i	j	1	2	3	$\bar{1}$	$\bar{2}$	$\bar{3}$	(0)	$\frac{x_i}{x_{ij}}$
0	$\bar{1}$		3	0	(2)	1	0	0	Øε	2 ⇒
0	$\bar{2}$		1	1	1	0	1	0	8	8
0	$\bar{3}$		2	1	1	0	0	1	8	8
		c_j	300	200	500	0	0	1		
		sol	0	0	0	8	8	8		
		j	300	200	500	0	0	0	0	= F
					⇑					

c_i	i	j	1	2	3	$\bar{1}$	$\bar{2}$	$\bar{3}$	(0)	$\frac{x_i}{x_{ij}}$
500	3		$\frac{3}{2}$	0	1	$\frac{1}{2}$	0	0	ε	-
0	$\bar{2}$		$-\frac{1}{2}$	(1)	0	$-\frac{1}{2}$	1	0	8	8 ⇒
0	$\bar{3}$		$\frac{1}{2}$	1	0	$-\frac{1}{2}$	0	1	8	8
		c_j	300	200	500	0	0	0		
		sol	0	0	ε	0	8	8		
		Δ_j	-450	200	0	-250	0	0	ε	= F
				⇑						

c_i	i	j	1	2	3	$\bar{1}$	$\bar{2}$	$\bar{3}$	(0)	$\frac{x_i}{x_{ij}}$
500	3		$\frac{3}{2}$	0	1	$\frac{1}{2}$	0	0	ε	
200	2		$-\frac{1}{2}$	1	0	$-\frac{1}{2}$	1	0	8	
0	$\bar{3}$		1	0	0	0	-1	1	0	
		c_j	300	200	500	0	0	1		
		sol	0	8	ε	0	0	0		
		Δ_j	-350	0	0	-150	-200	0	1 600	= F

Le terme ε n'a pas disparu ici mais il existe des cas où il disparaît et d'autres cas où il peut y avoir plusieurs ε.

c. ALGORITHME DE DANTZIG.

c_i	i	j	1	2	3	$\bar{1}$	$\bar{2}$	$\bar{3}$	(0)	$\frac{x_i}{x_{ij}}$
0	$\bar{1}$		3	0	②	1	0	0	8	4 ⇒
0	$\bar{2}$		1	1	1	0	1	0	8	8
0	$\bar{3}$		2	1	1	0	0	1	8	8
		c_j	300	200	500	0	0	0		
		sol	0	0	0	8	8	8		
		Δ_j	300	200	500	0	0	0	0	= F
					⇑					

c_i	i	j	1	2	3	$\bar{1}$	$\bar{2}$	$\bar{3}$	(0)	$\frac{x_i}{x_{ij}}$
500	3		$\frac{3}{2}$	0	1	$\frac{1}{2}$	0	0	4	-
0	$\bar{2}$		$-\frac{1}{2}$	1	0	$-\frac{1}{2}$	1	0	4	4
0	$\bar{3}$		$\frac{1}{2}$	①	0	$-\frac{1}{2}$	0	1	4	4 ⇒
		c_j	300	200	500	0	0	0		
		sol	0	0	4	0	4	4		
		Δ_j	-450	200	0	-250	0	0	2 000	= F
				⇑						

c_i	i	j	1	2	3	$\bar{1}$	$\bar{2}$	$\bar{3}$	(0)	$\frac{x_i}{x_{ij}}$
500	3		$\frac{3}{2}$	0	1	$\frac{1}{2}$	0	0	4	
0	$\bar{2}$		-1	0	0	0	1	-1	0	
200	2		$\frac{1}{2}$	1	0	$-\frac{1}{2}$	0	1	4	
		c_j	300	200	500	0	0	0		
		sol	0	4	4	0	0	0		
		Δ_j	-350	0	0	-150	0	-200	2 800	= F

Conclusion : signification économique du dual.

Ici, le primal donnait un programme de production optimal en fonction de contraintes productives. On peut donc interpréter la solution optimale du dual comme le prix maximum à payer en cas de sous-traitance ou le loyer minimum à recevoir en cas de location des équipements.

CHAPITRE V

base réalisable initiale

RAPPELS

Une base β est réalisable si $x_B = B^{-1}b$ est positif ou nul (B est la matrice carrée associée à la base β).

Si S, l'ensemble des solutions réalisables, n'est pas vide, il existe au moins une base réalisable (voir pp. 44-45).

L'objectif de ce chapitre est donc de savoir si l'ensemble S est vide et, dans le cas contraire, de déterminer une base réalisable. Les méthodes qui répondent à cet objectif obéissent à l'un des deux principes suivants :

- création à partir de PL^0 d'un programme linéaire "adjoint" PL^1 dont on connaît une base initiale et dont la structure de la solution optimale permet de répondre à notre objectif;

- partir d'une base quelconque du programme linéaire initial et effectuer des changements de base jusqu'à l'obtention d'une base réalisable.

Nous exposerons en détails une méthode du premier type et nous donnerons l'essentiel de l'une du second. Dans la littérature, de nombreuses variantes sont exposées. Les méthodes les plus employées jusqu'à maintenant sont celles inspirées du premier principe (méthode en une phase; méthode en deux phases [9]); cependant rien, sinon l'habitude, ne justifie aujourd'hui cette préférence. Au contraire, le lecteur intéressé pourra constater que, si les changements de base sont bien guidés, le second principe permet d'aller au moins aussi vite (en nombre d'itérations) et d'opérer sur des tableaux beaucoup moins volumineux [5], [11], [12].

I. LA METHODE EN DEUX PHASES

I.1. Etude de la phase I.

Considérons le programme linéaire, sous la formulation PL^0 (voir p. 8) :

$$Ax = b \qquad (i)$$

$$x \geqslant 0 \qquad (ii)$$

$$\text{MAX } z = cx$$

où $b \geqslant 0$.

Remarque 1. Si l'ensemble des vecteurs colonne de la matrice A contient la base canonique de R^m, cette base est alors réalisable ($b \geqslant 0$) et $B_0 = I_{m,m}$. Ce cas particulièrement simple se produit lorsque chaque contrainte de type (i) du programme linéaire initial mise sous la forme :

$$\sum_{j=1}^{n} a_{ij} x_j \leqslant b_i$$

est telle que : $b_i \geqslant 0$, les variables d'écart étant alors les variables de base initiales.

L'idée de la méthode en deux phases est de construire un programme linéaire PL^1, déduit de PL^0, tel que :

1) B_0 ($= I_{m,m}$) soit réalisable pour PL^1.

2) La structure de la solution optimale de PL^1 permette de savoir si S est vide et, dans le cas contraire, d'exhiber une base réalisable de PL^0.

Dans la formulation de PL^0, nous avons trois types de contraintes de type (i) (voir chapitre I, p. 7,8), à savoir :

$$\sum_{j=1}^{n} a_{ij} x_j + s_i = b_i \qquad i \in A'$$

$$\sum_{j=1}^{n} a_{ij}x_j - s_i = b_i \qquad i \in B'$$

$$\sum_{j=1}^{n} a_{ij}x_j \qquad = b_i \qquad i \in C'$$

Seuls les vecteurs colonne associés aux variables d'écart s_i, $i \in A'$ sont des vecteurs canoniques de R^m. Nous allons faire apparaître "artificiellement" les m vecteurs canoniques de R^m en adjoignant à chaque contrainte de type B' ou C' une variable artificielle de la manière suivante :

- pour les contraintes de type B' :

$$\sum_{j=1}^{n} a_{ij}x_j - s_i + t_i = b_i \qquad i \in B'$$

- pour les contraintes de type C' :

$$\sum_{j=1}^{n} a_{ij}x_j + t_i = b_i \qquad i \in C'$$

Nous obtenons alors un *nouveau système de contraintes* linéaires, à savoir :

$$\sum_{j=1}^{n} a_{ij}x_j + s_i \qquad = b_i \qquad i \in A' \qquad \text{(i)}$$

$$\sum_{j=1}^{n} a_{ij}x_j - s_i + t_i = b_i \qquad i \in B' \qquad \text{(ii)}$$

$$\sum_{j=1}^{n} a_{ij}x_j \qquad + t_i = b_i \qquad i \in C' \qquad \text{(iii)}$$

portant sur les variables x_j $j = 1,2,\dots, n$; s_i $i \in A' \cup B'$; t_i $i \in B' \cup C'$.

Comme nous voudrions obtenir par l'algorithme défini au chapitre II, à partir des solutions de ce système, une solution réalisable pour PL^0, nous allons adjoindre les contraintes de positivité suivantes :

$$x_j \geqslant 0 \qquad j = 1,2,\ldots, n \qquad \text{(iv)}$$

$$s_i \geqslant 0 \qquad i \in A' \cup B' \qquad \text{(v)}$$

$$t_i \geqslant 0 \qquad i \in B' \cup C' \qquad \text{(vi)}$$

Nous allons donc travailler sur le domaine D défini par les contraintes (i), (ii), (iii), (iv), (v), (vi). Un point de D est défini par un ensemble *compatible* de valeurs affectées aux variables x_j, s_i et t_i. Le sous-ensemble des valeurs affectées aux variables x_j $j = 1, 2,\ldots, n$ et s_i $i \in A' \cup B'$ constitue un point de S *si et seulement si* :

$$t_i = 0 \qquad i \in B' \cup C' \qquad (1)$$

Il nous faut donc trouver une *base réalisable* du système précédant vérifiant (1). Dans ce but, il est naturel de chercher l'optimum sur D de la fonction objectif suivante :

$$z = \sum_{i \in B' \cup C'} t_i$$

l'optimisation étant bien sûr une *minimisation*, puisque nous nous sommes imposés les contraintes (vi).

Le programme linéaire PL^1, déduit de PL^0, est alors le suivant :

$$\sum_{j=1}^{n} a_{ij}x_j + s_i = b_i \qquad i \in A'$$

$$\sum_{j=1}^{n} a_{ij}x_j - s_i + t_i = b_i \qquad i \in B'$$

$$\sum_{j=1}^{n} a_{ij}x_j + t_i = b_i \qquad i \in C'$$

$$x_j \geqslant 0 \quad j = 1,2,\ldots, n \qquad s_i \geqslant 0 \quad i \in A' \cup B' \qquad t_i \geqslant 0 \quad i \in B' \cup C'$$

$$\text{MIN } z = \sum_{i \in B' \cup C'} t_i$$

Comme base initiale de PL^1, nous choisirons bien sûr :

$$s_i = b_i \qquad i \in A'$$

$$t_i = b_i \qquad i \in B' \cup C'$$

Nous pouvons alors appliquer l'algorithme du simplexe et nous sommes sûrs d'obtenir une solution optimale finie puisque :

$$t_i \geqslant 0 \qquad i \in B' \cup C'$$

ANALYSE DE LA BASE OPTIMALE.

Appelons β^* cette base optimale. Nous allons envisager trois cas.

Cas 1 : $\forall\ i \in B' \cup C'$ t_i est une variable hors-base; alors β^* est également une base réalisable pour PL^0.

Cas 2 : $\exists\ i \in B' \cup C'$ tel que t_i soit une variable de base non nulle $(t_i > 0)$. Il en résulte que z^*, minimum de la fonction objectif sur D, est strictement positif. Montrons que ce cas ne peut se produire que si S est vide. Supposons que S ne soit pas vide, alors il existe un point défini par :

$$x_j^0 \qquad j = 1,2,\dots, n$$

$$s_i^0 \qquad i \in A' \cup B'$$

appartenant à S. Mais alors, nous pouvons définir un point de D en posant :

$$x_j^1 = x_j^0 \qquad j = 1,2,\dots, n$$

$$s_i^1 = s_i^0 \qquad i \in A' \cup B'$$

$$t_i^1 = 0 \qquad i \in B' \cup C'$$

La valeur de la fonction objectif en ce point est nulle. D'où la contradiction puisque z^* est strictement positif. Nous en concluons que, dans le *cas 2*, le programme linéaire n'a pas de solutions réalisables ($S = \emptyset$).

Cas 3 : Toutes les variables artificielles appartenant à la base optimale β^* sont nulles. Notons $i_0, i_1, i_2, \ldots, i_p$ les indices des vecteurs colonne de la matrice A associés aux *variables artificielles de base* (1). Nous allons utiliser le fait que la base β^* est *dégénérée* pour tenter de déterminer d'autres *bases optimales* ne contenant pas de variables artificielles. Nous savons (voir p. 34, chapitre III) que la seule condition pour faire sortir a_{i_k} $k = 0,1,2,\ldots, p$ et entrer a_{j_0} est :

$$y_{i_k j_0} \neq 0$$

Nous allons alors appliquer la procédure suivante. Posons :

$$i = 0 \qquad \beta_i = \beta^*$$

Tant qu'il existe, par rapport à la base β_i en cours :

a_{i_k} vecteur *artificiel de base*

et :

a_{j_0} vecteur *non artificiel hors-base*

tel que :

$$y_{i_k j_0} \neq 0$$

effectuer le changement de base suivant :

$$i := i + 1$$

$$\beta_i := \beta_{i-1} - \{a_{i_k}\} \cup \{a_{j_0}\}$$

---

(1) Nous appellerons vecteur artificiel tout vecteur colonne de A associé à une variable artificielle; ici A est la matrice de PL^1.

Le nombre de vecteurs artificiels étant fini, cette procédure se termine au bout d'un nombre *fini* d'itérations. Deux cas peuvent alors se produire :

Cas 3.1 : La dernière base optimale obtenue (notons-la β_r) ne contient plus de vecteurs artificiels; nous sommes alors ramenés dans la situation du cas 1. La base β_r est une base réalisable pour PL^0.

Cas 3.2 : La base β_r obtenue contient encore des vecteurs artificiels, à savoir :

$$a_{k_1}, a_{k_2}, \ldots, a_{k_q} \qquad q > 0$$

Mais alors nous savons que :

- pour tout i, i = 1,2,..., q;
- pour tout j_0 tel que a_{j_0} est non artificiel et hors-base on a :

$$y_{k_i j_0} = 0$$

Si maintenant nous appelons $a_{i_1}, a_{i_2}, \ldots, a_{i_{m-q}}$ les vecteurs non-artificiels, tout vecteur colonne a_j non artificiel se décompose sur la famille libre :

$$\{a_{i_1}, a_{i_2}, \ldots, a_{i_{m-q}}\}$$

Le *rang de la matrice* A est donc (m - q); ou, ce qui signifie la même chose, q contraintes sont *redondantes*.

Nous avions supposé, dans la présentation générale, que le rang de la matrice A était égal à m, le nombre de contraintes. Sous cette hypothèse, le cas 3.2 ne peut se produire; mais, d'après l'analyse précédente, nous constatons que nous aurions pu relâcher cette hypothèse.

Nous tenons à signaler au lecteur, en tant que complément à l'analyse du cas 3.2, qu'il est possible de déterminer un ensemble de (m - q) contraintes indépendantes. Ce problème constitue un excellent exercice d'algèbre linéaire.

Nous allons reprendre l'exemple du chapitre III et appliquer la méthode "en deux phases" pour déterminer une base réalisable initiale.

La formulation initiale du programme linéaire était la suivante :

$$4x_1 + 3x_2 \geqslant 12$$

$$-x_1 + x_2 \leqslant 4$$

$$x_1 + 3x_2 \leqslant 24$$

$$x_1 \leqslant 6$$

$$x_1 ; \quad x_2 \geqslant 0$$

$$\text{MAX } z = x_1 + 3x_2$$

Après introduction des variables d'écart, il apparaît que le vecteur colonne associé à la variable s_1 n'est pas canonique; il nous faut donc introduire pour la première contrainte une variable artificielle t_1. Nous obtenons alors la formulation suivante :

$$4x_1 + 3x_2 - s_1 + t_1 = 12$$

$$-x_1 + x_2 + s_2 = 4$$

$$x_1 + 3x_2 + s_3 = 24$$

$$x_1 + s_4 = 6$$

$$x_1 ; \quad x_2 ; \quad s_1 ; \quad t_1 ; \quad s_2 ; \quad s_3 ; \quad s_4 \geqslant 0$$

Pour obtenir une base réalisable du programme linéaire initial, il nous faut associer à l'ensemble de contraintes précédent la fonction objectif suivante :

$$\text{MIN } t_1$$

nous avons alors constitué le programme linéaire adjoint PL^1.

La base initiale β_0 pour PL^1 est associée à l'ensemble de variables (t_1, s_2, s_3, s_4). Les variables x_1, x_2 et s_1 sont hors-base; leurs coûts marginaux se calculent de la manière suivante (voir chapitre IV) :

Puisque $B_0 = I_{4,4}$ et $c_{B_0} = (1, 0, 0, 0)$, nous avons, en reprenant les notations du chapitre III :

$$\Delta(x_1) = c_{x_1} - c_{B_0} y_{x_1} = c_{x_1} - c_{B_0} B_0^{-1} a_1 = -4$$

$$\Delta(x_2) = c_{x_2} - c_{B_0} y_{x_2} = c_{x_2} - c_{B_0} B_0^{-1} a_2 = -3$$

$$\Delta(s_1) = c_{s_1} - c_{B_0} y_{s_1} = c_{s_1} - c_{B_0} B_0^{-1} a_{s_1} = 1$$

Puisque nous effectuons une minimisation, nous choisissons le coût marginal le plus grand (en valeur absolue) négatif, donc celui associé à la variable x_1. D'après le second critère de Dantzig, c'est la variable de base t_1 qui va sortir de β_0. La nouvelle base β_1 associée aux variables x_1, s_2, s_3, s_4 est optimale pour PL^1; elle ne contient pas de variables artificielles, c'est donc une base réalisable pour le programme linéaire initial.

Nous avons alors achevé la "première phase". Pour démarrer la seconde, il suffit de substituer à l'ancienne fonction économique (MIN t_1) la véritable fonction objectif, à savoir :

$$\text{MAX } z = x_1 + 3x_2$$

et de calculer les nouveaux coûts marginaux des variables hors-base (x_2, s_1).

<u>*Remarque* 2</u> : Etant donné que la première phase a comme objectif l'élimination (de la base) des variables artificielles, on peut, pour la commodité des calculs, abandonner tout vecteur artificiel dès qu'il est devenu *hors-base*. C'est pour cette raison que nous abandonnons la variable t_1 ainsi que la colonne associée à partir de la base β_1.

I.2. Etude de la phase II.

La phase I a, comme nous l'avons vu, trois issues possibles que nous avons étudiées par l'analyse des cas 1, 2 et 3 (voir paragraphe précédent). Nous allons maintenant nous intéresser à l'enchaînement avec la deuxième phase.

Dans le cas 1, la base β^* obtenue ne contient pas de vecteur artificiel, β^* est donc une base réalisable pour le programme linéaire débarassé des *colonnes artificielles*. Il suffit alors de donner à chaque variable son coût unitaire c_j (nul pour les variables d'écart). Les coûts marginaux sont alors calculés par :

$$d_j = c_j - c_B y_j$$

les vecteurs colonnes y_j n'étant nullement affectés par le changement de fonction objectif. Les itérations de la méthode simpliciale peuvent dès lors être engagées.

Dans le cas 2, le programme linéaire initial n'a pas de solution réalisable, il n'est donc pas question de phase II.

Dans le cas 3, certaines colonnes artificielles sont dans la base, mais la valeur des variables de base correspondantes est *nulle*. Nous avons, dans ce cas, étudié une procédure qui permet :

- soit de déterminer une base β^* correspondant au cas 1;
- soit de conclure que certaines contraintes sont redondantes.

Cette procédure est suffisante sur le plan théorique mais peu intéressante du point de vue pratique. Nous voudrions en effet pouvoir engager, également dans ce cas, la phase II.

Pour cela, nous commençons par nous "*débarasser*" des colonnes artificielles *hors-base* qui ne seront pas la source de nos soucis puisque nous ne les choisirons pas comme colonnes candidates à entrer dans la base. Nous affecterons ensuite le coût unitaire :

c_j aux variables principales

0 aux variables d'écart

0 aux variables *artificielles de base*

Toute base réalisable de ce programme linéaire réduite aux colonnes principales constitue une base réalisable du programme initial si et seulement si *toutes les variables artificielles de base sont nulles*. Nous pouvons donc résoudre le programme linéaire précédent en nous assurant qu'à chaque itération, les variables artificielles de base sont nulles. Il nous faut d'abord simplifier au maximum ce programme linéaire. Reprenons ici les notations de l'étude du cas 3.

Supposons qu'il existe une colonne artificielle de base d'indice i_r $r \in \{0, 1, \ldots, p\}$ telle que pour tout j_0 tel que a_{j_0} soit hors-base :

$$y_{i_r j_0} = 0$$

Alors, d'après les règles de changement de base, la colonne de base a_{i_r} ne sera pas candidate pour sortir de la base. Si donc nous faisons sortir le vecteur colonne a_{i_q} $(q \neq r)$ et entrer le vecteur colonne a_{j_0}, étudions les coordonnées $y_{i_k j}$ pour toute colonne a_j hors-base et tout indice k (k = 0,1,..., p).

Pour $j \notin \{j_0, i_0, i_1, \ldots, i_{q-1}, i_{q+1}, \ldots, i_{m-1}\}$ (indices de la nouvelle base) :

$$a_j = y'_{j_0 j} a_{j_0} + \sum_{k \neq q} y'_{i_k j} a_{i_k}$$

et, par rapport à l'ancienne base :

$$a_j = \sum_{k=0}^{m-1} y_{i_k j} a_{i_k}$$

Comme nous avons :

$$a_{j_0} = y_{i_q j_0} a_{i_q} + \sum_{k \neq q} y_{i_k j_0} a_{i_k}$$

nous pouvons déterminer la décomposition de tout vecteur colonne a_j hors la nouvelle base par :

$$a_j = \sum_{k \neq q} y_{i_k j} a_{i_k} + y_{i_q j}(1/y_{i_0 j_0} a_{j_0} - \sum_{k \neq q} y_{i_k j_0} / y_{i_q j_0} a_{i_k})$$

soit encore, en regroupant les termes :

$$a_j = (y_{i_q j}/y_{i_q j_0})\, a_{j_0} + \sum_{k \neq q} \left(y_{i_k j} - y_{i_q j}(y_{i_k j_0}/y_{i_q j_0})\right) a_{i_k}$$

D'où les formules de changement de coordonnées pour les indices j n'appartenant pas à la nouvelle base et différent de i_q :

$$y'_{j_0 j} = y_{i_q j}/y_{i_q j_0}$$

$$y'_{i_k j} = y_{i_k j} - y_{i_q j}(y_{i_k j_0}/y_{i_q j_0}) \qquad k \neq q \qquad \text{(ii)}$$

La colonne a_{i_q} est une colonne hors-base désormais, ses coordonnées sur la nouvelle base sont données par la relation (i); nous avons par conséquent :

$$y'_{i_k i_q} = -(y_{i_k j_0}/y_{i_q j_0}) \qquad k \neq q$$

$$y'_{j_0 i_q} = 1/y_{i_q j_0} \qquad \text{(iii)}$$

L'ensemble de ces formules constitue les formules générales de changement de coordonnées, on les appliquera surtout dans le chapitre VI.

Revenons sur notre problème; il nous faut examiner les quantités $y'_{i_k j}$ pour tout a_j non artificiel et hors-base et pour tout k tel que a_{i_k} soit artificiel de base.

Par hypothèse, nous avons pour j n'appartenant pas à l'ancienne base :

$$y_{i_r j} = 0$$

Montrons maintenant que, pour j n'appartenant pas à la nouvelle base : $y'_{i_r j} = 0$.

D'après (ii), nous avons (car $r \neq q$) :

$$y'_{i_r j} = y_{i_r j} - y_{i_q j}(y_{i_k j_0}/y_{i_q j_0}) \qquad k = r$$

or :

$$y_{i_r j} = y_{i_r j_0} = 0$$

donc, pour j n'appartenant pas à la nouvelle base et différent de i_q, nous avons :

$$y'_{i_r j} = 0$$

D'après (iii), pour $j = i_q$, nous avons :

$$y'_{i_r i_q} = - y_{i_r j_0}/y_{i_q j_0} = 0$$

En conclusion, nous avons montré que, pour tout indice j n'appartenant pas à la nouvelle base :

$$y'_{i_r j} = 0$$

Il en résulte que la colonne artificielle i_r ne sera jamais candidate pour sortir de la base. Toute base réalisable contiendra donc le vecteur artificiel a_{i_r} .

D'autre part, si nous considérons la ligne des coordonnées de chaque vecteur a_j par rapport au vecteur colonne basique a_{i_r} , à savoir :

1	2	.	.	.	.	.	i_r	.	.	n
0	0	0	0	0	0	0	1	0	0	0

nous constatons que cette ligne reste fixe, quelle que soit la base réalisable considérée. De la même manière, la valeur de la variable basique x_{i_r} dans la nouvelle base est donnée par :

$$x'_{i_r} = x_{i_r} - (y_{i_k j_0} / y_{i_q j_0})\, x_{i_q} = 0$$

ceci quel que soit le vecteur entrant et le vecteur sortant.

Faisons maintenant une remarque concernant les conséquences de cette situation dans la pratique de la méthode des tableaux (voir chapitre VII). En effet, la ligne précédente est une ligne du tableau associé à une base réalisable; comme elle *restera fixe* ainsi que la colonne correspondante puisque cette colonne reste *basique* (et par conséquent du type e_h), nous pourrons la supprimer du tableau et supprimer également la colonne a_{i_r}.

Ce résultat est intéressant car il permet de simplifier le programme lorsque cette situation se produit, ce qui correspondra à un gain de place mémoire et de temps machine.

Comme nous l'avons déjà démontré (voir paragraphe correspondant de l'analyse du cas 3), cette situation correspond à une *contrainte redondante* dont il ne serait pas difficile de montrer qu'il s'agit de la contrainte h ($1 \leqslant h \leqslant m$) si le vecteur colonne *basique* y_{i_r} est précisément le vecteur e_h.

En conclusion, nous commencerons par réduire le tableau associé à la base optimale obtenue à la fin de la phase I autant de fois que la situation précédente se présentera.

Nous pouvons donc maintenant considérer une base β^* qui vérifie les propriétés suivantes (notons $\beta^* = \{i_0, i_1, i_2, \ldots, i_p, i_{p+1}, \ldots, i_{m-1}\}$) :

1) a_{i_k} $k = 0,1,2,\ldots, p$ sont les colonnes artificielles de base.

2) a_{i_k} $k = p+1, p+2, \ldots, m-1$ sont les colonnes non artificielles de base.

3) $k = 0,1,\ldots, p$ $\quad x_{i_k} = 0$.

4) Pour tout k ($k = 0,1,\ldots, p$), il existe un indice j tel que : $y_{i_k j} \neq 0$.

N'oublions pas que notre objectif est de résoudre le programme linéaire défini au début de ce paragraphe (auquel on a adjoint les variables artificielles de base) en faisant en sorte que les variables artificielles de la base soient toujours nulles. Le problème est alors *bien simplifié* pour une base qui vérifie les propriétés 1, 2, 3 et 4.

Supposons en effet que a_{j_0} soit le vecteur entrant :

- s'il existe k_0 $k_0 = 0, 1, \ldots, p$ tel que $y_{i_{k_0} j_0} > 0$, alors le vecteur sortant pourra être $a_{i_{k_0}}$ et, puisque $x_{i_{k_0}} = 0$, la valeur des variables de base sera inchangée;

- si pour tout $k = 0, 1, \ldots, p$ $y_{i_k j_0} \leqslant 0$ et si $y_{i_{k_0} j_0} < 0$, le vecteur sortant (deuxième critère de Dantzig) ne peut être une colonne artificielle. Supposons alors que le vecteur sortant soit a_{i_q} $(q > p)$. Examinons alors ce que deviennent les valeurs des variables artificielles de base. Nous avons :

$$x'_{i_k} = x_{i_k} - (y_{i_k j_0} / y_{i_q j_0}) \, x_{i_q} \qquad \forall \, k = 0, 1, \ldots, p$$

et donc :

$$x'_{i_k} = (-y_{i_k j_0} / y_{i_q j_0}) \, x_{i_q}$$

Evaluons le signe de la variable $x_{i_{k_0}}$; $y_{i_{k_0} j_0}$ est strictement négatif par hypothèse; $y_{i_q j_0}$ est strictement positif puisqu'il s'agit du pivot; par conséquent, si x_{i_q} est strictement positive, alors $x_{i_{k_0}}$, variable artificielle basique, est strictement positive, *ce que nous voulions justement éviter*.

Il est cependant facile de se tirer de ce mauvais pas; en effet, dans ce cas, nous pouvons prendre *délibérément* comme vecteur sortant le vecteur $a_{i_{k_0}}$, ce qui nous conduira à une nouvelle base réalisable (revoir dans le chapitre II la condition unique de changement de base réalisable lorsque l'on fait sortir un vecteur basique tel que $x_{i_0} = 0$) car $y_{i_{k_0} j_0} < 0$. Bien entendu, la fonction économique ne progressera pas.

Nous pourrons donc appliquer la méthode classique à notre programme linéaire à la condition d'appliquer la modification suivante dans le choix du vecteur sortant :

Si, pour un vecteur entrant a_{j_0} :

- toutes les coordonnées de a_{j_0} sur les colonnes de base artificielles sont négatives ou nulles;
- une de ces coordonnées est *strictement négative*;
- une variable artificielle de base devient *strictement positive*;

alors choisir comme *vecteur sortant* le vecteur artificiel de base correspondant à la coordonnée strictement négative.

Remarquons que la conjonction de ces trois éventualités est, somme toute, assez rare, mais il était cependant nécessaire de savoir y remédier.

II. LES METHODES DU SECOND TYPE

Toutes ces méthodes présentent les caractéristiques suivantes :

- elles *n'utilisent pas* de variables artificielles;
- elles construisent une suite de bases réalisables pour un nombre de contraintes croissant strictement jusqu'à l'obtention d'une base réalisable du programme linéaire.

La méthode de ce type la plus connue est appellée "algorithme composite"; nous allons la présenter brièvement sur un exemple. Le lecteur intéressé par cette méthode ainsi que par d'autres méthodes pourra se reporter à [11], [12].

L'algorithme composite.

Considérons le programme linéaire présenté au paragraphe I, soit :

$$\begin{aligned} 4x_1 + 3x_2 &\geqslant 12 \\ -x_1 + x_2 &\leqslant 4 \\ x_1 + 3x_2 &\leqslant 24 \\ x_1 \qquad &\leqslant 6 \\ x_1;\ x_2 &\geqslant 0 \end{aligned}$$

$$\text{MAX } z = x_1 + 3x_2$$

La formulation de départ du programme linéaire pour l'algorithme composite nécessite uniquement l'introduction de variables d'écart; nous écrirons donc :

$$\begin{aligned} 4x_1 + 3x_2 - s_1 \qquad\qquad &= 12 \\ -x_1 + x_2 \qquad + s_2 \qquad &= 4 \\ x_1 + 3x_2 \qquad\qquad + s_3 \quad &= 24 \\ x_1 \qquad\qquad\qquad\qquad + s_4 &= 6 \\ x_1;\ x_2;\ s_1;\ s_2;\ s_3;\ s_4 &\geqslant 0 \end{aligned}$$

$$\text{MAX } z = x_1 + 3x_2$$

La première base (*non réalisable*) choisie sera celle des colonnes d'écart et nous ferons en sorte que la matrice de base correspondante soit la matrice identité. Aussi nous écrirons :

$$-4x_1 - 3x_2 + s_1 = -12 \quad \text{(i)}$$

$$-x_1 + x_2 + s_2 = 4 \quad \text{(ii)}$$

$$x_1 + 3x_2 + s_3 = 24 \quad \text{(iii)}$$

$$x_1 + s_4 = 6 \quad \text{(iv)}$$

$$x_1;\ x_2;\ s_1;\ s_2;\ s_3;\ s_4 \geqslant 0 \quad \text{(v)}$$

$$\text{MAX } z = x_1 + 3x_2$$

Dans la base initiale, la variable s_1, basique, est négative (-12); il nous faut donc la rendre positive par des changements de base maintenant la réalisabilité des contraintes (i), (ii), (iii), (iv), (v). Pour cela :

- nous exprimons s_1 en fonction des variables hors-base (x_1 et x_2) soit :

$$s_1 = -12 + 4x_1 + 3x_2$$

- nous substituons à la fonction objectif z, la nouvelle fonction objectif s_1 qu'il nous faut maximiser.

Le nouveau programme linéaire s'écrit donc :

$$-4x_1 - 3x_2 + s_1 = -12$$

$$-x_1 + x_2 + s_2 = 4$$

$$x_1 + 3x_2 + s_3 = 24$$

$$x_1 + s_4 = 6$$

$$x_1;\ x_2;\ s_1;\ s_2;\ s_3;\ s_4 \geqslant 0$$

$$\text{MAX } z' = -12 + 4x_1 + 3x_2$$

Résolvons ce programme linéaire ([1]).

1ère itération : x_1 entre dans la base et s_1 sort de la base (critères de Dantzig). Les nouvelles variables hors base sont donc x_2 et s_1, et le programme s'écrit :

$$x_1 + 3/4x_2 - 1/4s_1 = 3$$

$$5/4x_2 - 1/4s_1 + s_2 = 7$$

$$9/4x_2 + 1/4s_1 + s_3 = 21$$

$$-3/4x_2 + 1/4s_1 + s_4 = 3$$

$$x_1;\quad x_2;\quad s_1;\ s_2;\ s_3;\ s_4 \geqslant 0$$

$$\text{MAX } z' = 0 + 1s_1 + 0x_2$$

s_1 est ici variable hors-base; la base x_1, s_2, s_3, s_4 est réalisable pour le programme linéaire. Nous pouvons alors appliquer la méthode simpliciale avec comme système de départ :

$$x_1 + 3/4x_2 - 1/4s_1 = 3$$

$$7/4x_2 - 1/4s_1 + s_2 = 7$$

$$9/4x_2 + 1/4s_1 + s_3 = 21$$

$$-3/4x_2 + 1/4s_1 + s_4 = 3$$

$$x_1;\quad x_2;\quad s_1;\ s_2;\ s_3;\ s_4 \geqslant 0$$

$$\text{MAX } z = (3 + 1/4s_1 - 3/4x_2) + 3x_2$$

$$= 3 + 1/4s_1 + 9/4x_2$$

([1]) Dans le cas où une variable basique est négative (x_{i_k}) le calcul du rapport minimal r, associé à une variable entrante x_j (voir p. 35) doit inclure $x_{i_k}/y_{i_k j_0}$ et $y_{i_k j_0}$ est strictement négatif.

Si le programme linéaire avait comporté plusieurs contraintes non réalisées (seconds membres négatifs dans la formulation PL[1]), la méthode précédente aurait pu être élargie avec la transformation suivante :

a) *Choix d'une contrainte* non réalisée pour la base en cours (si toutes les contraintes sont réalisées, fin).

b) Résolution du programme linéaire associé à la réalisabilité de cette contrainte.

c) Retour en a) pour la dernière base obtenue en b).

Pour les cas particuliers associés à cet algorithme ainsi que pour des améliorations possibles, le lecteur pourra consulter [12].

Jusqu'à maintenant, ces méthodes sont peu utilisées, sauf peut-être dans le cas très particulier de la paramétrisation *d'un seul coefficient* du second membre où la contrainte correspondante n'est pas satisfaite (voir chapitre VI). Pourtant, d'une part ces méthodes se révèlent au moins aussi bonnes en ce qui concerne le nombre d'itérations que les méthodes classiques en une ou deux phases, et bien meilleures pour la durée d'une itération et la place mémoire utilisée.

III. NON-UNICITE DE LA SOLUTION OPTIMALE

Nous avons, dans ce chapitre, résolu le problème de la "base de départ" d'un programme linéaire. Le chapitre III résolvait, lui, le problème de la suite des changements de base à réaliser à partir d'une base réalisable donnée. Nous avons donc désormais les moyens d'analyser et de résoudre tout programme linéaire. Nous allons cependant terminer ce chapitre par une analyse rapide du problème (assez marginal en pratique) de la non-unicité de la solution optimale.

Supposons donc, qu'après avoir appliqué l'algorithme du simplexe, et avoir déterminé une base optimale β, nous cherchions à savoir si cette base optimale est unique. Notons z^* la valeur optimale de la fonction objectif. Nous avons déjà déterminé au chapitre II les conditions nécessaires et suffisantes de changement de base adjacente; si γ est une base réalisable obtenue à partir de β, nous avons (voir p. 36, chapitre III) :

$$z_\gamma = z_\beta + r(c_{j_0} - z_{j_0}) = z^*$$

le changement de base étant le suivant :

$$\gamma = \beta - a_{i_0} \cup a_{j_0}$$

Il en résulte que, nécessairement, si γ est une autre base optimale :

$$r(c_{j_0} - z_{j_0}) = 0$$

où :

$$r = \frac{x_{i_0}}{y_{i_0 j_0}}$$

Deux cas vont alors se présenter pour l'obtention, à partir de la base optimale β d'une autre base optimale.

Cas 1 : Il existe un vecteur a_{i_0} de la base β tel que x_{i_0} soit nul (c'est-à-dire $r = 0$). Nous savons alors que l'on peut substituer tout vecteur a_{j_0} (non basique) au vecteur a_{i_0} pourvu que : $y_{i_0 j_0} \neq 0$. Toutes les bases optimales obtenues sont *dégénérées*; c'est le cas de la dégénérescence dite "*primale*".

Cas 2 : Il existe un vecteur a_{j_0} non basique tel que : $c_{j_0} - z_{j_0} = 0$. Nous pouvons alors faire entrer a_{j_0} dans la nouvelle base (γ); le vecteur sortant sera déterminé par application du second critère de Dantzig. Nous verrons plus tard pourquoi ce cas est appelé : dégénérescence *duale*.

Il est donc maintenant clair que la solution optimale d'un programme linéaire est unique si la base optimale obtenue par application de l'algorithme du simplexe n'est pas dégénérée (ni pour le primal ni pour le dual).

Terminons par quelques remarques sur l'ensemble des solutions optimales.

Remarque 3 : Le nombre de bases optimales est fini (puisque inférieur ou égal au nombre de bases du programme linéaire).

Remarque 4 : Soit $\{\beta_1, \beta_2, \ldots, \beta_q\}$ l'ensemble des bases optimales d'un programme linéaire et $\{x^1, x^2, \ldots, x^q\}$ les solutions de base correspondantes; toute combinaison linéaire convexe des x^i $i = 1,2,\ldots, q$ est une solution optimale du gramme linéaire. Un vecteur x^0, combinaison linéaire convexe des vecteurs x^i, est défini par :

$$x^0 = \sum_{i=1}^{q} u_i x^i$$

où $0 \leqslant u_i \leqslant 1$ $i = 1,2,\ldots, q$ et $\sum_{i=1}^{q} u_i = 1$.

Pour vérifier la remarque 4, il suffit d'exprimer la fonction objectif; en effet, nous avons :

$$z(x^0) = c.x^0 = c \sum_{i=1}^{q} u_i x^i = \sum_{i=1}^{q} u_i (c.x^i) = z^*$$

Notons que, dans ce cas, toute solution de type x^0 n'est pas forcément une solution *de base*.

Remarque 5 : On peut se poser le problème de la détermination de toutes les solutions de base d'un programme linéaire. Il existe dans la littérature spécialisée, un certain nombre de méthodes énumératives, dont l'objectif essentiel est de ne pas cycler, mais qui ne concerne pas le chercheur opérationnel, celui-ci ayant banni à tout jamais l'énumération !

CHAPITRE VI

la dualité en programmation linéaire

Maintenant que nous sommes familiarisés avec une technique de résolution d'un programme linéaire, nous allons tenter d'approfondir notre compréhension de la structure d'un tel programme en comparant les solutions :

- d'un programme linéaire *initial*, pris comme programme de départ, et encore appelé "programme primal";

- d'un programme linéaire, construit à partir du programme primal, et appelé "programme dual".

Cette comparaison peut apparaître, *a priori*, comme une pure fantaisie d'un théoricien "en chômage"; nous verrons cependant qu'il n'en est rien. Cette étude permettra en effet d'acquérir un point de vue *unifié* sur la programmation linéaire, nous élevant au-dessus du caractère "ad hoc" des techniques élaborées au cours des chapitres précédents, et amènera des résultats pratiques indispensables concernant surtout les problèmes de *paramétrisation*, c'est-à-dire de sensibilité de la solution optimale vis-à-vis de variations des paramètres d'un programme linéaire.

I. PROGRAMME PRIMAL. PROGRAMME DUAL.

Au chapitre I, nous avions défini trois types de contraintes pour un programme linéaire, à savoir :

$$\sum_{j=1}^{p} a_{ij} x_j \begin{matrix} \leqslant \\ = \\ \geqslant \end{matrix} b_i \qquad \text{(i)}$$

Nous avions distingué parmi ces contraintes celle de la forme : $x_j \geq 0$, que nous avions appelé contraintes de "positivité" et que, moyennant l'adjonction de certaines variables, il était possible d'étendre à toutes les variables du problème. Après avoir instauré la contrainte de positivité sur chaque variable du problème, nous pouvons mettre chaque contrainte de type (i) sous la forme :

$$\sum_{j=1}^{n} a'_{ij} x_j \leq b_i \qquad \text{(i')}$$

Nous adopterons ainsi comme forme initiale (*primale*) d'un programme linéaire :

$$\sum_{j=1}^{n} a'_{ij} x_j \leq b_i \qquad i = 1,2,\ldots, m$$

$$x_j \geq 0 \qquad j = 1,2,\ldots, n$$

$$\text{MAX } z = \sum_{j=1}^{n} c_j x_j$$

Sous forme matricielle, ce programme primal s'écrit :

$$\text{PL}^1 \begin{cases} A'x \leq b \\ x \geq 0 \\ \text{MAX } z = cx \end{cases}$$

Notons qu'avec une telle formulation, il n'est plus possible de supposer que chaque second membre b_i est positif ou nul. Comme nous le verrons, ceci n'entraînera aucune difficulté supplémentaire dans le développement à venir. Nous allons maintenant construire le programme linéaire *dual* de la manière suivante :

- Nous associons à chaque contrainte du programme primal une variable du programme dual; à la contrainte i ($1 \leq i \leq m$) est associée la variable y_i; cette variable duale y_i devra être positive ou nulle car la contrainte i du primal est une inégalité; le programme dual aura donc m variables.

- Nous associons à chaque variable x_j du programme primal la contrainte du programme dual suivante :

$$\sum_{i=1}^{m} a'_{ij} y_i \geqslant c_j$$

Nous remarquons que le sens des inégalités a été inversé. Le programme dual aura donc n contraintes.

- La fonction objectif du programme dual sera la suivante :

$$\text{MIN } u = \sum_{i=1}^{m} y_i b_i$$

Le sens de l'optimisation a également été inversé; les coefficients de la fonction objectif duale sont les seconds membres du programme primal, les seconds membres du programme dual sont les coefficients de la fonction objectif du programme primal.

L'écriture matricielle du programme dual de PL^1 est donc :

$$PL^2 \begin{cases} yA' \geqslant c & \text{(i')} \\ y \geqslant 0 & \text{(ii')} \\ \text{MIN } u = yb & \end{cases}$$

y est le vecteur ligne des m variables duales; c le vecteur ligne des coûts unitaires des variables principales; b le vecteur colonne des seconds membres du programme primal.

A ce niveau, nous devons déjà faire une remarque importante : le programme dual du programme dual est le *programme primal*. Avec nos notations, le programme dual de PL^2 est le programme PL^1. Nous laissons au lecteur le plaisir de démontrer cette propriété.

Nous allons maintenant aborder l'étude des propriétés essentielles concernant la comparaison du programme primal et du programme dual.

II. COMPARAISON DES SOLUTIONS DU PRIMAL ET DU DUAL

Ce paragraphe a pour objectif la démonstration du théorème fondamental suivant, encore appelé "*théorème de la dualité*" :

Si l'un des deux programmes linéaires duaux (PL^1 *et* PL^2*) possède une* solution optimale finie, *l'autre en possède une également, et les valeurs optimales des deux fonctions objectifs sont* égales.

Commençons par démontrer un lemme préliminaire :

La valeur de la fonction objectif de PL^1 (respectivement PL^2) associée à une solution réalisable de PL^1 (respectivement PL^2), constitue un *minorant* (respectivement *majorant*) pour l'ensemble des valeurs prises par la fonction objectif de PL^2 (respectivement PL^1) associées aux solutions réalisables de PL^2 (respectivement PL^1).

Considérons en effet une solution réalisable de PL^1, soit x^0. Nous avons :

$$z(x^0) = cx^0$$

Considérons maintenant une solution réalisable quelconque de PL^2, soit y^0; nous avons :

$$A'x^0 \leqslant b \quad \text{et} \quad y^0 \geqslant 0 \Longrightarrow y^0A'x^0 \leqslant y^0b$$

$$y^0A' \geqslant c \quad \text{et} \quad x^0 \geqslant 0 \Longrightarrow y^0A'x^0 \geqslant cx^0$$

Nous en concluons que, pour toute solution réalisable de PL^2 (y^0) :

$$cx^0 \leqslant y^0b$$

et, comme cette inégalité est vraie, pour toute solution réalisable de PL^1 (x^0), elle est vérifiée pour tout couple de solutions réalisables des programmes PL^1 et PL^2.

Enonçons une conséquence directe de ce lemme :

- si x^0 est solution réalisable de PL^1;
- si y^0 est solution réalisable de PL^2;
- si $cx^0 = y^0b$;

alors, x^0 et y^0 sont respectivement solutions optimales de PL^1 et PL^2.

Une démonstration par l'absurde de cette propriété est très facile.

Une autre conséquence moins utilisée mais intéressante du lemme est la suivante : si l'un des deux programmes admet une *solution infinie*, l'autre est *incompatible*. La démonstration est également très directe.

Nous allons maintenant terminer en démontrant une propriété que le lecteur *ne peut pas ne pas apprécier*; à savoir : si l'on a déterminé, par l'algorithme du simplexe, une *solution de base optimale finie* du programme primal PL^1, alors on a *du même coup* résolu le programme dual PL^2, c'est-à-dire déterminé une solution optimale finie de PL^2.

<u>*Démonstration*</u> : Pour analyser la solution optimale de PL^1, commençons par le mettre sous la formulation PL^0 (voir chapitre I, p. 8). PL^1 se met sous la forme :

$$A'x + I_{m,m}\, s = b$$

$$x \geqslant 0; \qquad s \geqslant 0$$

$$\text{MAX } z = cx + \quad 0s$$

$I_{m,m}$ est la matrice identité d'ordre m; s est le vecteur colonne des m variables d'écart.

Remarquons ici que la base β_0 associée à l'ensemble des colonnes d'écart n'est pas, en général, réalisable; les coordonnées de b n'étant pas forcément positives ou nulles. Notons également que la matrice A des chapitres précédents est ici la concaténation des matrices A' et $I_{m,m}$, soit :

$$A = (A' I_{m,m})$$

Nous noterons a'_j j = 1,2,..., n les vecteurs colonne de la sous-matrice A' et e_i i = 1,2,..., m les m vecteurs canoniques de la sous-matrice $I_{m,m}$.

Supposons donc que le programme PL^1 admette une solution optimale finie; il existe donc une base β réalisable optimale à laquelle nous associons la matrice carrée B.

La base β est optimale, donc tous les coûts marginaux sont négatifs ou nuls. Considérons d'abord les coûts marginaux associés aux colonnes a'_j, nous avons :

$$\forall j \quad j = 1,2,\ldots, n \qquad c_j - c_B B^{-1} a'_j \leq 0 \qquad (1)$$

maintenant, pour les m colonnes canoniques, il vient :

$$\forall i \quad i = 1,2,\ldots, m \qquad c_B B^{-1} e_i \geq 0 \qquad (2)$$

Nous allons nous intéresser au vecteur $c_B B^{-1}$; c'est un vecteur ligne de dimension m, d'autre part :

- d'après (2) nous pouvons écrire comme nous en avons l'habitude :

$$c_B B^{-1} \geq 0$$

- d'après (1), il vient :

$$c_B B^{-1} A' \geq c$$

Le vecteur $c_B B^{-1}$ est donc une *solution réalisable* du programme dual PL^2.

La valeur de la fonction objectif duale pour cette solution réalisable est :

$$u = c_B B^{-1} b$$

or, comme $x_B = B^{-1} b$, on a :

$$u = c_B x_B = z(x_B)$$

Il résulte du lemme précédent que le vecteur ligne $c_B B^{-1}$ est *solution optimale* du programme linéaire dual PL^2.

Conséquence importante : Exprimons les coûts marginaux des colonnes d'écart; nous avons :

$$\forall i \quad i = 1,2,\ldots, m \qquad \Delta(s_i) = 0 - c_B B^{-1} e_i$$

soit :

$$\Delta(s_i) = - (\text{ième coordonnée de } c_B B^{-1})$$

Il en résulte que la solution optimale du programme dual est donnée par :

$$y_i = - \Delta_{s_i} \qquad i = 1,2,\ldots, m$$

<u>*Remarque 1*</u> : Donnons l'expression des coûts marginaux des variables principales du programme primal; il vient :

$$\forall j \quad j = 1,2,\ldots, n \qquad \Delta_j = c_j - c_B B^{-1} a'_j$$

Il apparaît donc que, pour la *base optimale* β, et la *solution duale associée*, le coût marginal de la variable principale x_j est égal à la différence entre le second et le premier membre de la jième contrainte du programme dual.

Nous avons donc obtenu les résultats importants suivants :

- si le programme primal possède une solution optimale finie, il en est de même pour le programme dual;

- en résolvant par l'algorithme du simplexe le programme primal, on détermine en même temps la solution optimale du programme dual.

L'ensemble des résultats précédents nous permet de comprendre l'algorithme "primal" du simplexe de la manière suivante :

A *chaque base réalisable* du programme primal, les valeurs $(-\Delta_{s_i})$ des coûts marginaux des variables d'écart changés de signe représentent des *valeurs d'essai* pour les variables duales, l'ensemble de ces valeurs ne constitue une solution réalisable pour le programme dual qu'à *l'optimum du programme primal*.

On peut donc dire que l'algorithme "primal" du simplexe consiste à déterminer une solution *réalisable pour le programme dual* en maintenant le caractère réalisable des solutions du programme primal au cours des itérations.

Nous allons maintenant illustrer les résultats précédents sur un exemple de détermination d'une solution optimale du programme dual par la résolution du programme primal.

III. EXEMPLE

Considérons le programme linéaire "primal" suivant :

$$
\begin{aligned}
x_1 \quad\quad &\leqslant 4 \\
x_2 &\leqslant 6 \\
x_1 + x_2 &\leqslant 5 \\
- x_2 &\leqslant -1 \\
x_1 ; \quad x_2 &\geqslant 0
\end{aligned}
$$

$$\text{MAX } z = 3x_1 - 2x_2$$

Dans la formulation PL^0, il devient :

$$
\begin{array}{llllllll}
x_1 & & + s_1 & & & & = 4 \\
& + x_2 & & + s_2 & & & = 6 \\
x_1 & + x_2 & & & + s_3 & & = 5 \\
& - x_2 & & & & + s_4 & = -1
\end{array}
$$

$$x_1 ; \quad x_2 ; \quad s_1 ; \quad s_2 ; \quad s_3 ; \quad s_4 \geqslant 0$$

$$\text{MAX } z = 3x_1 - 2x_2$$

Les colonnes d'écart ne constituent pas une base réalisable, par contre les vecteurs colonnes a'_2, e_1, e_2, e_3 en forment une (à savoir β_0). La matrice B_0 associée est la suivante :

$$B_0 = \begin{pmatrix} 0 & 1 & 0 & 0 \\ 1 & 0 & 1 & 0 \\ 1 & 0 & 0 & 1 \\ -1 & 0 & 0 & 0 \end{pmatrix}$$

Calculons son inverse, nous avons :

$$B_0^{-1} = \begin{pmatrix} 0 & 0 & 0 & -1 \\ 1 & 0 & 0 & 0 \\ -1 & 1 & 0 & 0 \\ -1 & 0 & 1 & 0 \end{pmatrix}$$

Les coûts marginaux des colonnes hors-base associés à B_0 sont donnés par (puisque $c_{B_0} = (-2, 0, 0, 0)$) :

$$\Delta(x_1) = 3 - (-2,0,0,0)\ B_0^{-1} \begin{pmatrix} 1 \\ 0 \\ 1 \\ 0 \end{pmatrix} = 3$$

$$\Delta(s_4) = 0 - (-2,0,0,0)\ B_0^{-1} \begin{pmatrix} -1 \\ 0 \\ 0 \\ 0 \end{pmatrix} = -2$$

Nous devons donc faire entrer a'_1 dans la base; déterminons le vecteur sortant. Il nous faut calculer x_{B_0} et les coordonnées y_{i1}, $i \in \beta_0$.

Nous avons :

$$x_{B_0} = B_0^{-1} b = B_0^{-1} \begin{pmatrix} 4 \\ 6 \\ 5 \\ -1 \end{pmatrix} = \begin{pmatrix} 1 \\ 4 \\ 2 \\ 1 \end{pmatrix}$$

et :

$$y_{a'_1} = B_0^{-1} a'_1 = B_0^{-1} \begin{pmatrix} 1 \\ 0 \\ 1 \\ 0 \end{pmatrix} = \begin{pmatrix} 0 \\ 1 \\ -1 \\ 0 \end{pmatrix}$$

Il en résulte (second critère de Dantzig) que la colonne e_1 sort de la base; la nouvelle base β_1 étant alors constituée des vecteurs a'_1, a'_2, e_2, e_3. Les matrices B_1 et B_1^{-1} sont alors les suivantes :

$$B_1 = \begin{pmatrix} 1 & 0 & 0 & 0 \\ 0 & 1 & 1 & 0 \\ 1 & 1 & 0 & 1 \\ 0 & -1 & 0 & 0 \end{pmatrix} \qquad B_1^{-1} = \begin{pmatrix} 1 & 0 & 0 & 0 \\ 0 & 0 & 0 & -1 \\ 0 & 1 & 0 & 1 \\ -1 & 1 & 1 & 0 \end{pmatrix}$$

Nous avons également :

$$c_{B_1} = (3,-2,0,0)$$

ce qui nous permet de calculer les coûts marginaux des variables hors-base (s_1 et s_4) à savoir :

$$\Delta(s_1) = 0 - (3,-2,0,0)\ B_1^{-1} \begin{pmatrix} 1 \\ 0 \\ 0 \\ 0 \end{pmatrix} = -3$$

$$\Delta(s_4) = 0 - (3,-2,0,0)\ B_1^{-1} \begin{pmatrix} 0 \\ 0 \\ 0 \\ 1 \end{pmatrix} = -4$$

La base B_1 est optimale (tous les coûts marginaux sont négatifs ou nuls); nous pouvons donc, d'après ce qui précède, en déduire une solution optimale du programme dual. Ce programme dual s'écrit :

$$\begin{aligned} y_1 + \quad + y_3 \quad &\geqslant 3 \\ y_2 + y_3 - y_4 &\geqslant -2 \\ y_1;\ y_2;\ y_3;\ y_4 &\geqslant 0 \\ \text{MIN } u = 4y_1 + 6y_2 + 5y_3 - y_4 & \end{aligned}$$

La solution optimale de ce programme linéaire est donc donnée par :

$$y_1 = -\Delta(s_1) = 3;\ y_2 = -\Delta(s_2) = 0;\ y_3 = -\Delta(s_3) = 0;\ y_4 = -\Delta(s_4) = 2$$

Vérifions la remarque (1 de la page 93); nous avons :

$$\Delta(x_1) = 0 = 3 - (0 + 3)$$

$$\Delta(x_2) = 0 = -2 - (0 - 2)$$

IV. APPROFONDISSEMENT DE LA LIAISON PRIMAL-DUAL

Remarque 2 : On aurait pu prendre comme forme primale :

$$\begin{aligned} A''x &\geqslant b \\ x &\geqslant 0 \qquad (3) \\ \text{MIN } z &= cx \end{aligned}$$

Le programme linéaire dual est alors :

$$\begin{aligned} yA'' &\leqslant c \\ y &\geqslant 0 \\ \text{MAX } u &= yb \end{aligned} \qquad (4)$$

On peut alors montrer, en reprenant la démonstration précédente que, si x_B $(= B^{-1}b)$ est solution de base optimale de (3), le vecteur ligne défini par :

$$y = c_B B^{-1}$$

est solution optimale du programme linéaire dual (4).

Remarque 3 : Lorsqu'un programme linéaire possède peu de variables et de nombreuses contraintes (ce qui entraîne la manipulation de bases de taille importante) il peut être avantageux de résoudre le programme dual pour lequel chaque base contient autant de vecteurs que de variables principales du programme primal.

Jusqu'à présent, nous avons pris comme forme primale initiale (voir p. 88 et p. 89) une forme telle que les coordonnées du second membre étaient de signe quelconque. Or nous avons vu, au chapitre II, que la tradition voulait que l'on initialise le déroulement de l'algorithme du simplexe par une base dont la matrice associée est la matrice identité, quitte à introduire des variables artificielles. Respectons donc cette tradition et examinons l'influence de cette contrainte sur les résultats précédents.

Considérons donc un programme linéaire initial qui s'écrit sous la forme canonique primale :

$$\begin{aligned} Dx &\leqslant d \\ x &\geqslant 0 \\ \text{MAX } z &= cx \end{aligned} \qquad (5)$$

Supposons de plus que les coordonnées d_i $i \in I^- = \{i_0, i_1, \ldots, i_k\}$ soient strictement négatives; en les mettant sous la forme d'un système d'égalités, (5) peut s'écrire :

$$
\begin{aligned}
&Dx + I_{m,m}\, s = d \\
&x \geqslant 0; \quad s \geqslant 0 \qquad (6) \\
&\text{MAX } z = cx
\end{aligned}
$$

Si maintenant, nous voulons rendre le second membre positif ou nul, il nous faut multiplier chaque contrainte i appartenant à I^- par -1, ce qui change le sens de l'inégalité pour la formulation (5), ou ce qui change le signe de la variable d'écart pour la formulation (6).

Nous obtenons alors la forme (habituelle pour le départ du simplexe) suivante :

$$
\begin{aligned}
&Ax + Js = b \\
&x \geqslant 0; s \geqslant 0 \qquad (7) \\
&\text{MAX } z = cx
\end{aligned}
$$

La correspondance entre les matrices A et D, $I_{m,m}$ et J, d et b est immédiate; en effet, elles ne diffèrent que par *le signe* des lignes d'indice i appartenant à I^-.

Il existe donc une correspondance biunivoque triviale entre les *bases réalisables* de (6) et de (7) qui consiste à considérer les vecteurs colonnes de mêmes indices. Nous laissons au lecteur le soin de la démonstration. Par contre, examinons la liaison entre les matrices inverses associées dans la bijection.

Soient donc B_1 la matrice associée à une base réalisable de (6) et B_2 la matrice associée à la base correspondante de (7). B_2 ne diffère de B_1 que par le signe des lignes d'indice i de I^-, il en résulte que B_2^{-1} ne diffèrera de B_1^{-1} que par le signe des colonnes d'indice i de I^-. Nous avons montré au paragraphe II, pages 92 et 93, que si B_1 est la matrice associée à une *base optimale* de (6), alors le vecteur ligne défini par :

$$y_1 = c_{B_1} B_1^{-1}$$

est solution optimale du programme dual. Il en résulte que si nous résolvons le programme linéaire (7) et déterminons une base optimale de matrice associée B_2, le vecteur ligne défini par :

$$y_2 = c_{B_2} B_2^{-1}$$

diffère de y_1 par le signe des coordonnées de rang i appartenant à I^-. On en déduit la *propriété suivante* :

Si, en résolvant un programme linéaire par son dual, on rend le second membre positif en multipliant par -1 les deux membres de la ième contrainte, alors la valeur optimale de la ième variable primale sera égale à la valeur de la ième composante de $c_B B^{-1}$ *changée de signe.*

Remarque 4 : Les coûts marginaux des variables d'écart sont les mêmes pour les programmes (6) et (7), pour deux bases en correspondance biunivoque; il en résulte que la solution optimale du programme dual est, dans l'un comme dans l'autre cas, donnée par :

$$y_i = -\Delta(s_i) \qquad i = 1,2,\ldots, m$$

V. SIMPLIFICATION DE LA RELATION PRIMAL-DUAL

Pour mettre sous la forme canonique primale une équation du programme linéaire initial, à savoir :

$$\sum_{j=1}^{n} a_{kj}.x_j = b_k$$

il nous fallait la décomposer en deux inéquations :

$$\sum_{j=1}^{n} a_{kj}.x_j \leqslant b_k$$

et :

$$\sum_{j=1}^{n} -a_{kj}.x_j \leqslant -b_k$$

ce qui implique la création de deux variables duales y'_k et y''_k pour cette seule contrainte primale k. Dans le programme dual, ces deux variables :

- d'une part devront être positives ou nulles;

- d'autre part n'interviendront que par leur différence (c'est-à-dire $y'_k - y''_k$).

Si nous réalisons alors le changement de variable :

$$y_k = y'_k - y''_k$$

dans le programme linéaire dual, nous obtenons un nouveau programme pour lequel la variable y_k n'est plus astreinte à être positive ou nulle. Il est aisé de mettre en correspondance biunivoque les bases réalisables de ces deux programmes. Notons PL^1 le programme faisant intervenir les variables y'_k et y''_k et PL^2 le programme faisant intervenir y_k. Notons également a^k le vecteur ligne $(a_{k1}, a_{k2}, \dots, a_{kn})$; nous constatons que les variables y'_k et y''_k du programme PL^1 sont associées aux vecteurs lignes a^k et $-a^k$ respectivement.

Considérons alors une base de PL^2, réalisable et constituée des vecteurs ligne $q_1, q_2, \dots, q_n$ (n contraintes dans PL^2); nous allons réaliser la correspondance suivante :

1) Si la base réalisable $q_1, q_2, \dots, q_n$ ne contient pas a^k, elle est également base réalisable de PL^1.

2) Si elle contient le vecteur ligne a^k (y_k est variable de base), nous luis associons, en supposant que $q_i = a^k$, la base de PL^1 suivante :

$$q_1, q_2, \dots, q_{i-1}, q_i, \dots, q_n \qquad \text{si} \quad y_k \geqslant 0$$

$$q_1, q_2, \dots, q_{i-1}, -q_i, \dots, q_n \qquad \text{si} \quad y_k < 0$$

Il est aisé de montrer que les familles de vecteurs ainsi construites sont des bases réalisables pour PL^1; en effet :

- dans le cas 1, nous avons :

$$\forall\, i \quad i \neq k \qquad y_i^1 = y_i^2$$

(décomposition de c sur la même base), et :

$$y'_k = y''_k = 0$$

- dans le cas 2, nous avons :

$$\forall i \quad i \neq k \qquad y_i^1 = y_i^2$$

si $y_k \geqslant 0$: $\qquad y'_k = y_k \qquad y''_k = 0$

et si $y_k < 0$: $\qquad y''_k = -y_k \qquad y'_k = 0$

Cette correspondance est biunivoque car, étant donnée une base réalisable de PL^1, elle ne peut contenir *à la fois* les vecteurs a^k et $-a^k$; il en résulte que l'image réciproque de cette base est unique (revenir sur la définition de la correspondance).

Nous en concluons que nous pouvons associer à une *équation* du programme linéaire primal une *variable sans contrainte de signe* dans le programme linéaire dual. Réciproquement, si dans le programme primal, une variable est sans contrainte de signe, il lui correspond une équation dans le programme dual. La démonstration est exactement la même que la précédente.

Nous pouvons donc donner la forme la plus générale de deux programmes linéaires duaux. Au programme linéaire primal :

$$\sum_{j=1}^{n} a_{ij}x_j \leqslant b_i \qquad i = 1,2,\ldots, k$$

$$\sum_{j=1}^{n} a_{ij}x_j = b_i \qquad i = k+1,k+2,\ldots, n$$

$$x_j \geqslant 0 \qquad j = 1,2,\ldots, p$$

$$\text{MAX } z = \sum_{j=1}^{n} c_j x_j$$

correspond le programme linéaire dual :

$$\sum_{i=1}^{m} a_{ij} y_i \geqslant c_j \qquad j = 1,2,\ldots, p$$

$$\sum_{i=1}^{m} a_{ij} y_i = c_j \qquad j = p+1, p+2,\ldots, n$$

$$y_i \geqslant 0 \qquad i = 1,2,\ldots, k$$

$$\text{MIN } u = \sum_{i=1}^{m} b_i y_i$$

Remarque 5 : Le théorème de la dualité (voir page 90 de ce chapitre) s'applique à cette forme généralisée de la relation primal-dual.

Nous allons terminer cette présentation générale du concept de dualité par un théorème souvent utile, un test d'optimalité pour un couple de solutions réalisables du primal et du dual.

VI. THEOREME DES "ECARTS COMPLEMENTAIRES"

C'est un corollaire du théorème de la dualité qui au lieu d'observer les valeurs des fonctions objectifs des programmes linéaires primale et dual, compare la manière dont sont satisfaites les contraintes pour les solutions réalisables envisagées. Il s'énonce de la manière suivante :

La condition nécessaire et suffisante pour que x, *solution réalisable du programme linéaire primal et* y, *solution réalisable du programme dual, soient optimales est la suivante :*

1) $\forall i \quad i = 1,2,\ldots, m \qquad y_i \left(\sum_{j=1}^{n} a_{ij} x_j - b_i\right) = 0$

et :

2) $\forall j \quad j = 1,2,\ldots, n \qquad x_j \left(\sum_{i=1}^{m} a_{ij} y_i - c_j\right) = 0$

Montrons que la *condition est nécessaire.*

Supposons donc que x et y soient solutions optimales des programmes linéaires primal et dual. Nous allons raisonner globalement sur les vecteurs x et y. Ces vecteurs sont solutions réalisables; il vérifient donc :

$$\begin{aligned} Ax &\leqslant b \\ x &\geqslant 0 \end{aligned} \qquad \text{(i)}$$

et :

$$\begin{aligned} yA &\geqslant c \\ y &\geqslant 0 \end{aligned} \qquad \text{(ii)}$$

En prémultipliant la première inégalité vectorielle de (i) par y, on obtient :

$$y(Ax - b) \leqslant 0 \qquad \text{(i')}$$

en post multipliant la première inégalité de (ii) par x, on obtient :

$$yAx \geqslant cx \qquad \text{(ii')}$$

Mais x et y sont solutions optimales, donc d'après le théorème de la dualité, nous avons :

$$cx = yb$$

en remplaçant dans (ii'), il vient :

$$y(Ax - b) \geqslant 0 \qquad \text{(ii")}$$

En combinant (i') et (ii"), nous obtenons :

$$y(Ax - b) = 0$$

Cette relation se développe sous la forme :

$$\sum_{i=1}^{m} y_i \left(\sum_{j=1}^{n} a_{ij} x_j - b_i \right) = 0$$

or, comme chaque terme :

$$y_i \left(\sum_{j=1}^{n} a_{ij} x_j - b_i \right)$$

est positif ou nul, on en conclut qu'il est nul puisque leur somme est nulle.

Montrons que la *condition est suffisante.*

Supposons que x et y, solutions réalisables du primal et du dual, vérifient 1) et 2). On en déduit directement que :

$$\sum_{i=1}^{n} y_i b_i = \sum_{j=1}^{n} c_j x_j = \sum_{i=1}^{m} \sum_{j=1}^{n} y_i a_{ij} x_j$$

x et y sont donc solutions optimales, d'après le théorème de la dualité.

La "puissance" de ce théorème vient en partie du fait qu'il s'applique à des solutions x et y réalisables quelconques, c'est-à-dire pas forcément *de base*. Par contre, nous allons énoncer un résultat plus fort concernant une solution de base optimale du programme primal et la solution optimale associée du dual (voir pp. 92 et 93).

Nous savons que si B est la matrice associée à une base optimale du programme primal, le vecteur ligne défini par :

$$y = c_B B^{-1}$$

est une solution optimale du programme dual.

Si x_j est une variable de base, son coût marginal est nul, soit :

$$c_j - c_B B^{-1} a_j = 0$$

il en résulte que la $j^{\text{ième}}$ contrainte du programme dual est satisfaite exactement par y et la variable d'écart associée à cette contrainte duale est nulle.

Si x_j est une variable hors-base, son coût marginal est négatif (s'il n'y a pas dégénérescence duale) et l'on a :

$$c_j - c_B B^{-1} a_j < 0$$

la $j^{\text{ième}}$ contrainte duale n'est pas satisfaite exactement par y, la variable d'écart associée est strictement positive.

Remarque concernant la nature de la solution du dual associée à une base optimale du primal : Considérons un programme linéaire dont la matrice A comporte m lignes et n colonnes et proposons-nous de le résoudre par son dual. Si $n \leqslant m$, toute base du dual comportera n vecteurs et la solution associée du primal comportera également au plus m variables positives. Si $n > m$, on pourrait, *a priori*, penser que la solution du primal construite comporte strictement plus de m variables. En fait, il n'en est rien car toute base du dual, dans ce cas, comporte au moins $n - m$ colonnes d'écart dont le coût marginal, égal au signe près à la variable primale correspondante, est nul. La solution du primal associée comportera donc au plus m variables positives.

Nous avions annoncé, au début de ce chapitre que l'étude de la dualité nous permettrait d'étudier la sensibilité de la solution optimale d'un programme linéaire par rapport à une variation de l'un de ses paramètres. Nous allons maintenant aborder ce point en étudiant successivement l'influence de la variation :

- d'un coefficient c_j de la fonction objectif z;
- d'une coordonnée b_i du second membre b.

Nous n'aborderons pas le cas de la variation d'un élément a_{ij} de la matrice A, non pas que le point de vue théorique nous semble trop difficile, mais parce que les méthodes employées pour ce cas sont très spécialisées et par conséquent hors du champ de ce fascicule ([1]). Nous terminerons par la résolution d'un exemple numérique pour lequel plusieurs paramètres peuvent varier simultanément. La difficulté de ce dernier ne vient d'ailleurs que du plus grand nombre de situations à considérer.

Nous prendrons comme forme initiale primale du programme linéaire :

$$Ax \leqslant b \qquad \text{(i)}$$

$$x \geqslant 0 \qquad \text{(ii)}$$

$$\text{MAX } z = cx$$

Rappelons que, sous cette forme, les b_i ne sont pas forcément positifs. Avec la formulation PL^0, ce programme s'écrit :

---

(1) Pour ce problème délicat, nous renvoyons le lecteur à [7].

$$Ax + I_{m,m}s = b \qquad (i')$$

$$x \geqslant 0; \quad s \geqslant 0 \qquad (ii')$$

$$MAX\ z = cx$$

VII. PARAMETRISATION D'UN COEFFICIENT c_{j_0} DE LA FONCTION OBJECTIF

Imaginons que le coefficient c_{j_0} ne soit pas connu avec précision, mais soit sujet à des variations si bien que son expression est en fait :

$$c_{j_0}(1 + h)$$

Nous supposerons que le programme linéaire pour lequel h est nul a été résolu par l'algorithme du simplexe si bien que nous connaissons une base optimale β. Notre problème essentiel ici sera de déterminer dans quelles limites peut varier h pour que la base β *reste optimale*.

β est une base réalisable, et ce n'est pas une variation de c_{j_0} "qui y changera quelque chose". Par contre, le coefficient c_{j_0} intervient dans l'expression des coûts marginaux; en effet rappelons que :

$$\Delta_j = c_j - c_B B^{-1} a_j \qquad j = 1,2,\ldots, n$$

Les coûts marginaux vont donc *a priori* dépendre de h. En fait, on peut simplifier cette analyse en distinguant deux cas :

1) $a_{j_0} \notin \beta$ c_B ne dépend pas de h; le *seul coût marginal* qui dépend de h est alors :

$$\Delta_{j_0} = c_{j_0}(1 + h) - z_{j_0}$$

β reste donc optimale pour $\Delta_{j_0} \leqslant 0$ et la valeur optimale z^* de la fonction objectif est inchangée.

2) $a_{j_0} \in \beta$ c_{j_0} (1 + h) est une composante de c_B et chaque coût marginal associé à une variable hors-base dépend de h. Les conditions pour que β reste optimale sont donc :

$$\forall j \;/\; a_j \text{ hors-base} \qquad \Delta_j \leqslant 0$$

La valeur z^* de la fonction objectif associée à la base optimale β dépendra alors de h; rappelons en effet que nous avons : $z^* = c_B x_B$.

Remarque : Bien entendu, dans chaque cas, la valeur de la solution optimale est inchangée et ne dépend pas de h.

Donnons un exemple simple d'une telle discussion. Considérons le programme linéaire :

$$\begin{aligned} x_1 \quad - \quad\quad\quad x_3 &\leqslant 2 \\ -2x_1 + 2x_2 \quad\quad\quad &\leqslant 3 \\ -x_1 + x_2 + 3x_3 &\leqslant 1 \\ x_1;\ x_2;\ x_3 &\geqslant 0 \end{aligned}$$

$$\text{MAX } 2x_1 + 3x_2 + (1 + h)\, x_3$$

Si nous associons les variables d'écart s_1, s_2, s_3 aux trois contraintes, le lecteur vérifiera aisément que la base :

$$\beta = \{a_1, a_{s_2}, a_2\}$$

est optimale pour h égal à zéro.

La matrice B associée à cette base est la suivante :

$$B = \begin{pmatrix} 1 & 0 & 0 \\ -2 & 1 & 2 \\ -1 & 0 & 1 \end{pmatrix}$$

et nous avons :

$$B^{-1} = \begin{pmatrix} 1 & 0 & 0 \\ 0 & 1 & -2 \\ 1 & 0 & 1 \end{pmatrix}$$

D'autre part, on a :

$$c_B = (2,\ 0,\ 3)$$

Donnons l'expression des coûts marginaux des variables hors-base en fonction de h; il vient :

$$\Delta_3 \quad = 1 + h - (2,0,3)\ B^{-1} \begin{pmatrix} 0 \\ 2 \\ 1 \end{pmatrix} = -3 + h$$

$$\Delta s_1 = \qquad - (2,0,3)\ B^{-1} \begin{pmatrix} 1 \\ 0 \\ 0 \end{pmatrix} = -5$$

$$\Delta s_3 = \qquad - (2,0,3)\ B^{-1} \begin{pmatrix} 0 \\ 0 \\ 1 \end{pmatrix} = -3$$

β reste optimale si tous les coûts marginaux sont négatifs ou nuls, c'est-à-dire pour les valeurs de h telles que :

$$\Delta_3 \leqslant 0;\ \Delta(s_1) \leqslant 0;\ \Delta(s_3) \leqslant 0 \quad \text{ou encore } h \leqslant 3$$

VIII. PARAMETRISATION D'UNE COORDONNEE b_i DU VECTEUR SECOND MEMBRE

Supposons désormais que la composante b_i, second membre de la $i^{ième}$ contrainte soit incertaine et puisse s'écrire :

$$b_i(1 + f)$$

La situation est apparemment ici différente, puisque pour certaines valeurs du paramètre f, la base β, optimale pour f égal à zéro, *ne sera plus réalisable*. En effet, rappelons que la valeur de la solution de base associée à la base est donnée par :

$$x_B = B^{-1}b$$

où b dépend désormais de f.

Il nous faut cependant remarquer ici que, tant que la base β est *réalisable*, elle est optimale. En effet, les coûts marginaux ne dépendent en aucune façon du vecteur second membre b.

Pour savoir dans quelles limites f peut varier tout en maintenant β optimale, nous donnerons deux méthodes :

- la méthode *classique* qui, par utilisation du *programme linéaire dual*, nous ramène à la discussion du paragraphe précédent;

- une méthode qui utilise les données associées à la base β et permet de faire une remarque intéressante sur celles-ci.

VIII.1. Méthode classique.

Considérons le programme linéaire dual; il s'écrit :

$$wA \geqslant c$$

$$w \geqslant 0$$

$$\text{MIN } u = wb$$

ou encore :

$$wA - vI_{n,n} = c$$

$$w \geqslant 0; \quad v \geqslant 0$$

$$\text{MIN } u = wb$$

Si donc nous nous intéressons au programme dual, il s'agit alors de paramétriser le coefficient b_i de la *fonction objectif* de ce programme. Nous sommes ramenés au problème précédent. Cependant, dans la discussion du paragraphe précédent, il nous fallait une *base optimale*; nous aimerions donc déduire de la base optimale β du programme primal une base optimale du programme dual. Nous allons donc profiter de cette occasion pour compléter notre connaissance sur les rapports du programme primal et de son dual.

Examinons de plus près la correspondance entre les variables des deux programmes :

- à la variable x_j du primal correspond la $j^{\text{ième}}$ contrainte du dual et par conséquent la variable d'écart v_j du dual ($j = 1,2,\ldots, n$);
- à la variable d'écart s_i, associée à la $i^{\text{ième}}$ contrainte du primal, correspond la variable w_i du programme dual ($i = 1,2,\ldots, m$).

D'après le théorème des écarts complémentaires, nous savons que, pour tout couple de solutions optimales, nous avons :

$$s_i w_i = 0 \qquad x_j v_j = 0$$

pour $i = 1,2,\ldots, m$ et $j = 1,2,\ldots, n$.

Ce théorème nous suggère d'associer, pour toute base du primal, aux variables *hors-base* primales, les variables *duales* correspondantes. Nous allons montrer que les vecteurs associés à ces variables duales (ligne de A) constituent une base (en général non réalisable) du programme dual.

Pour faciliter l'exposé, nous allons légèrement transformer les formulations des programmes primal et dual. Avec des notations évidentes, ces programmes peuvent s'écrire :

- *pour le primal* :

$$A_1 X = b$$

$$X \geqslant 0$$

$$\text{MAX } z = cX$$

où : $$A_1 = (A \quad I_{m,m})$$

- *pour le dual* :

$$WA_2 = -c$$

$$W \geqslant 0$$

$$-MAX - u = W(-b)$$

où : $$A_2 = \begin{pmatrix} -A \\ I_{n,n} \end{pmatrix}$$

Les vecteurs X et W contiennent en plus des variables principales les variables d'écart.

La correspondance que nous avons examinée plus haut entre les variables des deux programmes se traduit directement entre les colonnes de A_1 et les lignes de A_2. Nous noterons f cette *bijection* après l'avoir étendue en posant :

$$f(b) = -c$$

Le lecteur pourra vérifier que, dans l'espace des solutions concerné, on a : MIN u = -MAX -u. On s'intéresse donc dans la suite à la maximisation de la fonction objectif -u pour pouvoir appliquer les mêmes critères d'optimalité au primal et au dual ainsi que pour simplifier singulièrement l'exposé.

Nous pouvons résumer la correspondance f par le schéma suivant :

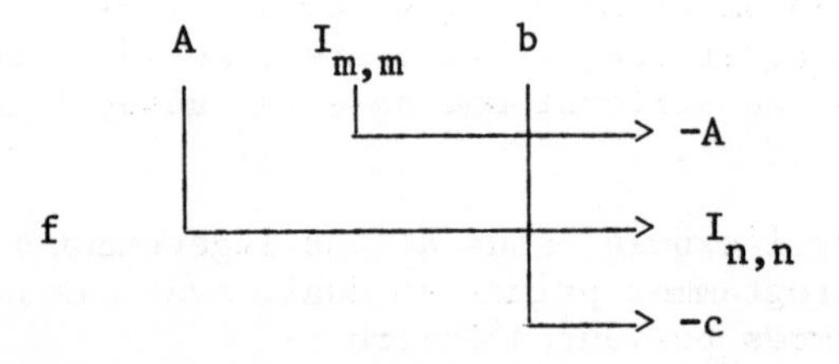

Dans la suite, nous faisons opérer f sur les indices plutôt que sur les vecteurs correspondant. Ainsi, f(j) = i signifie que l'image de la colonne j de A_1 est la ligne i de A_2.

Nous supposerons également que le programme primal possède au moins une solution, donc au moins une base réalisable (voir p. 44, chapitre III);il peut donc être mis sous la forme précédente, mais avec b *positif*. En résolvant par l'algorithme du simplexe le programme primal, nous allons construire une suite de bases réalisables β_0, $\beta_1, \ldots, \beta_q$.

Nous allons, *par la correspondance* f, associer à cette suite une suite de bases du programme dual, à savoir $\gamma_0, \gamma_1, \ldots, \gamma_q$ dont seuls la dernière est réalisable (et optimale). Nous avons d'abord : β_0 = {indices des colonnes d'écart}.

Pour tout p $p = 0,1,2,\ldots, q$: notons $\bar{\beta}_p$ l'ensemble des indices des colonnes hors-bases; γ_p est défini par :

$$\gamma_p = \{f(j) \;/\; j \in \bar{\beta}_p\}$$

Nous avons alors les propriétés suivantes :

1) $\forall$ p $p = 0,1,2,\ldots, q$ γ_p est une base du programme dual.

2) Etant données les bases β_p et γ_p, on a :

$$\forall\, i \in \beta_p \quad \forall\, j \in \bar{\beta}_p \qquad y^p_{ij} = -y^p_{f(j)f(i)} \tag{i}$$

$$\forall\, i \in \beta_p \qquad X_i = -\Delta_{f(i)} \tag{ii}$$

$$\forall\, j \in \bar{\beta}_p \qquad \Delta_j = -W_{f(j)} \tag{iii}$$

Nous rappelons que y^p_{ij} est la coordonnée de la colonne a_j de A_1 sur la colonne de base a_i, dans la base β_p.

La démonstration des propriétés précédentes est assez fastidieuse, nous n'en donnerons que l'architecture en laissant au lecteur le soin de développer les calculs. Une façon simple de procéder est de raisonner par récurrence :

- les propriétés 1) et 2) sont trivialement vraies pour $p = 0$;

- on les suppose vraies pour la base β_p et l'on envisage le changement de base primale : $\beta_{p+1} = \beta_p - a^1_i \cup a^1_j$ où $j \in \bar{\beta}_p$ et $i \in \beta_p$ qui résulte de l'application des deux critères de Dantzig.

On effectue la transformation associée pour le programme dual, à savoir :

$$\gamma_{p+1} = \gamma_p - a^2_{f(j)} \cup a^2_{f(i)}$$

(<u>*Attention*</u>, les vecteurs considérés ici sont des lignes de A_2).

On montre alors que γ_{p+1} est une base (car $y^p_{ij} \neq 0$) et l'on applique les formules de changement de coordonnées pour le passage de γ_p à γ_{p+1}. On applique alors l'hypothèse de récurrence et l'on obtient les relations (i), (ii) et (iii).

Il résulte de ce qui précède que la base du programme dual associée à la base optimale du programme primal *est elle-même optimale*. En effet, tous les coûts marginaux sont positifs ou nuls. De plus, la propriété 2) nous permettra de passer aisément des données relatives à la base optimale du primal à celles relatives à la base duale optimale. Nous exploiterons ce résultat dans le prochain chapitre.

En conclusion de ce paragraphe, nous constatons que la paramétrisation d'un coefficient du second membre est en fait le problème de la paramétrisation du même coefficient dans la fonction objectif duale; nous sommes donc ramenés aux méthodes du paragraphe précédent.

VIII.2. Autre méthode.

Nous verrons également au chapitre suivant que l'on peut disposer les calculs de la solution optimale du programme primal de telle sorte que la matrice B^{-1}, puisse aisément se lire. En effet, il suffit de mettre à jour, pour chaque base, les vecteurs y_j (c'est-à-dire les vecteurs colonnes des coordonnées de a_j sur la base). Or, nous savons que :

$$y_j = B^{-1}a_j$$

(voir chapitre III, p. 29).

Il en résulte que les m colonnes de B^{-1} sont respectivement égales aux m vecteurs y_j associés aux colonnes d'écart du programme linéaire initial. Dans le cas où le programme linéaire initial comporterait des égalités, il est clair que certaines colonnes de B^{-1} seront données par les vecteurs y_j associés aux *colonnes artificielles*. De même, si la variable d'écart est initialement affectée du signe moins, la colonne correspondante de B^{-1} est le vecteur $-y_j$.

En conclusion, à partir de l'expression de B^{-1}, nous pouvons savoir pour quelles valeurs de f la base reste optimale; il suffit pour cela de résoudre :

$$x_B = B^{-1}b \geqslant 0$$

Résolvons un exemple numérique. Considérons le programme linéaire du paragraphe précédent, à savoir :

$$\begin{aligned} x_1 \quad\quad\quad\quad\quad & \leqslant 2 \\ -2x_1 + 2x_2 \quad\quad & \leqslant 3 \\ -x_1 + x_2 + 3x_3 & \leqslant 1 \\ x_1 ; \quad x_2 ; \quad x_3 & \geqslant 0 \end{aligned}$$

$$\text{MAX } z = 2x_1 + 3x_2 + x_3$$

Nous supposons maintenant que les $2^{\text{ième}}$ et $3^{\text{ième}}$ coordonnées du second membre soient en fait : 3 + 2f, 1 + f. Pour f égal à zéro, la base optimale est :

$$\beta = \{a_1, a_{s_2}, a_2\}$$

et l'on a :

$$B = \begin{pmatrix} 1 & 0 & 0 \\ -2 & 1 & 2 \\ -1 & 0 & 1 \end{pmatrix}$$

et :

$$B^{-1} = \begin{pmatrix} 1 & 0 & 0 \\ 0 & 1 & -2 \\ 1 & 0 & 1 \end{pmatrix}$$

Pour que cette base reste optimale, il faut donc que :

$$x_B = \begin{pmatrix} 1 & 0 & 0 \\ 0 & 1 & -2 \\ 1 & 0 & 1 \end{pmatrix} \begin{pmatrix} 2 \\ 3+2f \\ 1+f \end{pmatrix} \geqslant 0$$

ce qui ramène à $f \geqslant -3$.

Terminons cette étude de paramètrisation par la résolution d'un exemple numérique lorsque plusieurs paramètres peuvent varier simultanément. Nous cherchons ici à déterminer une solution optimale associée à tout ensemble de valeurs des paramètres.

Considérons alors le programme linéaire suivant :

$$\begin{array}{rcl} x_1 \quad - \quad x_3 & \leqslant & 2 \\ -2x_1 + 2x_2 & \leqslant & 3 + 2f \\ -x_1 + x_2 + 3x_3 & \leqslant & 1 + f \\ x_1; \quad x_2; \quad x_3 & \geqslant & 0 \end{array}$$

$$\text{MAX } z = 2x_1 + 3x_2 + (1 + h)\, x_3$$

Nous savons que pour : $h = f = 0$ la base optimale est la base $\beta = (a_1, a_{s_2}, a_2)$. Déterminons d'abord les valeurs du couple (f, h) pour lesquelles cette base est optimale. En se reportant à la page 109, on sait que seul le coût marginal Δ_3 dépend de h. Il en résulte que l'on doit avoir : $h \leqslant 3$.

Nous savons déjà que la base β reste réalisable lorsque : $f \geqslant -3$ (voir p. 115). Nous obtenons comme premier résultat :

$$\text{pour} \left| \begin{array}{l} h \leqslant 3 \\ f \geqslant -3 \end{array} \right. \quad \text{la base optimale est } (a_1, a_{s_2}, a_2)$$

Pour pouvoir continuer la discussion, il nous faut donner les informations relatives à la base β. Le lecteur vérifiera aisément que :

$$y_3 = B^{-1}a_3 = \begin{pmatrix} -1 \\ -6 \\ 2 \end{pmatrix}; \quad y_{s_1} = \begin{pmatrix} 1 \\ 0 \\ 1 \end{pmatrix}; \quad y_{s_3} = \begin{pmatrix} 0 \\ -2 \\ 1 \end{pmatrix}$$

$$x_1 = 2; \; x_2 = 3 + f; \; x_{s_2} = 1$$

$$\Delta_3 = h - 3; \; \Delta s_1 = -5; \; \Delta s_3 = -3$$

Considérons maintenant le programme dual initial; il s'écrit :

$$y_1 - 2y_2 - y_3 \geqslant 2$$

$$2y_2 + y_3 \geqslant 3$$

$$-y_1 + 3y_3 \geqslant 1 + h$$

$$y_1 ; \quad y_2 ; \quad y_3 \geqslant 0$$

$$\text{MIN } u = 2y_1 + (3 + 2f)y_2 + (1 + f)y_3$$

Nous savons (pour f = h = 0) qu'à la base optimale β correspond la base duale optimale $\gamma = (d_{w_3}, d_1, d_3)$ où les d_j sont les colonnes du programme dual précédent et les variables w_1, w_2, w_3 sont les variables d'écart associées aux trois contraintes duales. Les données relatives aux bases β et γ se correspondent selon les relations données page 113 et nous avons :

$$y_2 = \begin{pmatrix} 6 \\ 0 \\ 2 \end{pmatrix} ; \quad y_{w_1} = \begin{pmatrix} 1 \\ -1 \\ 0 \end{pmatrix} ; \quad y_{w_2} = \begin{pmatrix} -2 \\ -1 \\ -1 \end{pmatrix}$$

$$w_3 = 3 - h ; \quad y_1 = 5 ; \quad y_3 = 3$$

$$\Delta_2 = -1 ; \quad \Delta_{w_1} = -2 ; \quad \Delta_{w_2} = -3 - f$$

Que se passe-t-il pour l'ensemble des couples (f, h) tels que $f < -3$ et $h \leqslant 3$? La solution du programme dual associée à la base γ est réalisable, par contre elle n'est plus optimale. D'après le premier critère de Dantzig, il nous faut faire entrer d_{w_2} dans la base. Or toutes les coordonnées de d_{w_2} dans la base γ sont négatives; le programme dual possède une solution infinie et, grâce au théorème de la dualité, nous pouvons affirmer que le programme primal est *incompatible*.

Examinons maintenant le cas où : $f \geqslant -3$ et $h > 3$. La base β est alors réalisable pour le programme primal, mais elle n'est pas optimale; en effet le coût marginal Δ_3 est alors strictement positif. Appliquons alors les deux critères de Dantzig : a_3 entre dans la nouvelle base β' et a_2 sort de l'ancienne base β. Le lecteur vérifiera que les données relatives à la nouvelle base β' sont alors les suivantes :

$$\beta' = (a_1, a_{s_2}, a_3)$$

$$y_2 = \begin{pmatrix} 1/2 \\ 3 \\ 1/2 \end{pmatrix}; \; y_{s_1} = \begin{pmatrix} 3/2 \\ 3 \\ 1/2 \end{pmatrix}; \; y_{s_3} = \begin{pmatrix} 1/2 \\ 1 \\ 1/2 \end{pmatrix}$$

$$x_1 = (7 + f)/2; \; x_3 = (3 + f)/2; \; s_2 = 10 + 3f$$

$$\Delta_2 = (3 - h)/2; \; \Delta_{s_1} = (-7 - h)/2; \; \Delta_{s_3} = (-3 - h)/2$$

Pour les valeurs de h et f qui nous intéressent ici, la base β' est réalisable et optimale car tous les coûts marginaux sont négatifs ou nuls.

Il nous reste à envisager le cas où : $h > 3$ et $f < -3$. Dans ce cas, ni la base β ni la base γ ne sont réalisables pour les programmes primal et dual. Il nous faudrait alors envisager l'introduction d'une variable artificielle dans l'un au choix de ces programmes afin de déterminer par la méthode en deux phases décrite au chapitre IV une base réalisable. Heureusement, une remarque va nous éviter ce calcul assez laborieux (que nous conseillons cependant au lecteur à titre d'exercice). En effet, si nous revenons aux données relatives à la base β, nous pouvons écrire, si B est la matrice associée à cette base :

$$Bx_B + \bar{B}x_{\bar{B}} = b$$

ou encore :

$$x_B + B^{-1}\bar{B}x_{\bar{B}} = B^{-1}b$$

Or les colonnes de la matrice $B^{-1}\bar{B}$ sont les vecteurs y_j correspondant aux a_j hors-base. Avec les données de la base β, nous pouvons écrire :

$$x_1 - x_3 + s_1 = 2$$

$$s_1 - 6x_3 - 2s_3 = 1$$

$$x_2 + 2x_3 + s_1 + s_3 = 3 + f$$

Ici, 3 + f est strictement négatif, et toutes les variables doivent être positives ou nulles. La troisième contrainte ne peut alors être satisfaite, le programme primal est *incompatible*.

EXERCICE 1

(d'après l'Agrégation des Techniques Economiques de Gestion)

Une entreprise produit 3 articles A, B, C. Le marché est limité à 1 000 unités de A, 3 000 de B, 5 000 de C. Les marges sur coût variable par unité de A, B, C sont respectivement de 300, 250 et 100. La fabrication d'une unité de A nécessite 5 h de main d'oeuvre dont 2 h sur machine et 3 h de montage. Pour une unité de B, il faut 3 h de main d'oeuvre dont 2 h sur machine et 1 h de montage. Pour une unité de C, il faut 1 h de main d'oeuvre dont 0,10 h sur machine et 0,90 h de montage. La main d'oeuvre actuellement disponible permet d'effectuer 15 000 h de travail par mois (sur la base d'un horaire hebdomadaire de 45 h). L'utilisation maximale des machines, à raison de 8 h par jour en simple équipe, représente 5 500 h par mois.

Etudier le programme de production. Y a-t-il lieu de modifier l'horaire hebdomadaire de travail ? Y a-t-il lieu de modifier l'organisation du travail sur machine ? On supposera que ces modifications éventuelles sont sans influence sur les coûts horaires.

RESOLUTION

Introduction.

Avant de formaliser le problème et d'adopter le cheminement défini dans le texte, on tâchera de traduire les hypothèses sous forme d'inégalités et de dégager la fonction économique.

HYPOTHESES.

Une entreprise fabrique 3 produits A, B, C dont les quantités sont inconnues.

Limites de vente :

1 000 unités de A
3 000 unités de B
5 000 unités de C

Profit unitaire :

300 F de A
250 F de B
100 F de C

Fabrication (main-d'oeuvre) :

5 h pour A	:	2 h machine 3 h montage
3 h pour B	:	2 h machine 1 h montage
1 h pour C	:	0,1 h machine 0,9 h montage
Main d'oeuvre	:	15 000 h/mois
Machine	:	5 500 h/mois

Appelons x_1, x_2, x_3 le nombre d'unités de A, B, C par mois :

$$x_1 ; \quad x_2 ; \quad x_3 \geq 0$$

$$x_1 \leq 1\,000$$

$$x_2 \leq 3\,000$$

$$x_3 \leq 5\,000$$

$$5x_1 + 3x_2 + x_3 \leq 15\,000$$

$$2x_1 + 2x_2 + \frac{1}{10} x_3 \leq 5\,500$$

$$\text{MAX } 300x_1 + 250x_2 + 100x_3$$

I. Mise en place du programme de production.

	x_1	x_2	x_3	MIN
y_1	1	0	0	1 000
y_2	0	1	0	3 000
y_3	0	0	1 ⩽	5 000
y_4	5	3	1	15 000
y_5	2	2	$\frac{1}{10}$	5 500
MAX	300	250	100	

Primal	Dual
$X \geq 0$	$Y \geq 0$
$AX \leq B$	$YA \geq C$
MAX CX	MIN YB

Vérification de la compatibilité des dimensions pour la multiplication des matrices :

$$AX \leq B \qquad (5,3)(3,1) = (5,1)$$

$$YA \geq C \qquad (1,5)(5,3) = (1,3)$$

L'interprétation matricielle du problème permet d'obtenir immédiatement le dual :

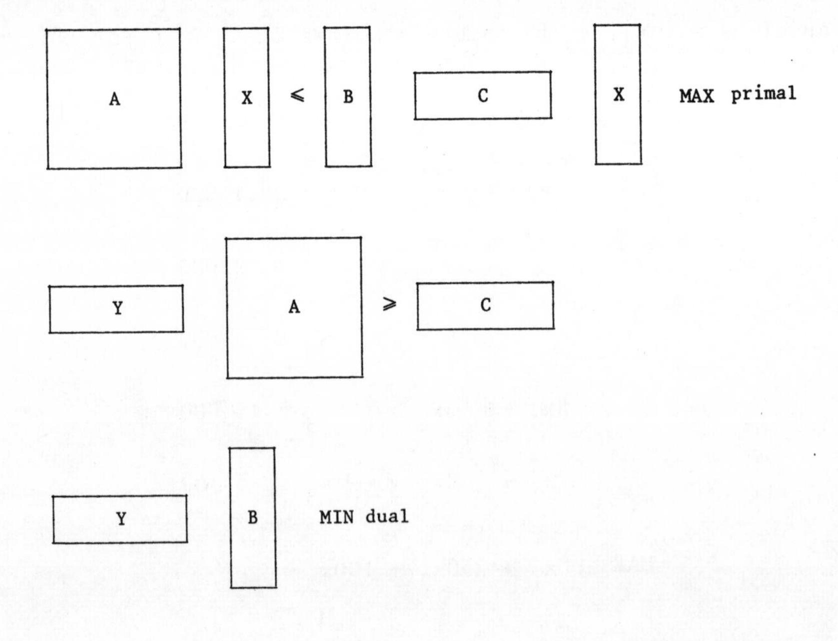

II. Etude du programme de production et étude de sensibilité.

a. L'ALGORITHME DU SIMPLEXE.

c_i	i	j	1	2	3	$\bar{1}$	$\bar{2}$	$\bar{3}$	$\bar{4}$	$\bar{5}$	(0)	$\frac{x_i}{x_{ij}}$
0	$\bar{1}$		(1)	0	0	1	0	0	0	0	1 000	1 000 ⇒
0	$\bar{2}$		0	1	0	0	1	0	0	0	3 000	-
0	$\bar{3}$		0	0	1	0	0	1	0	0	5 000	-
0	$\bar{4}$		5	3	1	0	0	0	1	0	15 000	3 000
0	$\bar{5}$		2	2	$\frac{1}{10}$	0	0	0	0	1	5 500	2 750
		c_j	300	250	100	0	0	0	0	0		
		sol	0	0	0	1 000	3 000	5 000	15 000	5 500		
		Δ_j	300	250	100	0	0	0	0	0	0	= F
			⇑									

c_i	i	j	1	2	3	$\bar{1}$	$\bar{2}$	$\bar{3}$	$\bar{4}$	$\bar{5}$	(0)	$\frac{x_i}{x_{ij}}$
300	1		1	0	0	1	0	0	0	0	1 000	-
0	$\bar{2}$		0	1	0	0	1	0	0	0	3 000	3 000
0	$\bar{3}$		0	0	1	0	0	1	0	0	5 000	-
0	$\bar{4}$		0	3	1	-5	0	0	1	0	10 000	3 333
0	$\bar{5}$		0	(2)	$\frac{1}{10}$	-2	0	0	0	1	3 500	1 750 ⇒
		c_j	300	250	100	0	0	0	0	0		
		sol	1 000	0	0	0	3 000	5 000	10 000	3 500		
		Δ_j	0	250	100	-300	0	0	0	0	300 000	= F
				⇑								

c_i	i	j	1	2	3	$\bar{1}$	$\bar{2}$	$\bar{3}$	$\bar{4}$	$\bar{5}$	(0)	$\frac{x_i}{x_{ij}}$
300	1		1	0	0	1	0	0	0	0	1 000	-
0	$\bar{2}$		0	0	$-\frac{1}{20}$	1	1	0	0	$-\frac{1}{2}$	1 250	-
0	$\bar{3}$		0	0	(1)	0	0	1	0	0	5 000	5 000 →
0	$\bar{4}$		0	0	$\frac{17}{20}$	-2	0	0	1	$-\frac{3}{2}$	4 750	5 600
250	2		0	1	$\frac{1}{20}$	-1	0	0	0	$\frac{1}{2}$	1 750	3 500
		c_j	300	250	100	0	0	0	0	0		
		sol	1 000	1 750	0	0	1 250	5 000	4 750	0		
		Δ_j	0	0	87,5	-50	0	0	0	-125	737 500	= F
					↑							

c_i	i	j	1	2	3	$\bar{1}$	$\bar{2}$	$\bar{3}$	$\bar{4}$	$\bar{5}$	(0)	
300	1		1	0	0	1	0	0	0	0	1 000	
0	$\bar{2}$		0	0	0	1	1	$\frac{1}{20}$	0	$-\frac{1}{2}$	1 500	
100	3		0	0	1	0	0	1	0	0	5 000	
0	$\bar{4}$		0	0	0	-2	0	$-\frac{17}{20}$	1	$-\frac{3}{2}$	500	
250	2		0	1	0	-1	0	$-\frac{1}{20}$	0	$\frac{1}{2}$	1 500	
		c_j	300	250	100	0	0	0	0	0		
		sol	1 000	1 500	5 000	0	1 500	0	500	0		
		Δ_j	0	0	0	-50	0	-87,5	0	-125	1 175 000	= F

b. COMMENTAIRES.

C'est un programme linéaire classique c'est-à-dire ne comportant que des inégalités dans le sens ≤ (donc pas de variables artificielles, simplement des variables d'écart). Il n'y a pas non plus de dégénérescence.

On produira :

1 000 unités de A

1 500 unités de B

5 000 unités de C

pour que le profit soit maximum.

Le marché de B n'est pas saturé de même que la main d'oeuvre n'est pas utilisée pendant 15 000 h. Il n'est donc pas, à court terme, nécessaire de modifier l'horaire de travail. L'organisation du travail sur machine ne doit être modifiée que si l'on gagne du temps de passage. On peut aussi envisager d'augmenter l'utilisation des machines en les faisant tourner plus longtemps, si c'est possible. Il reste 500 h de main d'oeuvre disponible qui permettraient de produire 166 unités supplémentaires de bien B à condition de dégager 332 h sur les machines. Une autre manière d'aborder le problème (si les autres contraintes étaient moins strictes) serait de paramétrer les heures-machines.

EXERCICE 2

(d'après l'Agrégation des Techniques Economiques de Gestion)

Une entreprise E peut fabriquer un produit P vendu 10 F à l'aide de 4 processus techniques de production P_1, P_2, P_3, P_4. Les processus peuvent être employés alternativement ou simultanément.

Les processus utilisent trois types de ressources R_1, R_2, R_3 avec des intensités variables : les coefficients de consommation unitaire de chaque processus figurent dans le tableau suivant :

Processus	Ressources	R_1	R_2	R_3
P_1		2	1	8
P_2		3	1	7
P_3		4	1	10
P_4		3	1	12

L'entreprise dispose de 70 unités de la ressource R_1, de 15 unités de la ressource R_2 et de 120 unités de la ressource R_3. Les frais variables sont respectivement de 4,5 F, 4 F, 3 F et 2 F pour les processus P_1 à P_4.

1) Quelles hypothèses faut-il admettre pour que le problème de maximisation de la marge brute soit formalisable à l'aide d'un programme linéaire ?

2) Si l'on admet ces hypothèses, quelle est la meilleure combinaison de processus de production ? Quel est alors le profit brut maximum ? Que faudrait-il connaître en plus pour évaluer le profit net ?

3) Calculer la combinaison productive de P_2, P_3, P_4 équivalente, en termes de consommation et de ressources rares, à une unité de P_1.

4) Quel est le coût d'opportunité d'emploi des ressources à l'optimum ? De même, quel est le coût d'opportunité d'emploi des processus ?

5) Calculer la productivité marginale de chaque ressource à l'optimum.

6) Quelles sont intuitivement et mathématiquement les relations entre les deux notions de productivité marginale et de coût d'opportunité des ressources à l'optimum ?

7) Vérifier et démontrer que si les ressources sont payées à leur productivité marginal, le profit net est nul.

RESOLUTION

Introduction.

La formalisation d'un problème économique avec des contraintes et une fonction économique à maximiser (ou à minimiser) sous forme d'un programme linéaire permet de déboucher sur une solution optimale. Avant de formaliser le problème et d'adopter le cheminement défini dans le texte, on tâchera de traduire les hypothèses sous forme d'inégalités et de dégager la fonction économique.

HYPOTHESE 1.

Chaque processus permet de fabriquer complètement le produit P. La fonction à maximiser sera donc :

$$(10 - 4,5)\ x_1 + (10 - 4)\ x_2 - (10 - 3)\ x_3 + (10 - 2)\ x_4$$

HYPOTHESE 2.

Il n'y a pas de contrainte de marché et il n'y a donc que des contraintes de production.

$$2x_1 + 3x_2 + 4x_3 + 3x_4 \leq 70$$

$$x_1 + x_2 + x_3 + x_4 \leq 15$$

$$8x_1 + 7x_2 + 10x_3 + 12x_4 \leq 120$$

HYPOTHESE 3.

x_1, x_2, x_3, x_4 sont les quantités de produit P fabriquées respectivement à l'aide des processus P_1, P_2, P_3, P_4.

HYPOTHESE 4.

Les frais variables sont constants par unité produite donc il n'existe pas de paliers structurels.

I. Mise en place du programme de production.

$$2x_1 + 3x_2 + 4x_3 + 3x_4 + x_{\bar{1}} = 70$$

$$x_1 + x_2 + x_3 + x_4 + x_{\bar{2}} = 15$$

$$8x_1 + 7x_2 + 10x_3 + 12x_4 + x_{\bar{3}} = 120$$

$$\text{MAX } 5{,}5x_1 + 6x_2 + 7x_3 + 8x_4$$

c_i	i	j	1	2	3	4	$\bar{1}$	$\bar{2}$	$\bar{3}$	(0)	$\frac{x_i}{x_{ij}}$
0	$\bar{1}$		2	3	4	3	1	0	0	70	$\frac{70}{3}$
0	$\bar{2}$		1	1	1	1	0	1	0	15	15
0	$\bar{3}$		8	7	10	(12)	0	0	1	120	$\frac{120}{12}$ ⇒
		c_j	5,5	6	7	8	0	0	0		
		sol	0	0	0	0	70	15	120		
		Δ_j	5,5	6	7	8	0	0	0	0	= F
						⇑					

c_i	i	j	1	2	3	4	$\bar{1}$	$\bar{2}$	$\bar{3}$	(0)	$\frac{x_i}{x_{ij}}$
0	$\bar{1}$		0	$\frac{5}{4}$	$\frac{3}{2}$	0	1	0	$-\frac{3}{12}$	40	32
0	$\bar{2}$		$\frac{1}{3}$	($\frac{5}{12}$)	$\frac{1}{6}$	0	0	1	$-\frac{1}{12}$	5	12 ⇒
8	4		$\frac{2}{3}$	$\frac{7}{12}$	$\frac{5}{6}$	1	0	0	$\frac{1}{12}$	10	17
		c_j	5,5	6	7	8	0	0	0		
		sol	0	0	0	10	40	5	0		
		Δ_j	0,2	$\frac{4}{3}$	$\frac{1}{3}$	0	0	0	$-\frac{2}{3}$	80	= F
				⇑							

c_i	i	j	1	2	3	4	$\bar{1}$	$\bar{2}$	$\bar{3}$	(0)	
0	$\bar{1}$		-1	0	1	0	1	-3	0	25	
6	2		$\frac{4}{5}$	1	$\frac{2}{5}$	0	0	$\frac{12}{5}$	$-\frac{1}{5}$	12	
8	4		$\frac{1}{5}$	0	$\frac{3}{5}$	1	0	$-\frac{7}{5}$	$\frac{1}{3}$	3	
		c_j	5,5	6	7	8	0	0	0		
		sol	0	12	0	3	25	0	0		
		Δ_j	-0,9	0	-0,2	0	0	$-\frac{16}{5}$	$-\frac{2}{5}$	96	= F

Tous les Δ_j sont < 0 donc on atteint l'optimum. 96 est donc la marge brute maximum et la meilleure combinaison est $12P_2 + 3P_4$. Il faudrait connaître les charges fixes pour avoir le profit net.

II. Combinaison de production de P_2, P_3, P_4 équivalente en termes de consommation de ressources rares à une unité de P_1.

	x_1	x_2	x_3	x_4	MIN
R_1	2	3	4	3	70
R_2	1	1	1	1	$\leqslant$ 15
R_3	8	7	10	12	120
MAX	5,5	6	7	8	

Une unité de $P_1 = 2R_1 + R_2 + 8R_3$.

Soient y_2, y_3, y_4 les quantités de P_2, P_3, P_4 :

$$3P_2 + 4P_3 + 3P_4 = 2$$

$$P_2 + P_3 + P_4 = 1$$

$$7P_2 + 10P_3 + 12P_4 = 8$$

$$\text{MAX } 6P_2 + 7P_3 + 8P_4$$

Transcrivons le programme avec les variables y_2, y_3, y_4 :

$$3y_2 + 4y_3 + 3y_4 + y_5 = 2$$

$$y_2 + y_3 + y_4 + y_6 = 1$$

$$7y_2 + 10y_3 + 12y_4 + y_7 = 8$$

$$\text{MAX } 6y_2 + 7y_3 + 8y_4 - My_5 - My_6 - My_7$$

y_5, y_6, y_7 sont les variables de base mais on est obligé d'utiliser la méthode du M pour qu'il existe une solution de base réalisable.

c_i	i	j	2	3	4	5	6	7	(0)	$\frac{x_i}{x_{ij}}$
-M	5		3	4	3	1	0	0	2	$\frac{2}{3}$
-M	6		1	1	1	0	1	0	1	1
-M	7		7	10	(12)	0	0	1	8	$\frac{2}{3}$ ⇒
		c_j	6	7	8	-M	-M	-M		
		sol	0	0	0	2	1	8		
		Δ_j	6 +11M	7 +15M	8 +16M	0	0	0	0	= F
					⇑					

c_i	i	j	2	3	4	5	6	7	(0)	$\frac{x_i}{x_{ij}}$
-M	5		($\frac{5}{3}$)	$\frac{3}{2}$	0	1	0		ε	⇒
-M	6		$\frac{5}{12}$	$\frac{1}{6}$	0	0	1		$\frac{1}{3}$	$\frac{4}{5}$
8	4		$\frac{7}{12}$	$\frac{5}{6}$	1	0	0		$\frac{2}{3}$	$\frac{8}{7}$
		c_j	6	7	8	-M	-M			
		sol	0	0	$\frac{2}{3}$	0	$\frac{1}{3}$			
		Δ_j	$\frac{4}{3} + \frac{5}{3}$ M	$\frac{1}{3} + \frac{5}{3}$ M	0	0	0		$\frac{16}{3}$	= F
			⇑							

c_i	i	j	2	3	4	5	6	(0)	
6	2		1	$\frac{6}{5}$	0		0	ε	
-M	6		0	$-\frac{1}{3}$	0		1	$\frac{1}{3}$	
8	4		0	$\frac{2}{15}$	1		0	$\frac{2}{3}$	
		c_j	6	7	8		-M		
		sol	ε	0	$\frac{2}{3}$		$\frac{1}{3}$		
		Δ_j	0	$-\frac{19}{15} - \frac{1}{3}$ M	0		0	$\frac{16}{3}$	= F

C'est optimal : une unité de P_1 correspond à $\varepsilon P_2 + 0P_3 + \frac{2}{3} P_4$ en termes de consommation de ressources rares.

Pour le coût d'opportunité des ressources à l'optimum, on revient aux Δ_j du primal résolu dans le paragraphe I. On en déduit :

$$R_1 = 0 \text{ F}$$

$$R_2 = \frac{16}{5} = 3{,}2 \text{ F}$$

$$R_3 = \frac{2}{5} = 0{,}4 \text{ F}$$

On dispose d'une ressource "gratuite" car non utilisée (R_I).

Pour le coût d'opportunité d'emploi des processus, on lit dans le même tableau :

$$P_1 = 0 \text{ F}$$

$$P_2 = 12 \text{ F}$$

$$P_3 = 0 \text{ F}$$

$$P_4 = 3 \text{ F}$$

On dispose de deux processus "gratuits" car inutilisés (P_1, P_3).

La productivité marginale de chaque ressource à l'optimum s'obtient par application du théorème de dualité. On passe donc à l'optimum du dual.

Vecteurs de base : $R_2 \quad R_3 \quad R_{\bar{1}} \quad R_{\bar{3}}$

Vecteurs hors base : $R_1 \quad R_{\bar{2}} \quad R_{\bar{4}}$

$R_1 = 0$ F $\qquad R_{\bar{1}} = 0{,}9 \qquad \Delta R_1 = 25$ assimilable à la productivité marginale de R_1

$R_2 = 3{,}2$ F $\qquad R_{\bar{2}} = -12 \qquad \Delta R_2 = 0$ assimilable à la productivité marginale de R_2

$R_3 = 0{,}4$ F $\qquad R_{\bar{3}} = 0{,}2 \qquad \Delta R_3 = 0$ assimilable à la productivité marginale de R_3

$R_{\bar{4}} = -3$

Si les ressources sont payées à leur productivité marginale, le profit net doit être nul :

$$0 \times 25 + 3{,}2 \times 0 + 0{,}4 \times 0 = 0$$

Conclusion.

L'algorithme de Dantzig est un algorithme myope. Dans un cas particulier comme on vient de le voir ici, l'algorithme de base reste la méthode du simplexe avec des modules annexes assurant la recherche d'une solution initiale (méthode de M par exemple). Les problèmes doivent donc être décomposés pour rendre possible leur résolution.

EXERCICE 3

Une entreprise industrielle fabriquant du matériel électronique "grand public" dispose de deux usines susceptibles de fabriquer deux types d'appareils : un poste de radio et un électrophone.

Dans l'usine A, le coût unitaire de production des deux appareils est respectivement de 150 et 200 F. Dans l'usine B, il est de 200 F pour la radio et de 250 F pour l'électrophone mais, dans cette dernière usine, les coûts de production sont susceptibles de varier dans des proportions importantes. La capacité de la chaîne de montage constitue, dans les deux usines, le seul goulet d'étranglement. Il est de 1 200 h en A et de 1 000 h en B par mois. Les temps de montage (en heures) sont donnés par le tableau suivant :

	Usine A	Usine B
Radio	0,10	0,12
Electrophone	0,16	0,20

La production totale doit s'élever à 10 000 appareils de radio et 6 000 électrophones. Déterminer le programme de production des deux usines en envisageant les conséquences d'une variation des coûts de l'usine B.

RESOLUTION

Introduction.

Avant de formaliser le problème et d'adopter le cheminement défini dans le texte, on traduira les hypothèses sous forme d'inégalités et on dégagera la fonction économique.

HYPOTHESES.

2 usines A et B

2 produits 1 et 2

Dans l'usine A, les coûts unitaires sont certains : 150 F pour 1 et 200 F pour 2.

La capacité des chaînes est bloquée :

1 200 h par mois dans l'usine A

1 000 h par mois dans l'usine B

Dans l'usine B, les coûts unitaires sont incertains : 200 F pour 1, 250 F pour 2. On dispose des temps de montage (voir tableau de l'exercice).

La production totale de 1 doit être de 10 000 unités.

La production totale de 2 doit être de 6 000 unités.

I. Etude du programme de production.

Inconnues : fabrications de 1 et 2 en A et B. Soient x_1, x_2, x_3, x_4 ces inconnues.

a. APPROCHE MATRICIELLE.

	x_1	x_2	x_3	x_4	
	1	0	1	0	$\geq$ 10 000
	0	1	0	1	$\geq$ 6 000
	0,1	0,16	0	0	$\leq$ 1 200
	0	0	0,12	0,20	$\leq$ 1 000
MIN	150	200	300	250	

x_1 = production de 1 en A

x_2 = production de 2 en A

x_3 = production de 1 en B

x_4 = production de 2 en B

Cette formalisation est insuffisante car il y a des inégalités dans les 2 sens et la fonction économique du primal est à minimiser. Il est, de plus, nécessaire de faire l'interprétation suivante : on demande *au moins* 10 000 unités de 1 et 6 000 unités de 2 :

	x_1	x_2	x_3	x_4	≤
y_1	-1	0	-1	0	-10 000
y_2	0	-1	0	-1	- 6 000
y_3	0,1	0,16	0	0	1 200
y_4	0	0	0,12	0,2	1 000
MIN	-150	-200	-200	-250	

Primal	Dual
$X \geq 0$	$Y \geq 0$
$AX \leq B$	$YA \geq C$
MAX CX	MIN YB

Vérification de la compatibilité des dimensions pour la multiplication des matrices :

$AX \leq B \quad (4,4)(4,1) = (4,1)$

$YA \geq C \quad (1,4)(4,4) = (1,4)$

L'interprétation matricielle du problème permet d'obtenir directement le dual suivant :

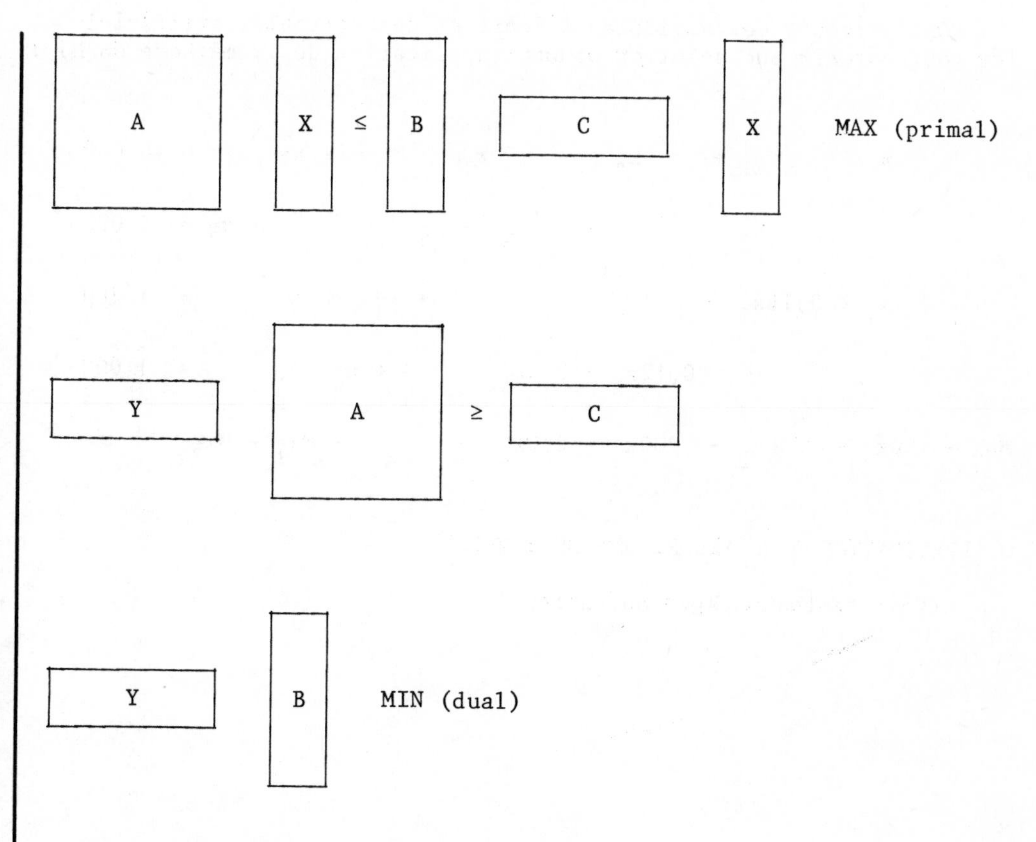

b. MISE EN PLACE DU PROGRAMME LINEAIRE.

$$x_1 + x_3 \geq 10\,000$$

$$x_2 + x_4 \geq 6\,000$$

$$0{,}1x_1 + 0{,}16x_2 \leq 1\,200$$

$$0{,}12x_3 + 0{,}2x_4 \leq 1\,000$$

$$\text{MAX} - 150x_1 - 200x_2 - 200x_3 - 250x_4$$

On introduit des variables d'écart et des variables artificielles pour obtenir une solution de base (application de la méthode du M) :

$$x_1 + x_3 - x_1 + \bar{\bar{x}}_1 = 10\ 000$$

$$x_2 + x_4 - \bar{x}_2 + \bar{\bar{x}}_2 = 6\ 000$$

$$0,1x_1 + 0,16x_2 + \bar{x}_3 = 1\ 200$$

$$0,12x_3 + 0,2x_4 + \bar{x}_4 = 1\ 000$$

$$\text{MAX} - 150x_1 - 200x_2 - 200x_3 - 250x_4 - M\bar{\bar{x}}_1 - M\bar{\bar{x}}_2$$

C. APPLICATION DE L'ALGORITHME DU SIMPLEXE.

(Voir tableaux pages suivantes.)

c_i	i	j	1	2	3	4	$\bar{1}$	$\bar{2}$	$\bar{3}$	$\bar{4}$	$\bar{\bar{1}}$	$\bar{\bar{2}}$	(0)	$\frac{x_i}{x_{ij}}$
−M	$\bar{\bar{1}}$		(1)	0	1	0	−1	0	0	0	1	0	10 000	10 000 ⇒
−M	$\bar{\bar{2}}$		0	1	0	1	0	−1	0	0	0	1	6 000	−
0	$\bar{3}$		10	16	0	0	0	0	1	0	0	0	120 000	12 000
0	$\bar{4}$		0	0	12	20	0	0	0	1	0	0	100 000	−
		c_j	−150	−200	−200	−250	0	0	0	0	−M	−M		
		sol	0	0	0	0	0	0	10 000	6 000	120 000	100 000		
		Δ_j	−150 +M	−200 +M	−200 +M	−250 +M	−M	−M	0	0	0	0	0	= F
			⇑											

c_i	i	j	1	2	3	4	$\bar{1}$	$\bar{2}$	$\bar{3}$	$\bar{4}$	$\bar{\bar{2}}$	(0)	$\frac{x_i}{x_{ij}}$
−150	1		1	0	1	0	1	0	0	0	0	10 000	−
−M	$\bar{\bar{2}}$		0	1	0	1	0	−1	0	0	1	6 000	6 000
0	$\bar{3}$		0	(16)	−10	0	10	0	1	0	0	20 000	$\frac{20\ 000}{16}$ ⇒
0	$\bar{4}$		0	0	12	20	0	0	0	1	0	100 000	
		c_j	−150	−200	−200	−250	0	0	0	0	−M		
			10 000	0	0	0	0	0	20 000	100 000	6 000		
		Δ_j	0	−200 +M	−50	−250 +M	−150	−M	0	0	0	−1 500 000	= F
				⇑									

c_i	i	j	1	2	3	4	$\bar{1}$	$\bar{2}$	$\bar{3}$	$\bar{4}$	$\bar{\bar{2}}$	(0)	$\frac{x_i}{x_{ij}}$
-150	1		1	0	1	0	-1	0	0	0	0	10 000	-
-M	$\bar{\bar{2}}$		0	0	$\frac{10}{16}$	(1)	$-\frac{10}{16}$	-1	$-\frac{1}{16}$	0	0	4 750	4 750 ⇒
-200	2		0	1	$-\frac{10}{16}$	0	$\frac{10}{16}$	0	$\frac{1}{16}$	0	0	1 250	-
0	$\bar{4}$		0	0	12	20	0	0	0	1	0	100 000	5 000
		c_j	-150	-200	-200	-250	0	0	0	0	-M		
		sol	10 000	1 250	0	0	0	0	0	100 000	4 750		
		Δ_j	0	0	$-175 + \frac{10}{16} M$	$-250 + M$	$-25 + \frac{10}{16} M$	-M	$12,5 - \frac{M}{16}$	0	0	-1 750 000	= F
						⇑							

c_i	i	j	1	2	3	4	$\bar{1}$	$\bar{2}$	$\bar{3}$	$\bar{4}$	(0)	
-150	1		1	0	1	0	-1	0	0	0	10 000	
-250	4		0	0	$\frac{10}{16}$	1	$-\frac{10}{16}$	-1	$-\frac{1}{16}$	0	4 750	
-200	2		0	1	$-\frac{10}{16}$	0	$\frac{10}{16}$	0	$\frac{1}{16}$	0	1 250	
0	$\bar{4}$		0	0	$-\frac{1}{2}$	0	$\frac{25}{2}$	20	$\frac{5}{4}$	1	75 000	
		c_j	-150	-200	-200	-250	0	0	0	0		
		sol	10 000	1 250	0	4 750	0	0	0	75 000		
		Δ_j	0	0	$-\frac{300}{16}$	0	$-\frac{2\,900}{16}$	-250	$-\frac{50}{16}$	0	-2 937 500	= F

II. Conséquences d'une variation des coûts de l'usine B.

C'est le cas d'une paramétrisation des coefficients de la fonction économique.

(Voir tableau page suivante).

Hypothèses : $\mu \in [-1, \infty[$ et $\lambda \in [-1, \infty[$

- $- \frac{300}{16} - 200\,\lambda + \frac{2\,500}{16}\,\mu \leq 0$

$$\frac{2\,500}{16}\,\mu \leq \frac{300}{16} + 200\,\lambda$$

$$\mu \leq \frac{300}{16} \times \frac{16}{2\,500} + 200\,\lambda \times \frac{16}{2\,500} \qquad \text{d'où } \mu \leq \frac{3}{25} + \frac{32}{25}\,\lambda$$

$$- 200\,\lambda \leq \frac{300}{16} - \frac{2\,500}{16}\,\mu$$

$$\lambda \geq \frac{2\,500}{200 \quad 16}\,\mu - \frac{300}{200 \quad 16} \qquad \text{d'où } \lambda \geq \frac{25}{32}\,\mu - \frac{3}{32}$$

- $- \frac{2\,900}{16} - \frac{2\,500}{16}\,\mu \leq 0$

$$- \frac{2\,500}{16}\,\mu \leq \frac{2\,900}{16}$$

$$\mu \geq - \frac{2\,900}{16} \times \frac{16}{2\,599} \qquad \text{d'où } \mu \geq - \frac{29}{25}$$

- $- 250 - 250\,\mu \leq 0$

$$- 250\,\mu \leq 250 \qquad \text{d'où } \mu \geq -1$$

- $- \frac{50}{16} - \frac{250}{16}\,\mu \leq 0$

$$- \frac{250}{16}\,\mu \leq \frac{50}{16}$$

$$\mu \geq - \frac{50}{250} \qquad \text{d'où } \mu \geq - \frac{1}{5}$$

c_i	i	j	1	2	3	4	$\bar{1}$	$\bar{2}$	$\bar{3}$	$\bar{4}$	(0)
−150	1		1	0	1	0	−1	0	0	0	10 000
−200 (1 + λ)	2		0	1	$-\frac{10}{16}$	0	$\frac{10}{16}$	0	$\frac{1}{16}$	0	1 250
−250 (1 + μ)	4		0	0	$\frac{10}{16}$	1	$-\frac{10}{16}$	−1	$-\frac{1}{16}$	0	4 750
0	$\bar{4}$		0	0	$-\frac{1}{2}$	0	$\frac{25}{2}$	20	$\frac{5}{4}$	1	75 000
		c_j	−150	−200	−200 (1 + λ)	−250 (1 + μ)	0	0	0	0	
		sol	10 000	1 250	0	4 750	0	0	0	75 000	
		Δ_j	0	0	$-\frac{300}{16}$	0	$-\frac{2\,900}{16}$	−250	$-\frac{50}{16}$	0	−2 937 500
					-200λ						
					$+\frac{2\,500}{16}\mu$		$-\frac{2\,500}{16}\mu$	-250μ	$-\frac{250}{16}\mu$		−1 187 500 μ

Hypothèse de la variation d'un coût puis de l'autre :

- $-\frac{300}{16} + \frac{2\ 500}{16}\mu \le 0$

$\frac{2\ 500}{16}\mu \le \frac{300}{16}$

$\mu \le \frac{300}{2\ 500}$ d'où $\mu \le \frac{3}{25}$

- $-\frac{300}{16} - 200\ \lambda \le 0$

$-200\ \lambda \le \frac{300}{16}$

$\lambda \ge -\frac{300}{200 \times 16}$ d'où $\lambda \ge -\frac{3}{32}$

λ	-1		$-\frac{3}{32}$		$+\infty$
$-\frac{300}{16} - 200\ \lambda$		+	0	−	

3 entre dans la base
4 en sort

solution stable

Les hypothèses de cette paramétrisation sont très restrictives. Réalisons une itération en prenant simplement λ en considération :

si 3 entre dans la base $\frac{x_i}{x_{ij}}$ 1 reste à 10 000

4 prend la valeur 7 600
et sort de la base

c_i	i	j	1	2	3	4	$\bar{1}$	$\bar{2}$	$\bar{3}$	$\bar{4}$	(0)
-150	1		1	0	0	$-\frac{16}{10}$	0	$\frac{16}{10}$	$\frac{1}{10}$	0	2 400
-200 (1 + λ)	2		0	1	0	1	0	-1	$\frac{2}{16}$	0	6 000
-250	3		0	0	1	$\frac{16}{10}$	-1	$-\frac{16}{10}$	$-\frac{1}{10}$	0	7 600
0	$\bar{4}$		0	0	0	$\frac{8}{10}$	$\frac{24}{2}$	$\frac{96}{5}$	$\frac{24}{20}$	1	78 900
		c_j	-250	-200	-200	-250	0	0	0	0	
		sol	2 400	4 750	7 600	0	0	0	0	78 900	
		Δ_j	0	0	0	110 +200λ	-250	-360 -200λ	15 +25λ	0	

$$+ 110 + 200\lambda \le 0 \qquad 200\lambda \le -110 \qquad \text{d'où } \lambda \le -\frac{11}{20}$$

$$- 360 - 200\lambda \le 0 \qquad -200\lambda \le 360 \qquad \text{d'où } \lambda \ge -\frac{9}{5}$$

$$15 + 25\lambda \le 0 \qquad 25\lambda \le -15 \qquad \text{d'où } \lambda \le -\frac{3}{5}$$

On poursuivrait ainsi le raisonnement.

μ	-1		$-\frac{1}{5}$		$\frac{3}{25}$		+∞
$-\frac{2\,900}{16} - \frac{2\,500}{16}\mu$		–		–		–	
$-250 - 250\mu$	0	–		–		–	
$-\frac{50}{16} - \frac{250}{16}\mu$		+	0	–		–	
$-\frac{300}{16} + \frac{2\,500}{16}\mu$		–		–	0	+	
		$\bar{3}$ entre		solution stable		3 entre dans la base 4 en sort	

AUTRES HYPOTHESES DE TRAVAIL POSSIBLES.

1) λ et μ sont liés; on peut poser $\lambda = \alpha\mu$.

2) La variation de $[-1$ à $+\infty[$ est trop ample. On peut la borner dans les 2 sens, par exemple en présumant que toute amélioration fera diminuer les coûts, d'où $\mu \in [-1, 0]$; ou encore une baisse a des limites $\mu \in [-0,5 - 0]$.

3) On teste certaines valeurs de μ (-0,5 -0,4 -0,3 -0,2 -0,1).

EXERCICE 4

Il est possible de moduler les mesures impliquées par les coefficients des variables. Dans le programme :

$$x_1 + 2x_2 \quad 3$$

$$4x_2 \quad 5$$

$$\text{MAX } 4x_1 + 12x_2$$

il est possible de moduler le coefficient 4 en posant $4(1 + \mu)$ ce qui accroît les problèmes de résolution du programme linéaire. Au cours des calculs, le paramètre peut s'introduire à la fois dans les Δ_j et les seconds membres qui doivent rester positifs.

RESOLUTION

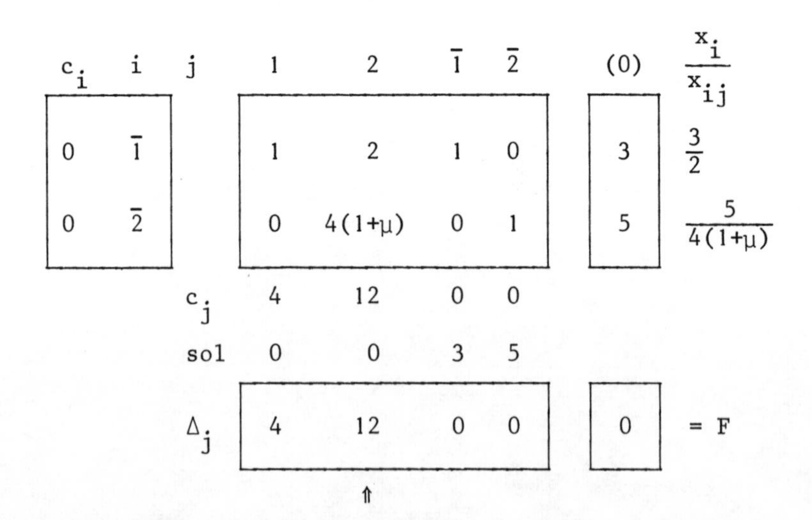

c_i	i	j	1	2	$\bar{1}$	$\bar{2}$	(0)	$\frac{x_i}{x_{ij}}$
0	$\bar{1}$		1	2	1	0	3	$\frac{3}{2}$
0	$\bar{2}$		0	$4(1+\mu)$	0	1	5	$\frac{5}{4(1+\mu)}$
		c_j	4	12	0	0		
		sol	0	0	3	5		
		Δ_j	4	12	0	0	0	= F
				⇑				

2 entre dans la base :

$$\frac{3}{2} \leq \frac{5}{4(1+\mu)}$$

c'est-à-dire :

$$(1 + \mu) \leq \frac{10}{12}$$

$$(1 + \mu) \leq \frac{5}{6}$$

$$\mu \leq -\frac{1}{6}$$

alors $\bar{1}$ sort. Autrement, c'est $\bar{2}$.

Prenons le cas où $\bar{1}$ sort de la base ($\mu \leq -\frac{1}{6}$) :

c_i	i	j	1	2	$\bar{1}$	$\bar{2}$	(0)	
12	2		$\frac{1}{2}$	1	$\frac{1}{2}$	0	$\frac{3}{2}$	
0	$\bar{2}$		$-2(1+\mu)$	0	$-2(1+\mu)$	0	$5-6(1+\mu)$	
		c_j	4	12	0	0		
		sol	0	$\frac{3}{2}$	0	$5-6(1+\mu)$		
		Δ_j	-2	0	-6	0	18	= F

Il faut :

$$5 - 6(1 + \mu) \geq 0$$

$$\mu \leq -\frac{1}{6}$$

C'est compatible avec la 1ère forme, donc c'est une solution stable.

Prenons le cas où $\bar{2}$ sort de la base ($\mu > -\frac{1}{6}$) :

c_i	i	j	1	2	$\bar{1}$	$\bar{2}$	(0)	$\frac{x_i}{x_{ij}}$
0	$\bar{1}$		1	0	1	$\frac{-1}{2(1+\mu)}$	$3-\frac{5}{2(1+\mu)}$	$3-\frac{5}{2(1+\mu)}$ ⇒
12	2		0	1	0	$\frac{1}{4(1+\mu)}$	$\frac{5}{4(1+\mu)}$	–
		c_j	4	12	0	0		
		sol	0	$\frac{5}{4(1+\mu)}$	$3-\frac{5}{2(1+\mu)}$	0		
		Δ_j	4	0	0	$\frac{-3}{1+\mu}$	$\frac{15}{1+\mu}$	= F
			⇑					

Vérifions si $\frac{-3}{1+\mu}$ peut être ≥ 0. Il faut $(1+\mu) \leq 0$ $\mu \leq -1$; or $\mu \geq -\frac{1}{6}$ donc Δ_j est toujours négatif.

Voyons les contraintes jouant sur les deuxièmes membres :

- $3-\frac{5}{2(1+\mu)} \geq 0$ $3 \geq \frac{5}{2(1+\mu)}$; on en tire $\mu \geq -\frac{1}{6}$ ce qui est toujours le cas;
- pour $\frac{5}{4(1+\mu)}$ μ étant $\geq -\frac{1}{6}$ cette expression reste positive.

c_i	i	j	1	2	$\bar{1}$	$\bar{2}$	(0)	
4	1		1	0	1	$\frac{-1}{2(1+\mu)}$	$3-\frac{5}{2(1+\mu)}$	
12	2		0	1	0	$\frac{1}{4(1+\mu)}$	$\frac{5}{4(1+\mu)}$	
		c_j	4	12	0	0		
		sol	$3-\frac{5}{2(1+\mu)}$	$\frac{5}{4(1+\mu)}$	0	0		
		Δ_j	0	0	-4	$\frac{-1}{1+\mu}$	$\frac{17+12\mu}{1+}$	= F

Les deuxièmes membres sont toujours positifs (on l'a vu plus haut).

Pour les Δ_j, voyons si $\frac{-1}{1+\mu} \leq 0$. C'est le cas puisque $\mu > -\frac{1}{6}$.

Remarque. Il est possible de partir de la matrice optimale et c'est recommandé quand le programme linéaire a de nombreuses variables. Mais il faut résoudre le système initial en exprimant les variables de la base (ici x_1 et x_2 à l'optimum) en fonction des variables hors base (ici $x_{\bar{1}}$ et $x_{\bar{2}}$ à l'optimum) après avoir introduit le paramètre.

Le programme initial était :

$$x_1 + 2x_2 + x_{\bar{1}} = 3 \qquad (1)$$

$$4(1+\mu)x_2 + x_{\bar{2}} = 5 \qquad (2)$$

$$\text{MAX } 4x_1 + 12x_2 = F \qquad (3)$$

De (1), on tire :

$$2x_2 = 3 - x_1 - x_{\bar{1}}$$

soit $x_2 = \frac{3}{2} = \frac{x_1}{2} - \frac{x_{\bar{1}}}{2}$.

On reporte la valeur de x_2 dans (2) :

$$4(1+\mu)\left(\frac{3}{2} - \frac{x_1}{2} - \frac{x_{\bar{1}}}{2}\right) + x_{\bar{2}} = 5$$

$$(4+4\mu)\left(\frac{3}{2} - \frac{x_1}{2} - \frac{x_{\bar{1}}}{2}\right) + x_{\bar{2}} = 5$$

On en tire :

$$x_1 = \frac{1+6\mu}{2(1+\mu)} - x_{\bar{1}} + \frac{1}{2(1+\mu)}\, x_{\bar{2}}$$

$$x_2 = \frac{5}{4(1 + \mu)} - \frac{1}{4(1 + \mu)} x_{\bar{2}}$$

$$F = \frac{17 + 12\mu}{1 + \mu} - 4x_{\bar{1}} - \frac{1}{1 + \mu} x_{\bar{2}}$$

On retrouve dans ce système les coefficients des variables du primal optimal.

EXERCICE PROPOSE

Une entreprise dispose de 500 millions de liquidités. Elle a le choix entre différents placements dont les rendements sont les suivants :

- titres d'autres sociétés : 8 %;
- bons du trésor : 5 %;
- obligations : 7 %;
- bons de caisse : 2 %;
- placement chez un notaire : 10 %.

Les possibilités de transformation de ces placements en liquidités varient et doivent répondre aux règles suivantes :

- le placement en titres d'autres sociétés ne doit pas dépasser 200 millions;

- les placements en bons de caisse ne peuvent être inférieurs à 100 millions;

- le placement chez un notaire et en obligations ne doivent pas dépasser 50 millions;

- le placement en obligations et bons du trésor ne doit pas être supérieur à 150 millions.

Quel est le programme optimal de placement ?

Quel est le problème dual et sa signification ?

CHAPITRE VII

pratique de la méthode du simplexe

I. INTRODUCTION

Ce chapitre a pour but de présenter au lecteur une méthode commode d'organisation des calculs lors de la recherche d'une base optimale par l'algorithme du simplexe. Cette méthode est connue sous le nom de "*méthode des tableaux*" car toutes les informations relatives au résultat d'une itération, donc à une base, sont contenues dans un ensemble de tableaux. Il est clair que cette présentation n'apportera *aucun résultat théorique* supplémentaire, cependant elle nous paraît indispensable pour celui qui est affronté à la résolution numérique d'un programme linéaire, qu'il dispose ou non d'un calculateur. En effet, les codes de programmation des programmes linéaires utilisent presque toujours comme *structure des données* l'ensemble des tableaux que nous allons décrire. Nous verrons d'autre part que le passage d'une base primale optimale à la base duale optimale correspondante (voir. p. 113, chapitre VI) s'opère aisément par la manipulation des tableaux ce qui, il faut bien le dire, nous donne plus de courage que les formules rigoureuses mais mal commodes du chapitre précédent. Enfin, nous terminerons par la présentation d'un exemple numérique que nous résoudrons à l'aide des tableaux.

II. PRESENTATION DES TABLEAUX

Nous adopterons comme forme initiale d'un programme linéaire la formulation suivante :

$$\left.\begin{array}{c} Ax = b \\ x \geqslant 0 \end{array}\right\} \quad (i)$$

$$MAX\ z = cx$$

où x est le vecteur colonne des variables principales, d'écart, et artificielles s'il y a lieu, et ou b est positif ou nul.

Dans le cas où l'on a introduit des variables artificielles et si l'on applique la méthode en deux phases, la fonction objectif initiale est :

$$MAX - \Sigma t_i$$

où les t_i sont les variables artificielles du programme. Ce programme linéaire, nous l'avons vu, n'est pas équivalent au programme initial (voir chapitre V).

Remarquons que la matrice A (m lignes, n colonnes) possèdera toujours une sous-matrice carrée B_0 d'ordre m égale à la matrice identité $I_{m,m}$. En effet, nous avons "tout fait pour cela" (ajout de variables d'écart et artificielles).

Nous aurons donc toujours à notre disposition une *base réalisable* initiale pour le premier programme linéaire que nous voulons résoudre (première phase ou, directement, seconde phase); à savoir la base associée à la matrice identité.

D'une manière générale, l'ensemble des tableaux associés à une base réalisable se présente sous la forme du schéma de la page suivante :

T'_1	T_1	T_2 : 1 2 3 . . . j_0 . . n	T'_2
c_{i_0}	i_0	$y_{i_0 j_0}$	x_{i_0}
c_{i_1}	i_1	$y_{i_1 j_0}$	x_{i_1}
.	.	.	.
.	.	.	.
.	.	.	.
$c_{i_{m-1}}$	i_{m-1}	$y_{i_{m-1} j_0}$	$x_{i_{m-1}}$

	c_1	c_2	c_3	.	.	.	c_{j_0}	.	.	c_n	$\leftarrow T_3$
$T'_3 \rightarrow$	Δ_1	Δ_2	Δ_3	.	.	.	Δ_{j_0}	.	.	Δ_n	z_B (T_4)

Examinons le contenu de ces différents tableaux.

Le tableau T_1 est une colonne qui contient les indices des vecteurs de la base, à savoir les vecteurs $a_{i_0}, a_{i_1}, \ldots, a_{i_{m-1}}$.

Le tableau T'_1 est une colonne de même dimension que T_1 contenant les coûts unitaires des variables de base $x_{i_0}, x_{i_1}, \ldots, x_{i_{m-1}}$.

Le tableau central T_2 possède m lignes et n colonnes. La colonne j_0 de ce tableau contient les coordonnées du vecteur a_{j_0} sur la base $a_{i_0}, a_{i_1}, \ldots, a_{i_{m-1}}$. La coordonnée $y_{i_k j_0}$ de a_{j_0} sur le vecteur a_{i_k} étant située à l'intersection de la colonne j_0 et de la ligne associée à i_k dans T_1. Les m colonnes d'indices $i_0, i_1, \ldots, i_{m-1}$ de ce tableau sont canoniques et constituent la sous-matrice identité d'ordre m.

Le tableau T'_2 est une colonne contenant les valeurs des variables de base x_{i_0}, x_{i_1},..., $x_{i_{m-1}}$, à savoir les composantes de $B^{-1}b$.

Le tableau T_3 est une ligne de n éléments contenant les valeurs des coûts unitaires des différentes variables du programme linéaire, mis sous la forme (i). Attention, lorsque l'on emploie la méthode en deux phases, cette ligne contient initialement (première phase) les coûts égaux à -1 associés aux variables artificielles.

Le tableau T'_3 est une ligne où l'élément d'indice j est le coût marginal Δ_j de la variable x_j. Remarquons que les coûts marginaux ([1]) associés aux colonnes de base (i_0, i_1,..., i_{m-1}) sont nuls.

Enfin, le tableau T_4 contient un scalaire égal à la valeur de la fonction économique pour la base considérée.

La base initiale est celle associée aux colonnes canoniques de la matrice A.

Nous allons maintenant établir les tableaux initiaux associés à cette base, puis examiner le passage d'un tableau au tableau suivant, phénomène encore appelé *pivotage*.

III. TABLEAUX INITIAUX

Etant donnée notre base initiale β_0, la matrice associée B_0 est la matrice identité d'ordre m. Il en résulte que :

- pour tout k = 0,1,..., m-1 :

$$x_{i_k} = b_k$$

- pour toute colonne j hors-base :

$$y_j = B_0^{-1} a_j = a_j$$

([1]) La définition des coûts marginaux est donnée page 31, chapitre III.

Il en résulte que les tableaux sont fort simples à construire; nous allons le faire sur un exemple numérique. Reprenons l'exemple du chapitre IV qui s'énonçait :

$$
\begin{aligned}
4x_1 + 3x_2 &\geq 12 \\
-x_1 + x_2 &\leq 4 \\
x_1 + 3x_2 &\leq 24 \\
x_1 \qquad &\leq 6 \\
x_1 ; \quad x_2 &\geq 0
\end{aligned}
$$

$$\text{MAX } z = x_1 + 3x_2$$

Nous prendrons désormais l'habitude, dans les calculs numériques, de noter la variable d'écart, si elle existe, associée à la $i^{\text{ième}}$ contrainte : $x_{\bar{i}}$. De même, nous noterons la variable artificielle, si elle existe, associée à la $i^{\text{ième}}$ contrainte : $x_{\bar{\bar{i}}}$.

Avec ces notations, le programme linéaire précédent s'écrit, dans la formulation (i) :

$$
\begin{aligned}
4x_1 + 3x_2 - x_{\bar{1}} \qquad\qquad\qquad + x_{\bar{\bar{1}}} &= 12 \\
-x_1 + x_2 \qquad + x_{\bar{2}} \qquad\qquad\qquad &= 4 \\
x_1 + 3x_2 \qquad\qquad + x_{\bar{3}} \qquad\qquad &= 24 \\
x_1 \qquad\qquad\qquad\qquad + x_{\bar{4}} \qquad &= 6 \\
x_1 ; \quad x_2 ; \quad x_{\bar{1}} ; \quad x_{\bar{2}} ; \quad x_{\bar{3}} ; \quad x_{\bar{4}} ; \quad x_{\bar{\bar{1}}} &\geqslant 0
\end{aligned}
$$

$$\text{MAX } - x_{\bar{\bar{1}}}$$

Nous verrons que les notations précédentes seront fort commodes pour "jongler" avec les tableaux associés à deux programmes linéaires duaux.

Nous pouvons alors construire le premier ensemble de tableaux pour notre exemple.

		1	2	$\bar{1}$	$\bar{2}$	$\bar{3}$	$\bar{4}$	$\bar{\bar{1}}$	
-1	$\bar{\bar{1}}$	4	3	-1	0	0	0	1	12
0	$\bar{2}$	-1	1	0	1	0	0	0	4
0	$\bar{3}$	1	3	0	0	1	0	0	24
0	$\bar{4}$	1	0	0	0	0	1	0	6

0	0	0	0	0	0	-1

4	3	-1	0	0	0	0	-12

Ici, le premier programme linéaire à résoudre consiste en effet à maximiser $- x_{\bar{\bar{1}}}$. Dans le cas où il n'est pas besoin d'introduire des variables artificielles, la base initiale est alors constituée des colonnes d'écart. Aussi, le tableau T_1' ne contient dans ce cas que des zéros ($c_{B_0} = 0$). D'autre part, nous avons :

$$\forall\ a_j \text{ hors-base} \qquad \Delta_j = c_j$$

IV. PASSAGE DES TABLEAUX ASSOCIES A LA BASE β AUX TABLEAUX ASSOCIES A LA BASE γ

γ et β sont deux bases adjacentes telles que $\gamma = \beta - \{i_0\} \cup \{j_0\}$; i_0 et j_0 résultent de l'application des deux critères de Dantzig. Nous donnons ici la *technique* de passage qui se déduit directement des formules de changement de coordonnées issues du changement de base précédent. Nous laissons au lecteur intéressé le soin de vérifier que les règles opératoires que nous allons énoncer traduisent bien ce changement de base.

Voici l'énoncé de ces règles :

- dans le tableau T_1, il faut bien entendu remplacer l'indice i_0 par l'indice j_0;

- dans le tableau T'_1, il faut, d'une manière analogue, remplacer c_{i_0} par c_{j_0} ;

- le tableau T_3 est invariant.

Pour la suite, il va nour être utile de regrouper les tableaux T_2, T'_3, T'_2 et T_4 dans un seul tableau $\mathcal{T}$ pour y faire subir un traitement identique à toutes les lignes.

Nous ferons le regroupement de la manière suivante :

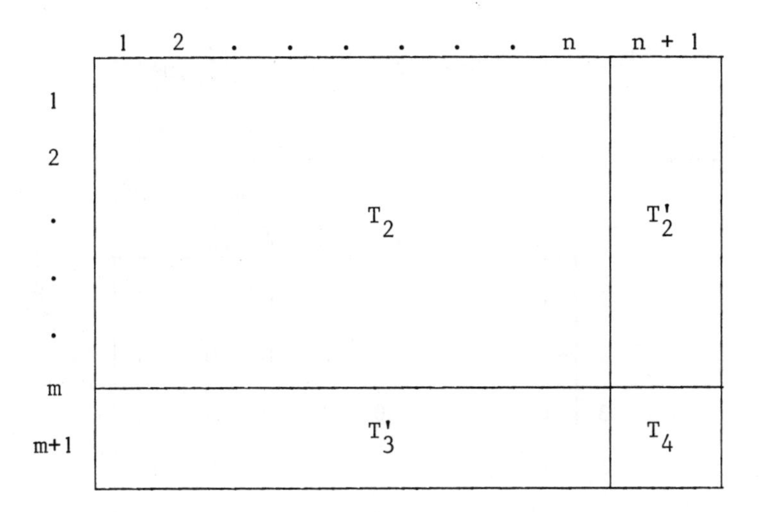

Nous définissons alors un tableau $\mathcal{T}$ de m + 1 lignes et n + 1 colonnes. Dans le nouveau $\mathcal{T}$ associé à γ, la colonne j_0 doit devenir canonique et l'élément intersection (*pivot*) de la ligne l_0 associée dans T_1 à i_0 (ancien tableau) et de la colonne j_0 doit être égal à 1, les autres étant nuls.

Aussi, pour faire apparaître ces "0" et ce "1", nous allons combiner linéairement chaque ligne avec celle du pivot de la manière suivante :

Notons t_{lj} l'élément générique du tableau $\mathcal{T}$ (l = 1,2,..., m+1; j = 1,2,..., n+1) associé à β et t'_{lj} l'élément générique du tableau $\mathcal{T}'$ associé à γ; nous réalisons alors les opérations suivantes :

- pour la ligne l_0 du pivot :

$$t'_{l_0 j} = \frac{1}{t_{l_0 j_0}} t_{l_0 j}$$

- pour toute autre ligne de $\mathcal{T}'$ (sauf pour $t'_{m+1,n+1}$) :

$$t'_{lj} = t_{lj} - t_{l j_0} t'_{l_0 j}$$

- pour la valeur de la fonction économique :

$$t'_{m+1,n+1} = t_{m+1,n+1} + t_{m+1,j_0} t'_{l_0,n+1}$$

Appliquons ce résultat à notre exemple; nous avons :

$\mathcal{T}$ =

	1	2	$\bar{1}$	$\bar{2}$	$\bar{3}$	$\bar{4}$	$\bar{\bar{1}}$	
1	4	3	-1	0	0	0	1	12
2	-1	1	0	1	0	0	0	4
3	1	3	0	0	1	0	0	24
4	3	-1	0	0	0	0	0	-12
5	4	3	-1	0	0	0	0	-12

Le pivot est l'élément t_{11}; les lignes du tableau $\mathcal{T}'$ sont alors déterminées de la manière suivante :

$$L'_1 = L_1/4;\ L'_2 = L_2 + L'_1;\ L'_3 = L_3 - L'_1;\ L'_4 = L_4 - 3L'_1;\ L'_5 = L_5 - 4L'_1$$

(sauf pour le dernier élément).

Nous obtenons ainsi, pour le tableau $\mathcal{T}'$:

	1	2	$\bar{1}$	$\bar{2}$	$\bar{3}$	$\bar{4}$	$\bar{\bar{1}}$	
1	1	3/4	-1/4	0	0	0	1/4	3
2	0	7/4	-1/4	1	0	0	1/4	7
3	0	9/4	1/4	0	1	0	-1/4	21
4	0	-3/4	1/4	0	0	1	-1/4	3
	0	0	0	0	0	0	-1	0

Nous sommes à l'optimum car tous les coûts marginaux sont négatifs ou nuls.

Le nouvel ensemble de tableaux associé à la base réalisable ainsi trouvé par application de la première phase est le suivant (en nous "débarrassant" de la variable artificielle et en substituant la fonction objectif du problème initial) :

		1	2	$\bar{1}$	$\bar{2}$	$\bar{3}$	$\bar{4}$	
1	1	1	3/4	-1/4	0	0	0	3
0	$\bar{2}$	0	7/4	-1/4	1	0	0	7
0	$\bar{3}$	0	9/4	1/4	0	1	0	21
0	$\bar{4}$	0	-3/4	1/4	0	0	1	3
		1	3	0	0	0	0	
		0	9/4	1/4	0	0	0	3

Achevons la seconde phase. x_2 entre dans la base et nous pouvons, au choix, faire sortir x_1 ou $x_{\bar{2}}$. Choisissons $x_{\bar{2}}$; nous obtenons :

		1	2	$\bar{1}$	$\bar{2}$	$\bar{3}$	$\bar{4}$	
1	1	1	0	-1/7	-3/7	0	0	0
3	2	0	1	-1/7	4/7	0	0	4
0	$\bar{3}$	0	0	4/7	-9/7	1	0	12
0	$\bar{4}$	0	0	1/7	3/7	0	1	6
		1	3	0	0	0	0	
		0	0	4/7	-9/7	0	0	12

Nous ne sommes toujours pas à l'optimum; $x_{\bar{1}}$ doit entrer dans la base et $x_{\bar{3}}$ en sortir. Nous obtenons :

		1	2	$\bar{1}$	$\bar{2}$	$\bar{3}$	$\bar{4}$	
1	1	1	0	0	-3/4	1/4	0	3
3	2	0	1	0	1/4	1/4	0	7
0	$\bar{1}$	0	0	1	-9/4	7/4	0	21
0	$\bar{4}$	0	0	0	3/4	-1/4	1	3
		1	3	0	0	0	0	
		0	0	0	0	-1	0	24

On a coutume d'appeler ce dernier tableau le "*tableau optimal*".

V. ETUDE SUR LES TABLEAUX DE LA CORRESPONDANCE ENTRE BASES REALISABLES PRIMALES ET DUALES

Pour une bonne compréhension de ce paragraphe, nous pensons que le lecteur peut utilement se reporter au paragraphe VII du chapitre VI, pages 110 et suivantes. En effet, ici, nous ne ferons qu'interpréter, en termes de tableaux, ce qui a été traité de manière théorique. C'est ainsi que pour deux bases en correspondance, nous pouvons énoncer les propriétés suivantes :

- aux variables barrées (d'écart) du primal correspondent les variables non barrées du dual;

- aux variables non barrées (principales) du primal correspondent les variables barrées du dual;

- aux variables de base du primal correspondent les variables hors-base du dual;

- aux variables hors-base du primal correspondent les variables de base du dual.

D'autre part, à partir des liaisons :

- entre les coordonnées des vecteurs colonne hors-base du primal et du dual;

- entre les valeurs des variables de base du primal et des coûts marginaux du dual;

- entre les coûts marginaux du primal et les valeurs des variables de base du dual;

explicitées par les formules de la page 113 du chapitre VI, nous pouvons construire l'ensemble des tableaux correspondant à la base du dual, image par f d'une base primale réalisable. Pour cela, nous allons construire un tableau intermédiaire carré qui n'est qu'une extension de l'ensemble des tableaux que nous avons défini au début de ce chapitre.

Considérons, par exemple, le programme linéaire précédent et la base réalisable $(1, 2, \bar{3}, \bar{4})$ à laquelle correspond l'ensemble des tableaux de la page 162 et que, pour la commodité, nous rappelons ici :

		1	2	$\bar{1}$	$\bar{2}$	$\bar{3}$	$\bar{4}$	
1	1	1	0	-1/7	-3/7	0	0	0
3	2	0	1	-1/7	4/7	0	0	4
0	$\bar{3}$	0	0	4/7	-9/7	1	0	12
0	$\bar{4}$	0	0	1/7	3/7	0	1	6
		1	3	0	0	0	0	
		0	0	4/7	-9/7	0	0	12

Nous construisons alors le tableau carré suivant, associé à toutes les variables, au second membre et à la fonction objectif du *programme primal* :

	1	2	$\bar{1}$	$\bar{2}$	$\bar{3}$	$\bar{4}$	
1	1	0	-1/7	-3/7	0	0	0
2	0	1	-1/7	4/7	0	0	4
$\bar{1}$	0	0	-1	0	0	0	0
$\bar{2}$	0	0	0	-1	0	0	0
$\bar{3}$	0	0	4/7	-9/7	1	0	12
$\bar{4}$	0	0	1/7	3/7	0	1	6
	0	0	4/7	-9/7	0	0	12

Nous recopions les lignes du tableau primal sur le tableau carré selon l'emplacement de la variable de base correspondante. Nous plaçons également la ligne des coûts marginaux ainsi que la valeur de la fonction économique. Pour chaque ligne i, associée à une variable hors-base, nous écrivons que :

$$-x_i = 0$$

Nous plaçons alors -1 comme élément diagonal et 0 partout ailleurs. Nous sommes alors prêts à construire l'ensemble des tableaux du programme dual associé à la base duale $f(\bar{1}) = 1$; $f(\bar{2}) = 2$. En effet, construire T_1 et T'_1 est très simple puisque la fonction objectif duale que nous considérons ici est :

$$\text{MAX} - u = 12y_1 - 4y_2 - 24y_3 - 6y_4$$

Nous aurons donc :

T'_1	T_1
12	1
-4	2

Les variables duales sont indicées par 1, 2, 3, 4, $\bar{1}$, $\bar{2}$ si bien que nous pouvons préparer les tableaux T_2, T'_2, T_3, T'_3 et T_4 de la manière suivante :

		1	2	3	4	$\bar{1}$	$\bar{2}$	
12	1	1	0	-4/7	-1/7	1/7	1/7	-4/7
-4	2	0	1	9/7	-3/7	3/7	-4/7	9/7

12	-4	-24	-6	0	0	
0	0	-12	-6	0	-4	-12

Pour obtenir la ligne associée à la variable de base 1 de l'ensemble T_2, T'_2, nous considérons la colonne $\bar{1}$ du tableau carré précédent que nous recopions :

- en changeant les signes;

- en prenant garde de respecter la correspondance f (par exemple : $y'_{12} = - y_{\overline{2}\overline{1}}$).

Nous faisons exactement de même en ce qui concerne la ligne : "coûts marginaux et fonction économique". Nous obtenons alors les tableaux ci-dessus. Bien entendu, on constate que la base duale ainsi construite n'est pas réalisable puisque la base primale correspondante *n'était pas optimale*. Cependant, nous voyons que tous les coûts marginaux sont négatifs ou nuls; une base qui possède cette propriété sera dite "*duale réalisable*". Nous verrons leur importance et leur utilisation dans le prochain chapitre.

Nous engageons le lecteur à construire lui-même le tableau *dual optimal* à partir du tableau intermédiaire carré. On obtient :

		1	2	3	4	$\overline{1}$	$\overline{2}$	
-4	2	9/4	1	0	-3/4	3/4	-1/4	0
-24	3	-7/4	0	1	1/4	-1/4	-1/4	1
		12	-4	-24	-6	0	0	
		-21	0	0	-3	-3	-7	-24

VI. UTILISATION DU TABLEAU DUAL OPTIMAL POUR LA PARAMETRISATION D'UN COEFFICIENT DU SECOND MEMBRE

Nous avons vu (chapitre VI, page 110) que la méthode classique de paramétrisation d'un coefficient du second membre consistait à considérer la base optimale du programme linéaire dual associée à la base optimale du programme linéaire primal. Dans ce chapitre, nous avons appris, d'une part à construire le tableau primal optimal, et d'autre part à passer d'un tableau associé à une base primale au tableau de la base duale correspondante.

Examinons alors, sur notre exemple, l'étude complète de la parémétrisation du second membre de la deuxième contrainte qui devient :

$$-x_1 + x_2 \leqslant 4(1 + f) \qquad f \geqslant -1$$

La fonction objectif du programme linéaire dual que nous avons considérée pour appliquer les règles de passage du tableau primal au tableau dual est la suivante :

$$\text{MAX} - u = 12w_1 - 4w_2 - 24w_3 - 6w_4$$

elle devient :

$$\text{MAX} - u = 12w_1 - 4(1 + f)\, w_2 - 24w_3 - 6w_4$$

Considérons alors le tableau associé à la base duale optimale (w_2, w_3), après avoir, bien entendu, calculé les nouveaux coûts marginaux en fonction du paramètre f. Nous obtenons :

		1	2	3	4	$\bar{1}$	$\bar{2}$	
-4(1+f)	2	9/4	1	0	-3/4	3/4	-1/4	0
-24	3	-7/4	0	1	1/4	-1/4	-1/4	1

1	2	3	4	$\bar{1}$	$\bar{2}$
12	-4(1+f)	-24	-6	0	0

1	2	3	4	$\bar{1}$	$\bar{2}$	
-21 +9f	0	0	-3 -3f	-3 +3f	-7 -f	-24

Etudions le signe des coûts marginaux pour les valeurs possibles du paramètre; nous pouvons les résumer dans le tableau de la page suivante :

f	-1		1	7/3	+ ∞
Δ_1		-	- 0	+	
Δ_4	0	-	-	-	
$\Delta_{\bar{1}}$		- 0	+	+	
$\Delta_{\bar{2}}$		-	-	-	

Nous constatons donc que pour $-1 \leqslant f \leqslant +1$, la base duale précédente reste optimale. Etudions alors le cas $f > +1$. La base duale (w_2, w_3) n'est plus optimale car $\Delta_{\bar{1}}$ est strictement positif. Il faut alors faire entrer la variable $w_{\bar{1}}$ dans la nouvelle base et faire sortir w_2 de l'ancienne. Nous obtenons alors le tableau suivant :

		1	2	3	4	$\bar{1}$	$\bar{2}$	
0	$\bar{1}$	3	4/3	0	-1	1	-1/3	0
-24	3	-1	1/3	1	0	0	-1/3	1
		12	-4(1+f)	-24	-6	0	0	
		-12	4-4f	0	-6	0	-8	-24

Pour $f > +1$, tous les coûts marginaux sont négatifs, ce tableau correspond à une base duale optimale.

Résumons maintenant les résultats concernant la solution optimale du programme linéaire primal; nous avons :

- pour $-1 \leqslant f \leqslant +1$ $x_1 = 3 - 3f$; $x_2 = 7 + f$; $z = 24$

- pour $f > +1$ $x_1 = 0$; $x_2 = 8$; $z = 24$

VII. REMARQUE SUR LA MATRICE B^{-1} ASSOCIEE A UNE BASE REALISABLE

Revenons à la forme initiale de notre programme linéaire (page 154). Nous avons, au début de ce chapitre, fait la remarque que la matrice A contenait les m colonnes canoniques e_j $j = 1,2,\ldots, m$. Considérons alors une base β du programme linéaire, la matrice B associée, ainsi que l'ensemble des tableaux correspondant à cette base.

Nous savons que la colonne j du tableau T_2 contient le vecteur colonne :

$$y_j = B^{-1}a_j$$

Il en résulte que les colonnes du tableau T_2 associées aux colonnes canoniques initiales (colonnes d'écart ou artificielles) sont respectivement les colonnes de la matrice B^{-1}. On vérifie ainsi qu'un *pivotage* dans la méthode du simplexe n'est rien d'autre que l'application de la *procédure classique d'inversion* d'une matrice par élimination et substitution (méthode de Gauss).

Exemple : Reprenons notre programme linéaire du début de chapitre et considérons le tableau $\mathcal{T}'$ associé à la base $(1, \bar{2}, \bar{3}, \bar{4})$. La matrice B associée à cette base est :

$$B = \begin{pmatrix} 4 & 0 & 0 & 0 \\ -1 & 1 & 0 & 0 \\ 1 & 0 & 1 & 0 \\ 1 & 0 & 0 & 1 \end{pmatrix}$$

Nous lisons donc la matrice B^{-1} dans les colonnes $\bar{\bar{1}}, \bar{2}, \bar{3}, \bar{4}$ du tableau, soit :

$$B^{-1} = \begin{pmatrix} 1/4 & 0 & 0 & 0 \\ 1/4 & 1 & 0 & 0 \\ -1/4 & 0 & 1 & 0 \\ -1/4 & 0 & 0 & 1 \end{pmatrix}$$

EXERCICE 1

(d'après l'Agrégation des Techniques Economiques de Gestion)

La structure de la production d'une entreprise est caractérisée :

- par la production de 3 articles x_1, x_2, x_3;
- par la limitation des débouchés;
- par un goulôt d'étranglement relatif constitué par la section montage.

Les prestations offertes mesurées en "heures-ouvriers" se limitent à 120 au cours de la période de référence. Les consommations nécessaires à la production unitaire des articles x_1, x_2, x_3 sont données dans le tableau ci-dessous.

Enfin, l'objectif est la maximisation du chiffre d'affaires global.

PRODUITS	x_1	x_2	x_3
Volume maximal de la demande au cours de la période de référence	20	10	30
Unités d'oeuvre nécessaires à une production unitaire (heures-ouvriers de la section montage)	2	3	2
Prix de vente unitaire	1	4	2

1. Résolution du programme linéaire par l'algorithme du simplexe.

2. Recherche de l'optimum dans l'hypothèse où le prix de vente unitaire de l'article 1 (x_1) est de la forme $(1 + \lambda)$ où λ est un paramètre dont l'intervalle de variation est $[-1, +\infty]$.

3. Donner la méthode de recherche de l'optimum lorsque la demande de l'article x_2 est donnée par l'expression $10(1 + \mu)$, μ variant de -1 à $+\infty$.

RESOLUTION

1ère étape : modélisation du problème.

Le problème consiste à déterminer le programme de fabrication en réalisant l'objectif économique de maximisation du chiffre d'affaires sous les contraintes provenant :

- soit de la limitation des débouchés;
- soit du goulôt d'étranglement constitué par la section montage.

DETERMINATION DES VARIABLES OU ACTIVITES.

Désignons par :

x_1 le nombre d'articles 1 à fabriquer au cours de la période de référence

x_2 le nombre d'articles 2 à fabriquer au cours de la période de référence

x_3 le nombre d'articles 3 à fabriquer au cours de la période de référence

x_1, x_2, x_3 sont les inconnues ou les variables du problème. En programmation linéaire, nous les appellerons activités.

LES CONTRAINTES SONT RELATIVES :

- au volume de la demande (limitation des débouchés) :

$x_1 \leqslant 20$ la demande de l'article 1 ne peut excéder 20 articles

$x_2 \leqslant 10$ la demande de l'article 2 ne peut excéder 10 articles

$x_3 \leqslant 30$ la demande de l'article 3 ne peut excéder 30 articles on peut dire également qu'il serait inconséquent de fabriquer plus que le marché ne peut absorber;

- au goulôt d'étranglement de la section montage :

$$2x_1 + 3x_2 + 2x_3 \leqslant 120$$

au plus 120 unités d'oeuvre au cours de la période de référence.

OBJECTIF OU FONCTION ECONOMIQUE.

Soit z le chiffre d'affaires réalisé. $z = x_1 + 4x_2 + 2x_3$ qu'il s'agira de rendre maximum.

En résumé, le programme s'exprime ainsi :

Trouver :

$$x_1; \quad x_2; \quad x_3 \geqslant 0$$

sous les contraintes :

$$\begin{aligned} x_1 \qquad\qquad\qquad &\leqslant 20 \\ x_2 \qquad\quad &\leqslant 10 \\ x_3 &\leqslant 30 \\ 2x_1 + 3x_2 + 2x_3 &\leqslant 120 \end{aligned}$$

avec :

$$\text{MAX } z = x_1 + 4x_2 + x_3$$

ou plus simplement :

Trouver :

$$x_1; \quad x_2; \quad x_3 \geqslant 0$$

$$x_1 \leqslant 20$$

$$x_2 \leqslant 10$$

$$x_3 \leqslant 30$$

$$2x_1 + 3x_2 + 2x_3 \leqslant 120$$

$$\text{MAX} \quad x_1 + 4x_2 + x_3$$

Cette forme résumée est *un programme linéaire* car la fonction économique est linéaire par rapport aux variables et car les contraintes sont des inégalités dont le premier membre est une forme linéaire des variables et le deuxième membre une constante. Le programme linéaire est dit *programme canonique* car les contraintes sont des inégalités de même sens à seconds membres positifs et les variables sont de signe spécifié. Ce programme linéaire est *de type I* car les contraintes sont en ⩽ et l'objectif est un maximum. On verra ensuite un programme *de type II* pour lequel les contraintes sont en ⩾ et l'objectif un minimum.

2ème étape : la résolution du programme.

Pour résoudre ce programme linéaire, nous pouvons recourir :

- à une résolution économique;
- à une résolution géométrique;
- à la méthode dite du simplexe de G.B. Dantzig.

RESOLUTION ECONOMIQUE.

a. Comme l'article 2 se vend 4 unités monétaires, nous le fabriquerons en priorité pour un maximum de 10 articles. Ce faisant, 30 h sont immobilisées à la section montage.

b. Fabriquons ensuite l'article 3 qui procure 2 unités monétaires. Au maximum, nous en fabriquerons 30 unités nécessitant 60 h de la section montage. Il reste donc 120 - (30 + 60) = 30 h de montage.

c. Consacrons ces 30 h à l'article 1 qui ne rapporte qu'une unité monétaire. Nous pouvons fabriquer 15 articles 1. Le chiffre d'affaires réalisé sera $1 \times 15 + 4 \times 10 + 2 \times 30 = 115$ unités monétaires qui est le maximum possible.

Cette résolution économique ne peut s'envisager que dans le cadre de programmes très simples.

RESOLUTION GEOMETRIQUE.

Traçons 3 axes de coordonnées Ox_1, Ox_2, Ox_3 orthogonaux. Sur chacun des axes, nous déterminerons une échelle qui lui est propre de manière à rendre lisible le schéma.

La 1ère contrainte $x_1 \leqslant 20$ est la portion d'espace limitée par le plan $x_1 = 20$ et $x_2, x_3 \geqslant 0$.

La 2ème contrainte $x_2 \leqslant 10$ est la portion d'espace limitée par le plan $x_2 = 10$ et $x_1, x_3 \geqslant 0$.

La 3ème contrainte $x_3 \leqslant 30$ est la portion d'espace limitée par le plan $x_3 = 30$ et $x_1, x_2 \geqslant 0$.

Ces 3 contraintes déterminent le parallèlépipède O A B C D E F G.

La 4ème contrainte $2x_1 + 3x_2 + 2x_3 \leqslant 120$ est représentée par la portion d'espace limité par la "plaque triangulaire"
$2x_1 + 3x_2 + 2x_3 = 120$ et $x_1, x_2, x_3 \geqslant 0$.

Déterminons les points d'intersection de la plaque triangulaire et du parallèlépipède :

a. L'arête FG est caractérisée par son appartenance aux plans $x_1 = 20$, $x_3 = 30$. Le point d'intersection H de la plaque avec FG est tel que $2x_1 + 3x_2 + 2x_3 = 120$, soit
$2 \times 20 + 3x_2 + 2 \times 20 = 120 x_2 = \frac{20}{3}$. Les coordonnées de H sont donc : $20, \frac{20}{3}, 30$.

b. L'arête DG est l'intersection des plans $x_2 = 10$ et $x_3 = 30$. Le point d'intersection I de DG avec la plaque est tel que
$2x_1 + 3x_2 + 2x_3 = 120$ soit $2x_1 + 3 \times 10 + 2 \times 30 = 120 \quad x_1 = 15$. Les coordonnées de I sont (15, 10, 30).

c. L'arête BG est l'intersection des plans $x_1 = 20$, $x_2 = 10$. Le point J d'intersection de BG avec la plaque est tel que
$2x_1 + 3x_2 + 2x_3 = 120$ soit $2 \times 20 + 3 \times 10 + 2x_3 = 120 \quad x_3 = 25$. Les coordonnées de J sont (20, 10, 25).

Le domaine des solutions admissibles est donc O A B C D E F H I J. La solution optimale se situant en un sommet, celui-ci se détermine :

- soit en calculant la valeur de la fonction économique en chaque point : $z_0 = 0$; $z_A = 20$; $z_B = 60$; $z_C = 40$; $z_D = 100$; $z_E = 60$; $z_F = 80$; $z_H = \frac{320}{3}$; $z_I = 115$; $z_J = 110$. L'optimum est donc obtenu pour le point I (15, 10, 30).

- soit en représentant le plan de la fonction économique $z = x_1 + 4x_2 + 2x_3$ pour lequel z est maximum. C'est le point de tangence en I du plan au polyèdre des solutions admissibles dont l'équation est $x_1 + 4x_2 + 2x_3 = 115$.

Remarques :

Tout programme comportant *au plus 3 activités* peut se résoudre graphiquement.

Lorsque l'ensemble des contraintes est vérifié simultanément pour une solution (x_1, x_2, x_3) nous disons que ce programme est *admissible* ou *réalisable* et que *la solution est admissible ou réalisable*.

Tout programme (x_1, x_2, x_3) admissible conférant la valeur optimale (si elle existe) à la fonction économique est *un programme optimal* dont *la solution est optimale*.

Dire que *le programme linéaire admet une solution* signifie que le programme admet au moins une solution admissible et que les contraintes sont compatibles.

Cependant, il n'y aura pas obligatoirement de solution optimale.

Les résolutions économiques ou géométriques ne conviennent pas aux programmes comportant de nombreuses activités et de nombreuses contraintes ce qui est le cas le plus général. La 3ème solution fournira une méthode générale.

Résolution du programme par l'algorithme du simplexe : la méthode de G.B. Dantzig.

Reprenons le programme linéaire :

Trouver :

$$
\begin{aligned}
x_1;\quad x_2;\quad x_3 &\geqslant 0\\
x_1 &\leqslant 20\\
x_2 &\leqslant 10\\
x_3 &\leqslant 30\\
2x_1 + 3x_2 + 2x_3 &\leqslant 120\\
\text{MAX}\quad x_1 + 4x_2 + 2x_3 &
\end{aligned}
$$

Associons à ce programme *sa forme standard* c'est-à-dire :

1. Toutes les variables sont $\geqslant 0$.

2. Toutes les contraintes sont des égalités.

3. Tous les seconds membres sont $\geqslant 0$.

4. La matrice des coefficients des 1er membres comporte un bloc unité dont l'ordre est égal au nombre des contraintes.

$$
\begin{aligned}
x_1 \qquad\qquad + x_{\bar 1} \qquad\qquad &= 20\\
x_2 \qquad\qquad + x_{\bar 2} \qquad &= 10\\
x_3 \qquad\qquad + x_{\bar 3} &= 30\\
2x_1 + 3x_2 + 2x_3 \qquad\qquad + x_{\bar 4} &= 120
\end{aligned}
$$

$x_{\bar 1} = 20 - x_1$ représente la demande potentielle non satisfaite en produit 1

$x_{\bar 2} = 10 - x_2$ représente la demande potentielle non satisfaite en produit 2

$x_{\bar 3} = 30 - x_3$ représente la demande potentielle non satisfaite en produit 3

$x_{\bar 4} = 120 - 2x_1 - 3x_2 - 2x_3$ représente le nombre d'heures-ouvriers disponibles non utilisées

Ces variables $x_{\bar{1}}$, $x_{\bar{2}}$, $x_{\bar{3}}$, $x_{\bar{4}}$ sont les *variables d'écart* associées aux 4 contraintes. Elles sont positives ou nulles. Une variable d'écart sera nulle si la contrainte correspondante est saturée et réciproquement. Elles peuvent s'interpréter comme *des activités fictives ne rapportant rien*. On maximise donc $x_1 + 4x_2 + 2x_3 + 0x_{\bar{1}} + 0x_{\bar{2}} + 0x_{\bar{3}} + 0x_{\bar{4}}$.

A la forme standard, associons le tableau suivant :

C_i	i	j	1	2	3	$\bar{1}$	$\bar{2}$	$\bar{3}$	$\bar{4}$	(0)	$\frac{x_i}{x_{ij}}$
0	$\bar{1}$		1	0	0	1	0	0	0	20	-
0	$\bar{2}$		0	①	0	0	1	0	0	10	10 ⇒
0	$\bar{3}$		0	0	1	0	0	1	0	30	-
0	$\bar{4}$		2	3	2	0	0	0	1	120	40
		c_j	1	4	2	0	0	0	0		
		sol	0	0	0	20	10	30	120		
		Δ_j	1	4	2	0	0	0	0	0	= F
				⇑							

c_j est le coefficient de la fonction économique de la $j^{\text{ième}}$ variable.

sol est la solution évidente ici : $x_1 = 0$; $x_2 = 0$; $x_3 = 0$; $x_{\bar{1}} = 20$; $x_{\bar{2}} = 10$; $x_{\bar{3}} = 30$; $x_{\bar{4}} = 120$.

(0) est le second membre de la contrainte i.

F est la valeur de la fonction économique obtenue en faisant les produits, terme à terme de sol et c_j, puis la somme des produits obtenus : $F = \sum_j \text{sol}_j\, c_j$.

i est l'indice des variables dans la base :

$\bar{1}$, $\bar{2}$, $\bar{3}$, $\bar{4}$ sont les variables de la base.

1, 2, 3 sont les variables hors base.

SIGNIFICATION DES COLONNES HORS BASE.

Exemple : colonne 1 du tableau.

Supposons une diminution fictive de x_1 d'une unité. x_1 passe à $x_1 - 1$, x_2 et x_3 restant nuls. D'après la forme standard :

$x_{\bar{1}}$ augmenterait d'une unité	$x_{\bar{1}}$ passe à $x_{\bar{1}}$	+ 1
$x_{\bar{2}}$ resterait inchangé	$x_{\bar{2}}$ passe à $x_{\bar{2}}$	+ 0
$x_{\bar{3}}$ resterait inchangé	$x_{\bar{3}}$ passe à $x_{\bar{3}}$	+ 0
$x_{\bar{4}}$ augmenterait de 2 unités	$x_{\bar{4}}$ passe à $x_{\bar{4}}$	+ 2

Ainsi, une unité de l'article x_1 équivaut à une unité de $x_{\bar{1}}$ (une vente potentielle de x_1), 0 unité de $x_{\bar{2}}$, 0 unité de $x_{\bar{3}}$ et 2 unités de $x_{\bar{4}}$ (2 unités d'oeuvre). *Chaque unité d'une variable hors base équivaut à une combinaison linéaire des variables dans la base.* Chaque "produit hors-base" a son équivalent en "produits de base" et les produits sont substituables. Le même raisonnement s'applique à toute colonne hors base.

SIGNIFICATION DE Δ_j.

Une unité de x_1 produite rapporte 1 F. La fabrication de son équivalent en produits de base rapporte :
$1 \times P_{\bar{1}} + 0 \times P_{\bar{2}} + 0 \times P_{\bar{3}} + 2 \times P_{\bar{4}} = 1 \times 0F + 0 \times 0F + 0 \times 0F + 2 \times 0F = 0.$

Si x_1 n'est pas fabriqué, on perd donc 1 F par unité. Δ_1 représente *le taux marginal de substitution* c'est-à-dire la différence entre ce que rapporte la fabrication de P_1 et ce que rapporte la non-fabrication de P_1 remplacée par celle de son équivalent en "produits de base".

D'une façon générale : $$\Delta_j = c_j - \sum_{i \in \text{base}} c_i x_{ij}$$ où c_i et c_j représentent les revenus unitaires des différentes variables (réelles ou d'écart) et x_{ij} est l'élément de la $i^{\text{ème}}$ ligne et $j^{\text{ième}}$ colonne de la matrice.

1er CRITERE DE DANTZIG : PAR QUEL PRODUIT COMMENCER ?

Le 1er critère de Dantzig résulte des observations précédentes :

Faire entrer dans la base la colonne j correspondant au Δ_j le plus grand positif

Ici, nous ferons entrer dans la base la colonne 2 correspondant à $\Delta_j = 4$. Nous commencerons par la fabrication des articles P_2 qui nous rapporte 4 par unité.

2ème CRITERE DE DANTZIG : QUEL NIVEAU DE PRODUCTION MAXIMUM ADOPTER ?

Exprimons les variables de base en fonction des variables hors base.

$$\begin{aligned}
x_{\bar{1}} &= 20 - x_1 - \boxed{0}\, x_2 - 0x_3 \\
x_{\bar{2}} &= 10 - 0x_1 - \boxed{1}\, x_2 - 0x_3 \\
x_{\bar{3}} &= 30 - 0x_1 - \boxed{0}\, x_2 - 1x_3 \\
x_{\bar{4}} &= 120 - 2x_1 - \boxed{3}\, x_2 - 2x_3
\end{aligned}$$

On reconnaît par exemple la colonne 2 du tableau relative à x_2.

Comme $x_1, x_3 = 0$ et $x_{\bar{1}}, x_{\bar{2}}, x_{\bar{3}}, x_{\bar{4}} \geqslant 0$ on peut écrire :

$$\begin{aligned}
x_{\bar{1}} &= 20 - 0x_2 \geqslant 0 \quad x_2 \leqslant \frac{20}{0} \\
x_{\bar{2}} &= 10 - 1x_2 \geqslant 0 \quad x_2 \leqslant \frac{10}{1} \\
x_{\bar{3}} &= 30 - 0x_2 \geqslant 0 \quad x_2 \leqslant \frac{30}{0} \\
x_{\bar{4}} &= 120 - 3x_2 \geqslant 0 \quad x_2 \leqslant \frac{120}{3}
\end{aligned}$$

C'est le rapport terme à terme des éléments de la colonne (0) avec ceux de la colonne 2.

Ces résultats s'inscrivent dans la colonne $\frac{x_i}{x_{ij}}$ du tableau. Il faut choisir MIN $(\frac{20}{0}, \frac{10}{1}, \frac{30}{0}, \frac{120}{3})$ pour satisfaire l'ensemble des contraintes. C'est le 2ème critère de Dantzig.

Choisir comme colonne sortant de la base celle pour laquelle le rapport $\frac{x_i}{x_{ij}}$ est le plus petit positif où j est l'indice de la colonne rentrante

Ici, le rapport le plus petit est 10. La colonne $\bar{2}$ va sortir de la base au profit de la colonne 2. L'intersection colonne 2, ligne $\bar{2}$ est l'élément $a_{\bar{2}2} = 1$ qui est appelé *élément distingué ou pivot*.

A partir de ce premier tableau et en appliquant les deux critères de Dantzig, nous constituons un second tableau, puis nous itérons le procédé jusqu'à ce que tous les Δ_j soient négatifs ou nuls (toute nouvelle substitution entraînant des pertes).

L'algorithme de Dantzig permet d'obtenir la solution optimale si elle existe. Processus itératif, il correspond géométriquement à un déplacement le long des arêtes du polygone convexe des solutions admissibles, de sommets adjacents en sommets adjacents. Constatons également que les critères de sélection sont ceux qui ont été utilisés lors de la résolution économique.

DU 1er TABLEAU AU 2ème TABLEAU.

On choisit donc de produire l'article 2 au détriment de $\bar{2}$. Les variables de base seront $\bar{1}$, 2, $\bar{3}$, $\bar{4}$ et les variables hors base 1, 3, $\bar{2}$. On obtient, en exprimant les variables de base en fonction des variables hors base :

$$
\begin{aligned}
x_{\bar{1}} &= 20 - x_1 &&= 20 - x_1 \\
x_2 &= 10 - x_{\bar{2}} &&= 10 - x_{\bar{2}} \\
x_{\bar{3}} &= 30 - x_3 &&= 30 - x_3 \\
x_{\bar{4}} &= 120 - 2x_1 - 2x_3 - 3(10 - x_{\bar{2}}) &&= 90 - 2x_1 - 2x_3 + 3x_{\bar{2}} \\
F &= x_1 + 2x_3 + 4(10 - x_{\bar{2}}) &&= 40 + x_1 + 2x_3 - 40x_{\bar{2}}
\end{aligned}
$$

Soit encore :

$$\begin{array}{lllllllll}
1\,x_1 & +0\,x_2 & +0\,x_3 & +1\,x_{\bar{1}} & +\,0\,x_{\bar{2}} & +0\,x_{\bar{3}} & +0\,x_{\bar{4}} & = & 20 \\
0\,x_1 & +1\,x_2 & +0\,x_3 & +0\,x_{\bar{1}} & +\,1\,x_{\bar{2}} & +0\,x_{\bar{3}} & +0\,x_{\bar{4}} & = & 10 \\
0\,x_1 & +0\,x_2 & +1\,x_3 & +0\,x_{\bar{1}} & +\,0\,x_{\bar{2}} & +1\,x_{\bar{3}} & +0\,x_{\bar{4}} & = & 30 \\
2\,x_1 & +0\,x_2 & +2\,x_3 & +0\,x_{\bar{1}} & -\,3\,x_{\bar{2}} & +0\,x_{\bar{3}} & +1\,x_{\bar{4}} & = & 90 \\
1\,x_1 & +0\,x_2 & +2\,x_3 & +0\,x_{\bar{1}} & -40\,x_{\bar{2}} & +0\,x_{\bar{3}} & +0\,x_{\bar{4}} & = & -40 = -z
\end{array}$$

Le second tableau s'écrit donc :

c_i	i	j	1	2	3	$\bar{1}$	$\bar{2}$	$\bar{3}$	$\bar{4}$	(0)	$\frac{x_i}{x_{ij}}$
			•	•	•	•	•	•	•		
0	$\bar{1}$		1	0	0	1	0	0	0	20	-
4	2		0	1	0	0	1	0	0	10	-
0	$\bar{3}$		0	0	(1)	0	0	1	0	30	30 ⇒
0	$\bar{4}$		2	0	2	0	-3	0	1	90	45
		c_j	1	4	2	0	0	0	0		
		sol	0	10	0	20	0	30	90		
		Δ_j	1	0	2	0	-40	0	0	40	= F
					⇑						

On fera entrer la variable 3 au détriment de $\bar{3}$ qui sort de la base. Il devient possible de donner les règles de passage d'un tableau à l'autre :

- inscrire les indices des nouvelles variables de base;
- inscrire les indices des variables en ligne;
- réinscrire la ligne du pivot divisée par le pivot;
- de toute autre ligne du tableau précédent, retrancher la nouvelle ligne du pivot multipliée par l'élément de la colonne du pivot correspondant.

Remarques : On peut réécrire sans changement toute ligne ayant un 0 dans la colonne du pivot et toute colonne ayant un 0 dans la ligne du pivot.

D'où les itérations suivantes :

c_i	i	j	1	2	3	$\bar{1}$	$\bar{2}$	$\bar{3}$	$\bar{4}$	(0)	$\frac{x_i}{x_{ij}}$
0	$\bar{1}$		1	0	0	1	0	0	0	20	20
4	2		0	1	0	0	1	0	0	10	-
2	3		0	0	1	0	0	1	0	30	-
0	$\bar{4}$		②	0	0	0	-3	-2	1	30	15 ⇒
		c_j	1	4	2	0	0	0	0		
		sol	0	10	30	20	0	0	30		
		Δ_j	1	0	0	0	-4	-2	0	100	= F
			⇑								

c_i	i	j	1	2	3	$\bar{1}$	$\bar{2}$	$\bar{3}$	$\bar{4}$	(0)	$\frac{x_i}{x_{ij}}$
0	$\bar{1}$		0	0	0	1	$\frac{3}{2}$	1	$\frac{1}{2}$	5	
4	2		0	1	0	0	1	0	0	10	
2	3		0	0	1	0	0	1	0	30	
1	1		1	0	0	0	$-\frac{3}{2}$	-1	$\frac{1}{2}$	15	
		c_j	1	4	2	0	0	0	0		
		sol	15	10	30	5	0	0	0		
		Δ_j	0	0	0	0	$-\frac{5}{2}$	-1	$-\frac{1}{2}$	115	= F

Tous les Δ_j étant négatifs ou nuls, l'optimum est atteint puisque toute nouvelle substitution conduirait à une perte unitaire. Le dernier tableau nous fournit les renseignements suivants :

1. PROGRAMME DE FABRICATION.

$$\left.\begin{array}{ll}\text{15 articles de 1} & x_1^* = 15 \\ \text{10 articles de 2} & x_2^* = 10 \\ \text{30 articles de 3} & x_3^* = 30\end{array}\right\} \text{variables de base}$$

La 1ère contrainte n'est pas saturée $x_{\bar{1}}^* = 5$ (variable de base), on pourrait encore vendre 5 unités s'il était possible de les fabriquer.

Les autres contraintes (variables hors base) sont saturées car $x_{\bar{2}}^*, x_{\bar{3}}^*, x_{\bar{4}}^* = 0$.

2. LE CHIFFRE D'AFFAIRES MAXIMUM EST DE 115 F.

3. SIGNIFICATION DES $\Delta_{\bar{2}} = -\frac{5}{2}$, $\Delta_{\bar{3}} = -1$, $\Delta_{\bar{4}} = -\frac{1}{2}$.

Exemple $\Delta_{\bar{2}}$.

$\bar{2}$ est l'indice de la variable d'écart de la seconde contrainte. Supposons que la deuxième contrainte soit $x_2 \leqslant 11$ (10 + 1), on desserre la 2ème contrainte d'une unité. Le nouveau programme optimal devient $(x_1'^*, x_2'^*, x_3'^*)$, les mêmes contraintes restant saturées (voir graphique).

$$\begin{aligned} x_2'^* \quad &= 11 \\ 2x_1'^* + 3x_2'^* + 2x_3'^* &= 120 \\ x_3'^* &= 30 \end{aligned}$$

Posons :

$$x_1'^* = x_1^* + \delta x_1$$

$$x_2'^* = x_2^* + \delta x_2$$

$$x_3'^* = x_3^* + \delta x_3$$

On en tire :

$$\begin{aligned} \delta x_2 \qquad\qquad &= 1 \\ \delta x_3 &= 0 \\ 2\delta x_1 + 3\delta x_2 + 2\delta x_3 &= 0 \end{aligned}$$

d'où :

$$\begin{aligned} \delta x_1 &= -\frac{3}{2} \\ \delta x_2 &= \ \ 1 \\ \delta x_3 &= \ \ 0 \end{aligned}$$

L'accroissement du chiffre d'affaires correspondant est :

$$\delta z_2'^* = \delta x_1 + 4\delta x_2 + 2\delta x_3 = -\frac{3}{2} + 4 = +\frac{5}{2}$$

On montrerait de même que $\delta z_3'^* = 1 \quad \delta z_4'^* = \frac{1}{2} \quad \delta z_1'^* = 0.$

Par conséquent $0, \frac{5}{2}, 1, \frac{1}{2}$ représentent *les chiffres d'affaires marginaux* obtenus soit lorsque le volume de demande s'accroît d'une unité, soit lorsque la section montage fait une heure supplémentaire. Ces valeurs marginales (valeur de l'unité supplémentaire, sont appelées *prix duaux* ou *shadow prices*).

EXERCICE 2

Supposons une seconde entreprise souhaitant effectuer la production de la première à sa place en lui louant ses moyens de production. La première pourrait accepter si le calcul de la redevance s'effectue sur la base du volume maximal de la demande et de l'horaire total de la section montage, si chaque article 1 lui rapporte au moins 1 unité monétaire et respectivement 4 et 2 unités monétaires pour les articles 2 et 3.

Désignons par y_1, y_2, y_3, y_4 les prix de redevance sur les trois articles 1, 2, 3 et sur chaque heure-ouvrier. Le problème s'écrira :

Trouver $y_1;\ y_2;\ y_3;\ \ y_4 \geqslant 0$ sous les contraintes

$$\begin{aligned} y_1 \qquad\qquad + 2y_4 &\geqslant 1 \\ y_2 \qquad + 3y_4 &\geqslant 4 \\ y_3 + 2y_4 &\geqslant 2 \end{aligned}$$

La deuxième entreprise voudra minimiser sa dépense $20y_1 + 10y_2 + 30y_3 + 120y_4$ qui correspond également à la redevance perçue par la première.

Ce programme est appelé *programme dual* du premier programme que nous avons examiné et qui est appelé *programme primal*.

EXAMINONS LE PROGRAMME LINEAIRE DE TYPE II SUIVANT :

4 activités;

3 contraintes;

l'objectif est un minimum.

$$y_1; \quad y_2; \quad y_3; \quad y_4 \geqslant 0$$

$$\begin{aligned}
y_1 \qquad\qquad\qquad &+ 2y_4 \geqslant 1 \\
y_2 \qquad\quad &+ 3y_4 \geqslant 4 \\
y_3 &+ 2y_4 \geqslant 2
\end{aligned}$$

$$\text{MIN } 20y_1 + 10y_2 + 30y_3 + 120y_4$$

Désignons par $y_{\bar{1}}$ l'écart entre 1 et $y_1 + 2y_4$, $y_{\bar{2}}$ l'écart entre 4 et $y_2 + 3y_4$, $y_{\bar{3}}$ l'écart entre 2 et $y_3 + 2y_4$.

On peut écrire :

$$\begin{aligned}
y_1 \qquad\qquad + 2y_4 - y_{\bar{1}} \qquad\qquad\qquad &= 1 \\
y_2 \qquad + 3y_4 \qquad - y_{\bar{2}} \qquad\quad &= 4 \\
y_3 + 2y_4 \qquad\qquad\qquad - y_{\bar{3}} &= 2
\end{aligned}$$

Une solution admissible compatible avec les 3 contraintes est de choisir $y_1 = 1$; $y_2 = 4$; $y_3 = 2$.

LA FORME STANDARD ASSOCIEE AU PROGRAMME EST LA SUIVANTE :

Trouver :

$$y_1; \quad y_2; \quad y_3; \quad y_4 \qquad\qquad\qquad 0$$

$$\begin{aligned}
y_1 \qquad\qquad\qquad + 2y_4 - y_{\bar{1}} \qquad\qquad\qquad &= 1 \\
y_2 \qquad\quad + 3y_4 \qquad - y_{\bar{2}} \qquad\quad &= 4 \\
y_3 + 2y_4 \qquad\qquad\qquad - y_{\bar{3}} &= 2
\end{aligned}$$

$$\text{MIN } 20y_1 + 10y_2 + 30y_3 + 120y_4 + 0y_{\bar{1}} + 0y_{\bar{2}} + 0y_{\bar{3}}$$

ou, ce qui revient au même :

$$- \text{MAX } 20y_1 - 10y_2 - 30y_3 - 120y_4$$

A cette forme, associons le tableau :

c_i	i	j	1	2	3	4	$\bar{1}$	$\bar{2}$	$\bar{3}$	(0)	$\frac{x_i}{x_{ij}}$
-20	1		1	0	0	②	-1	0	0	1	$\frac{1}{2}$ ⇒
-10	2		0	1	0	3	0	-1	0	4	$\frac{4}{3}$
-30	3		0	0	1	2	0	0	-1	2	1
		c_j	-20	-10	-30	-120	0	0	0		
		sol	1	4	2	0	0	0	0		
		Δ_j	0	0	0	10	-120	-10	-30	-120	= F
						⇑					

c_i	i	j	1	2	3	4	$\bar{1}$	$\bar{2}$	$\bar{3}$	(0)	$\frac{x_i}{x_{ij}}$
-120	4		$\frac{1}{2}$	0	0	1	$-\frac{1}{2}$	0	0	$\frac{1}{2}$	
-10	2		$-\frac{3}{2}$	1	0	0	$+\frac{3}{2}$	-1	0	$\frac{5}{2}$	
-30	3		-1	0	1	0	+1	0	-1	1	
		c_j	-20	-10	-30	-120	0	0	0		
		sol	0	$\frac{5}{2}$	1	$\frac{1}{2}$	0	0	0		
		Δ_j	-5	0	0	0	-15	-10	-30	-115	= F

Tous les Δ_j sont négatifs, nous avons atteint l'optimum. La solution optimale est $y_1 = 0$, $y_2 = \frac{5}{2}$, $y_3 = 1$, $y_4 = \frac{1}{2}$ qui conduit à une valeur F = 115.

En résumé :

Primal

Trouver :

$$
\begin{aligned}
x_1;\quad x_2;\quad x_3 &\geqslant 0\\
x_1 \qquad\qquad &\leqslant 20\\
x_2 \qquad &\leqslant 10\\
x_3 &\leqslant 30\\
2x_1 + 3x_2 + 2x_3 &\leqslant 120
\end{aligned}
$$

$$\text{MAX } x_1 + 4x_2 + 2x_3$$

Dual

Trouver :

$$
\begin{aligned}
y_1;\quad y_2;\quad y_3;\quad y_4 &\geqslant 0\\
y_1 \qquad\qquad + 2y_4 &\geqslant 1\\
y_2 \qquad + 3y_4 &\geqslant 4\\
y_3 + 2y_4 &\geqslant 2
\end{aligned}
$$

$$\text{MIN } 20y_1 + 10y_2 + 30y_3 + 120y_4$$

sont *des programmes linéaires duaux* (l'un de l'autre)

Matriciellement, posons :

$$A = \begin{bmatrix} 1 & 0 & 0 \\ 0 & 1 & 0 \\ 0 & 0 & 1 \\ 2 & 3 & 2 \end{bmatrix} \qquad B = \begin{bmatrix} 20 \\ 10 \\ 30 \\ 120 \end{bmatrix} \qquad C = \begin{bmatrix} 1 & 4 & 2 \end{bmatrix}$$

matrice (4,3) matrice (4,1) matrice (1,3)

$$X = \begin{bmatrix} x_1 \\ x_2 \\ x_3 \end{bmatrix} \qquad Y = \begin{bmatrix} y_1 & y_2 & y_3 & y_4 \end{bmatrix}$$

matrice (3,1) matrice (1,4)

	Primal	Dual
Trouver :	$X \geqslant 0$	$Y \geqslant 0$
	$AX \leqslant B$	$YA \geqslant C$
	MAX CX	MIN YB

Ces deux programmes sont équivalents car en dualité.

Théorème de dualité.

1. Si un programme admet une solution optimale, il en est de même de l'autre.

2. Si l'un n'admet aucune solution admissible, l'autre n'admet aucune solution optimale bornée et réciproquement.

3. Si les deux programmes ont des solutions optimales, une condition suffisante pour que X^* et Y^* soient solutions optimales est que les fonctions économiques soient équivalentes : $CX^* \Leftrightarrow Y^*B$.

Relations d'exclusion.

S'il existe une solution optimale d'un programme :

1. A toute *variable non nulle* à l'optimum pour ce programme correspond une *contrainte saturée* à l'optimum pour l'autre.

2. A toute *contrainte non saturée* à l'optimum pour ce programme correspond une *variable nulle* à l'optimum pour l'autre.

Ces relations permettent le passage de la solution optimale d'un programme à la solution optimale de l'autre.

DU PRIMAL AU DUAL.

Trouver : $X \geq 0$

$AX \leq B$

MAX CX

	X (1)		MIN
Y (2)	A	$\leqslant$	B
	$\geqslant$		
MAX	C		

(1) Ne pas oublier que X est une matrice colonne.

(2) Ne pas oublier que Y est une matrice ligne.

Trouver : $Y \geqslant 0$

$YA \geqslant C$

MIN YB

Trouver : $x_1;\quad x_2;\quad x_3; \geq 0$

$$x_1 \leq 20$$

$$x_2 \leq 10$$

$$x_3 \leq 30$$

$$2x_1 + 3x_2 + 2x_3 \leq 120$$

$$\text{MAX } x_1 + 4x_2 + 2x_3$$

	x_1	x_2	x_3		MIN
y_1	1	0	0		20
y_2	0	1	0	$\leqslant$	10
y_3	0	0	1		30
y_4	2	3	2		120
		$\geqslant$			
MAX	1	4	2		

Trouver : $y_1;\quad y_2;\quad y_3;\quad y_4; \geqslant 0$

$$y_1 + 2y_4 \geqslant 1$$

$$y_2 + 3y_4 \geqslant 4$$

$$y_3 + 2y_4 \geqslant 2$$

$$\text{MIN } 20y_1 + 10y_2 + 30y_3 + 120y_4$$

La progression des x_i aux y_i en passant par le tableau montre le passage du primal au dual. Dans le tableau central, le primal se lit en ligne et le dual en colonne.

DU PRIMAL OPTIMUM AU DUAL OPTIMUM.

Primal optimum ordonné.

c_i	i	j	1	2	3	$\bar{1}$	$\bar{2}$	$\bar{3}$	$\bar{4}$	(0)
1	1		1	0	0	0	$-\frac{3}{2}$	-1	$\frac{1}{2}$	15
4	2		0	1	0	0	1	0	0	10
2	3		0	0	1	0	0	1	0	30
0	$\bar{1}$		0	0	0	1	$\frac{3}{2}$	1	$-\frac{1}{2}$	5
		c_j	1	4	2	0	0	0	0	
		sol	15	10	30	5	0	0	0	
		Δ_j	0	0	0	0	$-\frac{5}{2}$	-1	$-\frac{1}{2}$	+115 = F

en simplifiant :

i	$\bar{2}$	$\bar{3}$	$\bar{4}$	(0)
1	$-\frac{3}{2}$	-1	$\frac{1}{2}$	15
2	1	0	0	10
3	0	1	0	30
$\bar{1}$	$\frac{3}{2}$	1	$-\frac{1}{2}$	5
	$-\frac{5}{2}$	-1	$-\frac{1}{2}$	115

Dual optimum ordonné.

c_i	i	j	1	2	3	4	$\bar{1}$	$\bar{2}$	$\bar{3}$	(0)
-10	2		$-\frac{3}{2}$	1	0	0	$+\frac{3}{2}$	+1	0	$\frac{5}{2}$
-30	3		-1	0	1	0	1	0	-1	1
-120	4		$+\frac{1}{2}$	0	0	1	$-\frac{1}{2}$	0	0	$\frac{1}{2}$
		c_j	-20	-10	-30	-120	0	0	0	
		sol	0	$\frac{5}{2}$	1	$\frac{1}{2}$	0	0	0	
		Δ_j	-5	0	0	0	-15	-10	-30	-115 = F

en simplifiant :

i	$\bar{1}$	$\bar{2}$	$\bar{3}$	1	(0)
2	$\frac{3}{2}$	1	0	$-\frac{3}{2}$	$\frac{5}{2}$
3	1	0	-1	-1	1
4	$-\frac{1}{2}$	0	0	$+\frac{1}{2}$	$\frac{1}{2}$
	-15	-10	-30	-5	-115

La transposition du primal en dual.

1. Toute variable barrée devient non barrée : $\bar{2}$ devient 2.
2. Toute variable non barrée devient barrée : 1 devient $\bar{1}$.
3. Tout nombre + devient − : $\frac{3}{2}$ devient $-\frac{3}{2}$.
4. Tout nombre − devient + : −1 devient 1.

Programmation linéaire paramétrée.

La programmation numérique supposait la fiabilité des données. Il s'agit maintenant d'étudier la variabilité de l'optimum. Pratiquement, on fera varier chaque coefficient séparément d'où 3 sortes d'études :

1. Paramétrisation des coefficients de la fonction économique.

2. Paramétrisation des seconds membres des contraintes.

3. Paramétrisation des coefficients de la matrice.

Voyons les points 1 et 2.

PARAMETRISATION DE LA FONCTION ECONOMIQUE.

Soit c_j, le $j^{\text{ème}}$ coefficient de la fonction économique. Posons $c_j(1 + \lambda)$ où λ est un paramètre $\lambda \in [-1, +\infty[$. En faisant varier λ, c_j variera de 0 à $+\infty$. Pour $\lambda = 0$, on retrouvera c_j.

Pour paramétrer, il n'est pas nécessaire de reprendre toute l'étude car on peut partir de l'optimum numérique. Les contraintes restant identiques, seul le plan de la fonction économique varie et selon l'intensité de la variation, on changera ou non de sommet optimal.

Reprenons le primal optimal en prenant $1 + \lambda$ comme coefficient de x_1 au lieu de 1 :

c_i	i	j	1	2	3	$\bar{1}$	$\bar{2}$	$\bar{3}$	$\bar{4}$	(0)	
$1+\lambda$	1		1	0	0	0	$-\frac{3}{2}$	-1	$\frac{1}{2}$	15	
4	2		0	1	0	0	1	0	0	10	
2	3		0	0	1	0	0	1	0	30	
0	$\bar{1}$		0	0	0	1	$\frac{3}{2}$	1	$-\frac{1}{2}$	5	
		c_j	$1+\lambda$	4	2	0	0	0	0		
		sol	15	10	30	5	0	0	0		
		Δ_j	0	0	0	0	$-\frac{5}{2} + \frac{3}{2}\lambda$	$-1 + \lambda$	$-\frac{1}{2} - \frac{\lambda}{2}$	$115 + 15\lambda$	$= F$

Selon la valeur de λ, $\Delta_j(\lambda)$ sera ou non positif. Etudions le signe de $\Delta_{\bar{2}}(\lambda)$, $\Delta_{\bar{3}}(\lambda)$, $\Delta_{\bar{4}}(\lambda)$.

1. $\Delta_{\bar{2}}(\lambda) \geqslant 0 \qquad -\frac{5}{2} + \frac{3}{2}\lambda \geqslant 0 \qquad \lambda \geqslant \frac{5}{3}$

2. $\Delta_{\bar{3}}(\lambda) \geqslant 0 \qquad -1 + \lambda \geqslant 0 \qquad \lambda \geqslant 1$

3. $\Delta_{\bar{4}}(\lambda) \geqslant 0 \qquad -\frac{1}{2} - \frac{\lambda}{3} \geqslant 0 \qquad \lambda \leqslant -1$

4. $\Delta_{\bar{2}}(\lambda) \geqslant \Delta_{\bar{3}}(\lambda) \qquad -\frac{5}{2} + \frac{3}{2}\lambda \geqslant -1 + \lambda \qquad \lambda \geqslant 3$

λ	-1		1		$\frac{5}{3}$		3		$+\infty$
$\Delta_{\bar{2}}(\lambda)$		$-$		$-$		$+$		$+$	
$\Delta_{\bar{3}}(\lambda)$		$-$		$+$		$+$		$+$	
$\Delta_{\bar{4}}(\lambda)$		$-$		$-$		$-$		$-$	
		solution stable		$\bar{3}$ entre, $\bar{1}$ sort		$\bar{3}$ entre, $\bar{1}$ sort		$\bar{2}$ entre, $\bar{1}$ sort	

Il faut donc étudier les cas $\lambda \in \,]+1, 3[$ et $\lambda > 3$.

$\lambda \in \,]+1, 3[$:

c_i	i \ j	1	2	3	$\bar{1}$	$\bar{2}$	$\bar{3}$	$\bar{4}$	(0)
$1+\lambda$	1	1	0	0	1	0	0	0	20
4	2	0	1	0	0	1	0	0	10
2	3	0	0	1	-1	$-\frac{3}{2}$	0	$\frac{1}{2}$	25
0	$\bar{3}$	0	0	0	1	$\frac{3}{2}$	1	$-\frac{1}{2}$	5
	c_j	$1+\lambda$	4	2	0	0	0	0	
	sol	20	10	25	0	0	5	0	
	Δ_j	0	0	0	$-1-\lambda$	-1	0	-1	$110+20\lambda = F$

$\Delta_{\bar{1}}(\lambda) = -1 - \lambda \leqslant 0$ pour $\lambda \in]+1,3[$. On atteint un nouvel optimum.

$\lambda > 3$:

c_i	i	j	1	2	3	$\bar{1}$	$\bar{2}$	$\bar{3}$	$\bar{4}$	(0)	$\frac{x_i}{x_{ij}}$
$1+\lambda$	1		1	0	0	1	0	0	0	20	-
4	2		0	1	0	$-\frac{2}{3}$	0	$-\frac{2}{3}$	$\frac{1}{3}$	$\frac{20}{3}$	-
2	3		0	0	1	0	0	1	0	30	30
0	$\bar{2}$		0	0	0	$\frac{2}{3}$	1	$\frac{2}{3}$	$-\frac{1}{3}$	$\frac{10}{3}$	5
		c_j	$1+\lambda$	4	2	0	0	0	0		
		sol	20	$\frac{20}{3}$	30	0	$\frac{10}{3}$	0	0		
		Δ_j	0	0	0	$\frac{5}{3}$ $-\lambda$	0	$\frac{2}{3}$	$-\frac{4}{3}$	$320/3$ $+20\lambda$	= F

$\Delta_{\bar{1}}(\lambda) = \frac{5}{3} - \lambda \leqslant 0$ quand $\lambda \geqslant 3$. $\bar{3}$ entre dans la base, $\bar{2}$ en sort. On retrouve le tableau précédent.

λ	-1		1		$\frac{5}{3}$		3		$+\infty$
c_1	0		2		$\frac{8}{3}$		4		
$\Delta_{\bar{2}}(\lambda)$		-		-		+		+	
$\Delta_{\bar{3}}(\lambda)$		-		+		+		+	
$\Delta_{\bar{4}}(\lambda)$		-		-		-		-	
x_1		15 (75 %)		20 (100 %)		20 (100 %)		20 (100 %)	
x_2		10 (100 %)		10 (100 %)		10 (100 %)		10 (100 %)	
x_3		30 (100 %)		25 (83,3 %)		25 (83,3 %)		25 (83,3 %)	
F	100	$115+15\lambda$	130	$110+20\lambda$	$\frac{430}{3}$	$110+20\lambda$	170	$110+20\lambda$	

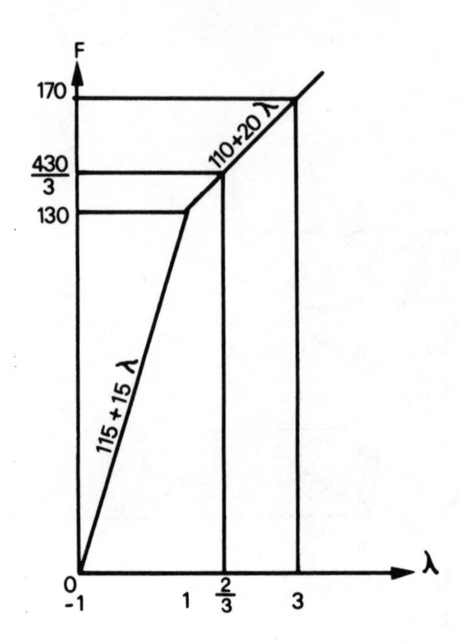

PARAMETRISATION DU SECOND MEMBRE.

Primal

Trouver : $x_1;\quad x_2;\quad x_3 \geqslant 0$

$$x_1 \leqslant 20$$

$$x_2 \leqslant 10(1 + \mu)$$

$$x_3 \leqslant 30$$

$$2x_1 + 3x_2 + 2x_3 \leqslant 120$$

$$\text{MAX} \quad x_1 + 4x_2 + 2x_3$$

Dual

Trouver : $y_1;\quad y_2;\quad y_3;\quad y_4 \geqslant 0$

$$y_1 + 2y_4 \geqslant 1$$

$$y_2 + 3y_4 \geqslant 4$$

$$y_3 + 2y_4 \geqslant 2$$

$$\text{MIN}\quad 20y_1 + 10(1+\mu)y_2 + 30y_3 + 120y_4$$

$$-\ \text{MAX} - 20y_1 - 10(1+\mu)y_2 - 30y_3 - 120y_4$$

Tableau optimal du dual :

c_i	i	j	1	2	3	4	$\bar{1}$	$\bar{2}$	$\bar{3}$	(0)
$-10(1+\mu)$	2		$-\frac{3}{2}$	1	0	0	$\frac{3}{2}$	-1	0	$\frac{5}{2}$
-30	3		-1	0	1	0	1	0	-1	1
-120	4		$+\frac{1}{2}$	0	0	1	$-\frac{1}{2}$	0	0	$\frac{1}{2}$
		c_j	-20	$-10(1+\mu)$	-30	-120	0	0	0	
		sol	0	$\frac{5}{2}$	1	$\frac{1}{2}$	0	0	0	
		Δ_j	-5 -15μ	0	0	0	-15 $+15\mu$	-10 -10μ	-30 0	-115 -25μ = F

$$\Delta_1(\mu) = -\ 5 - 15\mu \geqslant 0 \qquad \mu \leqslant -\frac{1}{3}$$

$$\Delta_{\bar{1}}(\mu) = -\ 15 + 15\mu \geqslant 0 \qquad \mu \geqslant 1$$

$$\Delta_{\bar{2}}(\mu) = -\ 10 - 10\mu \geqslant 0 \qquad \mu \leqslant -1$$

μ	-1		$-\frac{1}{3}$		1		$+\infty$
$\Delta_1(\mu)$		+		−		−	
$\Delta_{\bar{1}}(\mu)$		−		−		+	
$\Delta_{\bar{2}}(\mu)$		−		−		−	
		1 entre 4 sort		stable		$\bar{1}$ entre 3 sort	

$\mu \in \left] -1, -\frac{1}{3} \right[$ 1 entre dans la base, 4 sort.

c_i	i \ j	1	2	3	4	$\bar{1}$	$\bar{2}$	$\bar{3}$	(0)
$-10(1+\mu)$	2	0	1	0	3	0	-1	0	4
-30	3	0	0	1	2	0	0	-1	2
-20	1	1	0	0	2	-1	0	0	1
	c_j	-20	$-10(1+\mu)$	-30	-120	0	0	0	
	sol	1	4	2	0	0	0	0	
	Δ_j	0	0	0	$10+30\mu$	-20	$-10-10\mu$	-30	$-120-40\mu$ = F

Pour $\mu \in \left] -1, -\frac{1}{3} \right[$, $\Delta_4(\mu) \leqslant 0$ et $\Delta_{\bar{2}}(\mu)$ aussi. On atteint donc le nouvel optimum.

$\mu \in \left] 1, +\infty \right[$: $\bar{1}$ entre dans la base, 3 sort.

c_i	i \ j	1	2	3	4	$\bar{1}$	$\bar{2}$	$\bar{3}$	(0)
$-10(1+\mu)$	2	0	1	$-\frac{3}{2}$	0	0	-1	$\frac{3}{2}$	1
0	$\bar{1}$	-1	0	1	0	1	0	-1	1
-120	4	0	0	$\frac{1}{2}$	1	0	0	$-\frac{1}{2}$	1
	c_j	-20	$-10(1+\mu)$	-30	-120	0	0	0	
	sol	0	1	0	1	1	0	0	
	Δ_j	-20	0	$15-15\mu$	0	0	$-10-10\mu$	$-45+15\mu$	$-130-10\mu$ = F

$\Delta_3(\mu) \geqslant 0$ $\quad 15 - 15\mu \geqslant 0$ $\quad \mu \leqslant 1$ $\quad \Delta_3(\mu) \leqslant 0$ dans $\left] 1, +\infty \right[$

$\Delta_{\bar{2}}(\mu) \geqslant 0$ $\quad -10 - 10\mu \geqslant 0$ $\quad \mu \leqslant -1$ $\quad \Delta_{\bar{2}}(\mu) \leqslant 0$ dans $\left] 1, +\infty \right[$

$\Delta_{\bar{3}}(\mu) \geqslant 0$ $\quad -45 + 15\mu \geqslant 0$ $\quad \mu \geqslant 3$ $\quad \Delta_{\bar{3}}(\mu) \geqslant 0$ si $\mu \geqslant 3$.

Pour $1 \leqslant \mu \leqslant 3$, nous avons le nouvel optimum.

Pour $\mu > 3$, $\bar{3}$ entre dans la base et 2 sort.

c_i	i \ j	1	2	3	4	$\bar{1}$	$\bar{2}$	$\bar{3}$	(0)
0	$\bar{3}$	0	$\frac{2}{3}$	-1	0	0	$-\frac{2}{3}$	1	$\frac{2}{3}$
0	$\bar{1}$	-1	$\frac{2}{3}$	0	0	1	$-\frac{2}{3}$	0	$\frac{5}{3}$
-120	4	0	$\frac{1}{3}$	0	1	0	$-\frac{1}{3}$	0	$\frac{4}{3}$
	c_j	-20	$-10(1+\mu)$	-30	-120	0	0	0	
	sol	0	0	0	$\frac{4}{3}$	$\frac{5}{3}$	0	$\frac{2}{3}$	
	Δ_j	-20	$30 - 10\mu$	-30	0	0	-40	0	$-160 = F$

$\Delta_2(\mu) = 30 - 10\mu$ est négatif pour $\mu > 3$. On atteint un nouvel optimum.

μ	-1		$-\frac{1}{3}$		1		3		$+\infty$
c_2	0		$\frac{20}{3}$		20		40		
$\Delta_1(\mu)$		+		−		−		−	
$\Delta_{\bar{1}}(\mu)$		−		−		+		+	
$\Delta_{\bar{2}}(\mu)$		−		−		−		−	
y_1		1		0		0		0	
y_2		4		$\frac{5}{2}$		1		0	
y_3		2		1		0		0	
F		0		$\frac{1}{2}$		1		$\frac{4}{3}$	
F	80	$120+40\mu$	$\frac{320}{3}$	$115+25\mu$	140	$130+10\mu$	160	160	

EXERCICE 3

(d'après l'Agrégation des Techniques Economiques de Gestion)

Une entreprise fabrique 3 produits A, B, C dans 2 ateliers A_1 et A_2. La fabrication d'une unité A nécessite 45 unités d'oeuvre de A_1 et 15 unités d'oeuvre de A_2; une unité de B nécessite 40 unités d'oeuvre de A_1 et 20 unités d'oeuvre de A_2; une unité de C nécessite 30 unités d'oeuvre de A_1 et 25 unités d'oeuvre de A_2. La capacité mensuelle de production de A_1 est de 35 000 unités d'oeuvre et celle de A_2 de 20 000 unités d'oeuvre. Le marché peut absorber chaque mois respectivement 250, 400 et 350 unités de A, B, C. Les marges unitaires sur coûts variables sont respectivement de 8 F, 10 F et 15 F.

Déterminer le programme de production, puis de nouveau en supposant que la capacité d'absorption du marché pour B n'est évaluée que de façon approximative.

RESOLUTION

Introduction.

Avant de formaliser le problème et d'adopter le cheminement défini dans le texte, on traduira les hypothèses sous forme d'inégalités et on dégagera la fonction économique.

HYPOTHESES.

3 produits A, B, C et 2 ateliers A_1 et A_2.

1 unité de A = 45 unités d'oeuvre de A_1 et 15 de A_2.

1 unité de B = 40 unités d'oeuvre de A_1 et 20 de A_2.

1 unité de C = 30 unités d'oeuvre de A_1 et 25 de A_2.

A_1 a une capacité limitée à 35 000 unités d'oeuvre.

A_2 a une capacité limitée à 20 000 unités d'oeuvre.

Le marché est limité à 250 unités de A.
400 unités de B.
350 unités de C.

Les marges unitaires sont de 8 F pour A, 10 F pour B et 15 F pour C.

FORMALISATION DU PROBLEME.

Inconnues : nombre d'unités x_1, x_2, x_3 respectivement de A, B, C.

$$
\begin{array}{rcl}
x_1 ; \quad x_2 ; \quad x_3 & \geqslant & 0 \\
x_1 & \leqslant & 250 \\
x_2 & \leqslant & 400 \\
x_3 & \leqslant & 350 \\
45x_1 + 40x_2 + 30x_3 & \leqslant & 35\,000 \\
15x_1 + 20x_2 + 25x_3 & \leqslant & 20\,000
\end{array}
$$

$$\text{MAX} \quad 8x_1 + 10x_2 + 15x_3$$

I. Etude du programme de production.

$$
\begin{array}{rcl}
45x_1 + 40x_2 + 30x_3 + x_{\bar{1}} & = & 35\,000 \\
15x_1 + 20x_2 + 25x_3 + x_{\bar{2}} & = & 20\,000 \\
x_1 + x_{\bar{3}} & = & 250 \\
x_2 + x_{\bar{4}} & = & 400 \\
x_3 + x_{\bar{5}} & = & 350
\end{array}
$$

$$\text{MAX} \quad 8x_1 + 10x_2 + 15x_3$$

c_i	i \ j	1	2	3	$\bar{1}$	$\bar{2}$	$\bar{3}$	$\bar{4}$	$\bar{5}$	(0)	$\frac{x_i}{x_{ij}}$
0	$\bar{1}$	45	40	30	1	0	0	0	0	35 000	$\frac{35\ 000}{30}$
0	$\bar{2}$	15	20	25	0	1	0	0	0	20 000	$\frac{20\ 000}{25}$
0	$\bar{3}$	1	0	0	0	0	1	0	0	250	-
0	$\bar{4}$	0	1	0	0	0	0	1	0	400	-
0	$\bar{5}$	0	0	①	0	0	0	0	1	350	350 ⇒
	c_j	8	10	15	0	0	0	0	0		
	sol	0	0	0	35 000	20 000	250	400	350		
	Δ_j	8	10	15	0	0	0	0	0	0	= F
				⇑							

c_i	i \ j	1	2	3	$\bar{1}$	$\bar{2}$	$\bar{3}$	$\bar{4}$	$\bar{5}$	(0)	$\frac{x_i}{x_{ij}}$
0	$\bar{1}$	45	40	0	1	0	0	0	-30	24 500	$\frac{24\ 500}{40}$
0	$\bar{2}$	15	20	0	0	1	0	0	-25	11 250	$\frac{11\ 250}{20}$
0	$\bar{3}$	1	0	0	0	0	1	0	0	250	-
0	$\bar{4}$	0	①	0	0	0	0	1	0	400	400 ⇒
15	3	0	0	1	0	0	0	0	1	350	-
	c_j	8	10	15	0	0	0	0	0		
	sol	0	0	350	24 500	11 250	250	400	0		
	Δ_j	8	10	0	0	0	0	0	-15	5 260	= F
			⇑								

c_i	i j	1	2	3	$\bar{1}$	$\bar{2}$	$\bar{3}$	$\bar{4}$	$\bar{5}$	(0)	$\frac{x_i}{x_{ij}}$
0	$\bar{1}$	(45)	0	0	1	0	0	-40	-30	8 500	$\frac{8\ 500}{45}$ ⇒
0	$\bar{2}$	15	0	0	0	1	0	-20	-25	3 250	$\frac{3\ 250}{15}$
0	$\bar{3}$	1	0	0	0	0	1	0	0	250	250
10	2	0	1	0	0	0	0	1	0	400	-
15	3	0	0	1	0	0	0	0	1	350	-
	c_j	8	15	0	0	0	0	0	0		
	sol	0	400	350	8 500	3 250	250	0	0		
	Δ_j	8	0	0	0	0	0	-10	-15	9 260	= F
		⇑									

c_i	i j	1	2	3	$\bar{1}$	$\bar{2}$	$\bar{3}$	$\bar{4}$	$\bar{5}$	(0)	$\frac{x_i}{x_{ij}}$
8	1	1	0	0	$\frac{1}{45}$	0	0	$-\frac{40}{45}$	$-\frac{30}{45}$	188	
0	$\bar{2}$	0	0	0	$-\frac{15}{45}$	1	0	$-\frac{20}{3}$	-15	417	
0	$\bar{3}$	0	0	0	$-\frac{1}{45}$	0	1	$\frac{40}{45}$	$\frac{30}{45}$	62	
10	2	0	1	0	0	0	0	1	0	400	
15	3	0	0	1	0	0	0	0	1	350	
	c_j	8	10	15	0	0	0	0	0		
	sol	188	400	350	0	417	62	0	0		
	Δ_j	0	0	0	$-\frac{8}{45}$	0	0	$-\frac{26}{9}$	$-\frac{87}{9}$	10 754	= F

C'est optimal, mais réordonnons le tableau :

c_i	i	1	2	3	$\bar{1}$	$\bar{2}$	$\bar{3}$	$\bar{4}$	$\bar{5}$	(0)
8	1	1	0	0	$\frac{1}{45}$	0	0	$-\frac{8}{9}$	$-\frac{6}{9}$	188
10	2	0	1	0	0	0	0	1	0	400
15	3	0	0	1	0	0	0	0	1	350
0	$\bar{2}$	0	0	0	$-\frac{1}{3}$	0	0	$-\frac{20}{3}$	-15	417
0	$\bar{3}$	0	0	0	$-\frac{1}{45}$	0	0	$\frac{8}{9}$	$\frac{6}{9}$	62
	c_j	8	10	15	0	0	0	0	0	
	sol	188	400	350	0	417	62	0	0	
	Δ_j	0	0	0	$-\frac{8}{45}$	0	0	$-\frac{26}{9}$	$-\frac{87}{9}$	10 754 = F

II. Dualité et paramétrisation.

La paramétrisation du 2ème membre se réalise plus commodément en paramétrant la fonction économique du dual.

a. DUALITE : APPROCHE MATRICIELLE.

	x_1	x_2	x_3	MIN
y_1	45	40	30	35 000
y_2	15	20	25	20 000
y_3	1	0	0 $\leqslant$	250
y_4	0	1	0	400
y_5	0	0	1	350
MAX	8	10	15	

Primal	Dual
$X \geqslant 0$	$Y \geqslant 0$
$AX \geqslant B$	$YA \geqslant C$
MAX CX	MIN BC

Vérification de la compatibilité des dimensions pour la multiplication des matrices :

$AX \leqslant B \qquad (5,3)(3,1) = (5,1)$

$YA \geqslant C \qquad (1,5)(5,3) = (1,3)$

L'interprétation matricielle du problème permet d'obtenir directement le dual.

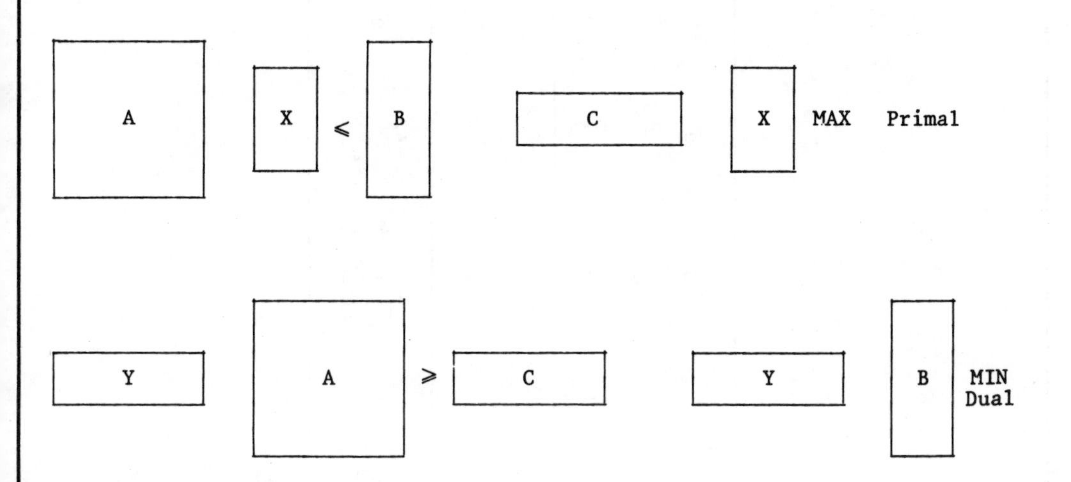

b. PASSAGE AU DUAL OPTIMUM ET PARAMETRISATION.

(Voir page suivante.)

c_i	i \ j	1	2	3	4	5	$\bar{1}$	$\bar{2}$	$\bar{3}$	(0)
-35 000	1	1	$\frac{1}{3}$	$\frac{1}{45}$	0	0	$-\frac{1}{45}$	0	0	$\frac{8}{45}$
-400 $(1+\lambda)$	4	0	$\frac{20}{5}$	$-\frac{8}{9}$	1	0	$\frac{8}{9}$	-1	0	$\frac{26}{9}$
-350	5	0	15	$-\frac{6}{9}$	0	1	$\frac{6}{9}$	0	-1	$\frac{87}{9}$
	c_j	-35 000	-20 000	-250	-400 $(1+\lambda)$	-350	0	0	0	
	sol	$\frac{8}{45}$	0	0	$\frac{26}{9}$	$\frac{87}{9}$	0	0	0	
	Δ_j	0	$-417 + \frac{8\ 000}{3}\lambda$	$-62 - \frac{3\ 200}{9}\lambda$	0	0	$-172 + \frac{3\ 200}{9}\lambda$	$-400 -400\lambda$	-350	$-10\ 754 - \frac{10\ 400}{9}\lambda = F$

Si le marché peut augmenter ou diminuer, on a $\lambda \in [\ -1,\ +\infty\ [$.

$$-62 - \frac{3\ 200}{9}\lambda \leqslant 0 \qquad -\frac{3\ 200}{9}\lambda \leqslant 62 \qquad -\lambda \leqslant \frac{62 \times 9}{3\ 200} \qquad \lambda \geqslant -0,17$$

$$-172 + \frac{3\ 200}{9}\lambda \leqslant 0 \qquad \frac{3\ 200}{9}\lambda \leqslant 172 \qquad \lambda \leqslant \frac{172 \times 9}{3\ 200} \qquad \lambda \leqslant 0,48$$

$$-400 - 400\lambda \leqslant 0 \qquad -400\lambda \leqslant 400 \qquad \lambda \geqslant -1$$

$$-417 + \frac{8\ 000}{3}\lambda \leqslant 0 \qquad \frac{8\ 000}{3}\lambda \leqslant 417 \qquad \lambda \leqslant \frac{417 \times 3}{8\ 000} \qquad \lambda \leqslant 0,15$$

λ	-1		-0,17		0,15		0,48		+∞
$-62 - \frac{3\ 200}{9}\lambda$		+	0	-		-		-	
$-172 + \frac{3\ 200}{9}\lambda$		-		-		-	0	+	
$-400 - 400\lambda$	0	-		-		-		-	
$-417 + \frac{8\ 000}{3}\lambda$		-		-	0	+		+	

3 entre	solution stable	2 entre	id.
$x_1 = 250$	$x_1 = 172$		$x_1 = 133,3$
$x_2 = 400 + 400\lambda$	$x_2 = 400$		$x_2 = 462,5$
$x_3 = 350$	$x_3 = 350$		$x_3 = 350$
$F = 11\ 250 + 4\ 000\ \lambda$	$F = 10\ 754 + \frac{10\ 400}{9}\lambda$		$F = 10\ 941,66$

7 250 10 570 10 927

Continuité aux bornes aux arrondissements près.

$$-417 + \frac{8\ 000}{3}\lambda > -172 + \frac{3\ 200}{9}\lambda \qquad \lambda > 0,10$$

or : $\lambda \in [\ 0,48;\ +\infty\ [$

$\lambda \in [\ -1;\ -0,17\ ]$

3 entre dans la base; 1 en sort.

c_i	i \ j	1	2	3	4	5	$\bar{1}$	$\bar{2}$	$\bar{3}$	(0)
-250	3	45	15	1	0	0	-1	0	0	8
-400 (1+λ)	4	40	20	0	1	0	0	-1	0	10
-350	5	30	25	0	0	1	0	0	-1	15
	c_j	-35 000	-20 000	-250	-400 (1+λ)	-350	0	0	0	
	sol	0	0	8	10	15	0	0	0	
	Δ_j	2 750 +16 000 λ	500 +8 000 λ	0	0	0	-250	-400 -400λ	-350	-11 250 -4 000 λ = F

$2\ 750 + 16\ 000\ \lambda \leqslant 0$	$16\ 000\ \lambda \leqslant -\ 2\ 750$	$\lambda \leqslant -0{,}17$	c'est le cas
$500 + 8\ 000\ \lambda \leqslant 0$	$8\ 000\ \lambda \leqslant -\ 500$	$\lambda \leqslant -0{,}06$	c'est le cas
$-\ 400 - 400\ \lambda \leqslant 0$	$-\ 400\ \lambda \leqslant 400$	$\lambda \geqslant -1$	c'est le cas

Donc la situation est optimale.

$\lambda \in [\ 0{,}15;\ +\infty\ [$

2 entre dans la base :

$$1 \quad \frac{8}{45} \times 3 = 0{,}53$$

$$4 \quad \frac{26}{9} \times \frac{3}{20} = 0{,}43 \qquad \text{4 sort de la base}$$

$$5 \quad \frac{87}{8} \times \frac{1}{15} = 0{,}64$$

c_i	i j	1	2	3	4	5	$\bar{1}$	$\bar{2}$	$\bar{3}$	(0)
-35 000	1	1	0	$\frac{1}{15}$	$-\frac{1}{20}$	0	$-\frac{1}{15}$	$\frac{1}{20}$	0	$\frac{1}{30}$
-20 000	2	0	1	$-\frac{2}{15}$	$\frac{3}{20}$	0	$\frac{2}{15}$	$-\frac{3}{20}$	0	$\frac{13}{30}$
-350	5	0	0	$\frac{4}{3}$	$-\frac{9}{4}$	1	$-\frac{4}{3}$	$\frac{9}{4}$	-1	$\frac{57}{18}$
	c_j	-35 000	-20 000	-250	-400 (1+λ)	-350	0	0	0	
	sol	$\frac{1}{30}$	$\frac{13}{30}$	0	0	$\frac{57}{18}$	0	0	0	
	Δ_j	0	0	-117	62,5 -400λ	0	-133,3	-462,5	-350	10 941,66 = F

$$62{,}5 - 400\lambda \leqslant 0 \qquad 62{,}5 \leqslant 400\lambda \qquad \lambda \geqslant \frac{62{,}5}{400} \qquad \lambda \geqslant 0{,}15$$

c'est le cas, donc la solution est optimale.

EXERCICE PROPOSE 1

Un industriel envisage l'installation d'une unité de production. Cette usine peut fonctionner avec trois types de machines.

Le premier type devrait assurer une production supérieure à 150 t (6 t par jour en moyenne pour un mois). Le deuxième type devrait assurer une production supérieure à 210 t (9 t par jour) et le troisième type une production de 120 t (4 t par jour).

La machine 1 requiert 2 ouvriers, la machine 2 requiert 1 ouvrier et la machine 3 requiert 2 ouvriers pour la faire fonctionner. On ne dispose que de 260 offres d'emplois adéquates dans la région. La machine 1 coûte 10 unités, la machine 2 coûte 15 unités et la machine 3 coûte 8 unités (une unité = 10 000 F).

Quel est l'équipement à adopter afin de minimiser la dépense ?

Une enquête de l'ANPE montre qu'il est possible de trouver d'autres employés dans une région voisine. Quel est l'impact de ce renseignement ?

EXERCICE PROPOSE 2

Une entreprise peut fabriquer 3 types d'articles A_1, A_2, A_3. On utilise à cet effet :

- de la main d'oeuvre (5 h pour une unité de l'article 1, 8 h pour un article de type 2 et 6 h pour une unité du dernier article); on dispose de 8 ouvriers qui travaillent 40 h par semaine;

- de la matière (6 kg pour l'article 1, 8 kg pour l'article 2 et 7 kg pour l'article 3); on dispose hebdomadairement de 400 kg de matière;

- le marché est limité à 30 unités par semaine pour l'article 1, 25 unités pour l'article 2 et 40 unités pour l'article 3.

L'article 1 rapporte un profit unitaire de 5 F, l'article 2 rapporte 10 F et l'article 3 rapporte 8 F.

1. Quel est le programme de production ?

2. Problème dual et son interprétation ?

3. Le profit unitaire de l'article 1 varie dans les proportions du simple au double. Quel est l'impact de cette variation ? Même question pour le marché de l'article 3 qui peut doubler lui aussi.

4. Que se passerait-il si la quantité de matière disponible avait été de 200 kg au lieu de 400 kg par semaine ?

EXERCICE PROPOSE 3

Une entreprise textile dispose de 2 unités de production, l'une à Paris et l'autre au Havre. Dans les deux cas, on confectionne 2 types d'articles : du tissu d'ameublement et du tissu de confection.

Au Havre, l'usine est plus récente et l'on dispose de :

- 4 métiers grande largeur pour le tissu d'ameublement;
- 3 métiers normaux pour la production du tissu de confection.

A Paris, on dispose de :

- 1 métier grande largeur;
- 5 métiers normaux.

Un coupon de tissu par métier nécessite 10 h de travail au Havre et 15 h à Paris où les métiers sont plus anciens. Le tissu produit au Havre doit être amené à Paris en camionnette (appartenant à l'entreprise). Celle-ci peut charger 30 coupons de tissu de confection ou 24 de tissu d'ameublement et effectue jusqu'à 6 voyages par semaine. Le réglage des métiers est tel (au Havre et à Paris) que la production est identique pour les métiers mais on peut accroître la production jusqu'à 90 coupons par semaine au Havre et 50 à Paris. Le coût de la main d'oeuvre est de 20 F par heure de travail. Un voyage revient à 300 F. L'entreprise doit signer un contrat dans lequel elle s'engage à fournir 26 coupons de tissu d'ameublement et 60 coupons de tissu de confection à Paris. On stocke la production à Paris dans un local-entrepôt pouvant contenir 150 coupons.

Le problème est de savoir quel rythme de production adopter et comment répartir la production entre les usines.

CHAPITRE VIII

la méthode révisée du simplexe

I. INTRODUCTION

Même si elle présente certains aspects théoriques intéressants, cette méthode proposée par Dantzig et Orchard-Hays est surtout une technique efficace de gestion des calculs concernant les itérations de la méthode simpliciale.

Les critères de changement de base restent en effet identiques. L'idée génératrice de cette nouvelle méthode a été de constater que de nombreux *invariants* se trouvent présents dans chaque tableau de la méthode du chapitre précédent. En effet, à chaque itération, nous retrouvons :

- la sous-matrice identité $I_{m,m}$;
- les mêmes coûts unitaires;
- des coûts marginaux nuls pour les variables de la base.

Or, la théorie nous a appris que *l'information clef* attachée à une base réalisable est la *matrice inverse de la base, soit* B^{-1}. En effet, tous les éléments associés peuvent alors être calculés directement.

Nous suivrons, dans cet exposé, la présentation des auteurs eux-mêmes [1], [2] en distinguant deux cas :

1) Le programme linéaire initial ne nécessite pas l'introduction de variables artificielles;

2) Il est nécessaire d'introduire des variables artificielles pour déterminer une base réalisable initiale.

II. $I_{m,m}$ EST UNE SOUS-MATRICE DE A ET CORRESPOND A UNE BASE REALISABLE

II.1. Présentation générale.

Nous considérerons comme forme canonique initiale la forme suivante :

$$Ax = b \qquad b \geqslant 0 \tag{i}$$

$$x \geqslant 0 \tag{ii}$$

$$\text{MAX } z = cx$$

Nous allons alors intégrer la fonction économique aux contraintes (i) en considérant z, non pas comme l'application :

$$z : x \to z(x) = cx$$

mais comme une *variable supplémentaire* du problème liée aux x_j par la contrainte suivante :

$$z - \sum_{j=1}^{n} c_j x_j = 0 \tag{iii}$$

La nouvelle fonction économique est alors : MAX z.

La contrainte (iii) est une équation supplémentaire, si bien que le système (i), (ii), (iii) est un système linéaire de m + 1 équations et n + 1 inconnues. Remarquons que les solutions intéressantes doivent vérifier (ii) mais que le signe de z n'est pas imposé.

Le système (i), (ii), (iii) peut aussi s'écrire sous forme matricielle :

$$\begin{pmatrix} 1 & -c \\ 0 & A \end{pmatrix} \begin{pmatrix} z \\ x \end{pmatrix} = \begin{pmatrix} 0 \\ b \end{pmatrix} \tag{i'}$$

c'est-à-dire A'x' = b' avec des notations évidentes.

CORRESPONDANCE ENTRE LES BASES DU SYSTEME (i), (ii) ET DU SYSTEME (i'), (ii).

Notons e_1 la première colonne de A'.

Soit $\beta = \{a_{i_0}, a_{i_1}, \dots, a_{i_{m-1}}\}$ une base de (i); nous lui faisons correspondre la famille de vecteurs $\beta' = \{e_1, a'_{i_0}, a'_{i_1}, \dots, a'_{i_{m-1}}\}$; étudions cette correspondance.

1. <u>β' est une base de R^{m+1}.</u>

En effet :

$$v.e_1 + \sum_{k=0}^{m-1} v_k a'_{i_k} = 0$$

implique :

- pour les m dernières coordonnées :

$$\sum_{k=0}^{m-1} v_k a_{i_k} = 0$$

- pour la première coordonnée :

$$v.e_1 = 0$$

donc v = 0.

2. <u>La solution de base associée à β' est donnée par</u> :

$$x_B = B^{-1}b$$

$$z = c_B B^{-1}b$$

Démonstration immédiate d'après ce qui précède.

3. <u>Toute base β' de (i'), (ii) a la structure suivante</u> :

$$\beta' = \{e_1, a'_{i_0}, a'_{i_1}, \dots, a'_{i_{m-1}}\}$$

où les m derniers vecteurs "réduits" à leurs m dernières coordonnées constituent une base de (i), (ii).

Ceci est également immédiat, car :

- le rang de A est égal à m;
- le rang de A' est égal à m + 1.

D'après 1. et 3., il existe une correspondance biunivoque entre les bases de (i), (ii) et les bases de (i'), (ii). Si B est la matrice carrée associée à la base β de (i), (ii), nous noterons la matrice carrée associée à la base β' de (i'), (ii) :

$$B' = \begin{pmatrix} 1 & -c_B \\ 0 & B \end{pmatrix}$$

L'inverse de la matrice B' est alors :

$$B'^{-1} = \begin{pmatrix} 1 & c_B B^{-1} \\ 0 & B^{-1} \end{pmatrix}$$

Bien entendu, nous appliquerons ici encore la formule de changement de coordonnées, à savoir :

$$y'_j = B'^{-1} a'_j = \begin{pmatrix} -\Delta_j \\ y_j \end{pmatrix}$$

Nous constatons donc que la première coordonnée du vecteur hors-base a'_j sur e_1 est égale au *coût marginal* de la variable hors-base correspondante. Nous verrons plus loin l'importance de cette remarque.

II.2. Itération de la méthode révisée du simplexe.

Toutes les bases considérées de A' contiendront donc le vecteur canonique e_1. Par conséquent, la variable z sera toujours *variable de base* et la colonne correspondante ne sera *jamais candidate à sortir de la base*. Supposons que nous connaissions une base β'_0 réalisable, la matrice $B_0'^{-1}$ associée, ainsi que le vecteur x'_{B_0}. Pour appliquer le premier critère de Dantzig, il nous faut calculer les coûts marginaux des colonnes hors-base. D'après la remarque précédente, pour obtenir Δ_j, il suffira de multiplier la première ligne de la matrice $B_0'^{-1}$ par le vecteur colonne a'_j hors-base. Nous pourrons alors appliquer le premier critère de Dantzig.

Supposons que nous fassions entrer a'_{j_0} dans la nouvelle base, il nous faut appliquer le second critère de Dantzig pour déterminer le vecteur sortant. Pour cela, nous calculons :

$$y'_{j_0} = B_0'^{-1} a'_{j_0} = \begin{pmatrix} -\Delta_{j_0} \\ \\ y_{j_0} \end{pmatrix}$$

Le vecteur a'_{i_0} qui sortira de la base β'_0 vérifiera :

$$\frac{x_{i_0}}{y_{i_0 j_0}} = \min_{k=0,1,\ldots,m-1} \left\{ \frac{x_{i_k}}{y_{i_k j_0}} \;/\; y_{i_k j_0} > 0 \right\}$$

Tous les cas particuliers apparaîtront de la même façon que dans la méthode traditionnelle (dégénérescence, solution infinie, cyclage).

Il nous faut maintenant obtenir les données associées à la nouvelle base :

$$\beta'_1 = \beta'_0 - \{a'_{i_0}\} \cup \{a'_{j_0}\}$$

C'est l'objet du paragraphe suivant.

PASSAGE D'UNE BASE A UNE BASE ADJACENTE.

Il s'agit de déterminer la matrice $B_1'^{-1}$ et le vecteur correspondant x'_{B_1}. Nous avions, au chapitre III, page 32, déterminé la matrice de passage associée à un changement de base adjacente (c'est-à-dire β_0 à β_1); intéressons-nous ici au passage de la base β'_1 à la base β'_0. De la relation :

$$a'_{j_0} = -\Delta(j_0)e_1 + y'_{i_0 j_0}\, a'_{i_0} + y'_{i_1 j_0}\, a'_{i_1} + \ldots + y'_{i_{m-1} j_0}\, a'_{i_{m-1}}$$

il vient immédiatement :

$$a'_{i_0} = \frac{\Delta(j_0)}{y_{i_0 j_0}} e_1 + \frac{1}{y'_{i_0 j_0}} a'_{j_0} - \sum_{k=1}^{m-1} y'_{i_k j_0}\, a'_{i_k}$$

La matrice de passage de la base β'_1 à la base β'_0 a donc la structure suivante :

	e_1	a'_{i_0}	a'_{i_1}	.	.	a'_{i_k}	.	.	$a'_{i_{m-1}}$
e_1	1	$\frac{\Delta(j_0)}{y'_{i_0 j_0}}$	0	0	.	0	.	.	0
a'_{j_0}	0	$-\frac{1}{y'_{i_0 j_0}}$	0	0	.	0	.	.	0
a'_{i_1}	0	$-\frac{y'_{i_1 j_0}}{y'_{i_0 j_0}}$	1	0	.	0	.	.	0
.	0	.	0	1	.	0	.	.	0
.	0	.	0	0	.	0	.	.	0
a'_{i_k}	0	$-\frac{y'_{i_k j_0}}{y'_{i_0 j_0}}$	0	0	.	1	.	.	0
.	0	.	0	0	.	0	.	.	0
.	0	.	0	0	.	0	.	.	0
$a'_{i_{m-1}}$	0	$-\frac{y'_{i_{m-1} j_0}}{y'_{i_0 j_0}}$	0	0	.	0	.	.	1

Nous noterons E_1 cette matrice. La matrice $B_1'^{-1}$ étant la matrice de passage de la base β_1' à la base I, nous avons la relation suivante :

$$B_1'^{-1} = E_1 B_0'^{-1}$$

De même, en postmultipliant par le vecteur colonne b', nous obtenons :

$$x'_{B_1'} = E_1 x'_{B_0'}$$

Ces formules sont ici particulièrement intéressantes car la structure de la matrice est très simple, car très proche de la matrice $I_{m+1,m+1}$.

Il en résulte que le calcul d'une colonne de $B_1'^{-1}$ nécessite m + 1 opérations; il faudra donc m.(m + 1) opérations pour le calcul complet de $B_1'^{-1}$.

Remarque : Nous appellerons opération une multiplication ou bien une multiplication suivie ou précédée d'une addition (ou soustraction).

De la même manière, connaissant x'_{B_0}, le calcul de x'_{B_1} nécessitera m + 1 opérations.

CONCLUSION.

Si nous supposons que la matrice A initiale contient une sous-matrice B_0 identique d'ordre m, constituant une base réalisable, alors la matrice B_0' initiale aura la structure suivante :

$$B_0' = \begin{pmatrix} 1 & -c_{B_0} \\ 0 & I_{m,m} \end{pmatrix}$$

et nous aurons, en appliquant la formule de la page 216 :

$$B_0'^{-1} = \begin{pmatrix} 1 & c_{B_0} \\ 0 & I_{m,m} \end{pmatrix}$$

et :

$$x'_{B'_0} = \begin{pmatrix} z_{B_0} \\ x_{B_0} \end{pmatrix}$$

Nous pourrons donc initialiser la méthode. A partir de là, nous pourrons poursuivre les calculs en appliquant les deux critères de Dantzig et en déterminant la suite des matrices E_1, E_2,...

II.3. Technique pratique de passage de $B_0'^{-1}$ à $B_1'^{-1}$.

La méthode révisée du simplexe se prête également à une gestion de tableau; en effet, nous allons associer à la base β'_0 le tableau suivant :

Variables de base	2ème colonne de $B_0'^{-1}$	3ème colonne de $B_0'^{-1}$	. .	$m+1^{ème}$ colonne de $B_0'^{-1}$	x'_{B_0}	y'_{j_0}
z	c^0_{12}	c^0_{13}	. .	c^0_{1m+1}	z_{B_0}	$-\Delta_{j_0}$
i_0	c^0_{22}	c^0_{23}	. .	c^0_{2m+1}	x_{i_0}	$y_{i_0 j_0}$
i_1	c^0_{32}	c^0_{33}	. .	c^0_{3m+1}	x_{i_1}	$y_{i_1 j_0}$
⋮	⋮	⋮	⋮ ⋮	⋮	⋮	⋮
i_{m-1}	$c^0_{m+1,2}$	$c^0_{m+1,3}$	. .	$c^0_{m+1,m+1}$	$x_{i_{m-1}}$	$y_{i_{m-1} j_0}$

Examinons de près la technique de passage du tableau associé à $B_0'^{-1}$ au tableau associé à $B_1'^{-1}$. Si nous sommes en présence d'une base réalisable $\beta_0' = (e_1, a'_{i_0}, a'_{i_1}, \ldots, a'_{i_{m-1}})$, la ligne indicée i_k du tableau précédent correspond à la $(k = 1)^{\text{ième}}$ ligne de $B_0'^{-1}$. Lorsque nous allons appliquer les deux critères de Dantzig, nous allons faire entrer le vecteur a'_{j_0} et sortir le vecteur $a'_{i_{k_0}}$ (où k_0 peut être égal à 0, 1, 2,..., m-1 puisque, par convention, on ne fait jamais sortir e_1).

Remarquons que, pour le développement théorique, indépendant du numérotage des vecteurs a_j, nous avions toujours supposé, pour simplifié l'indiçage, que le vecteur sortant était a'_{i_0}, quitte à renuméroter les a'_j. D'autre part, si nous voulions absolument respecter le numérotage variable de la théorie, cela nous conduirait inévitablement à de nombreuses réécritures pénibles (colonnes de B permutées, lignes de B^{-1} permutées) ou bien à une gestion d'indices assez coûteuse. Aussi, si la *matrice* B_0' est constituée des colonnes $(e_1, a'_{i_0}, a'_{i_1}, \ldots, a'_{i_{m-1}})$ prises dans cet ordre, nous conviendrons d'adopter comme colonnes de la matrice B_1' $(e_1, a'_{i_0}, a'_{i_1}, \ldots, a'_{i_{k_0-1}}, a'_{j_0}, a'_{i_{k_0+1}}, \ldots, a'_{i_{m-1}})$ prises dans cet ordre.

La colonne a'_{j_0} *vient prendre lieu et place* de la colonne $a'_{i_{k_0}}$. Qu'en résulte-t-il pour les matrices $B_0'^{-1}$ et $B_1'^{-1}$? Nous avons toujours :

$$B_1'^{-1} = E_1'B_0'^{-1}$$

mais, maintenant, la matrice E_1' a la structure suivante :

	e_1	a'_{i_0}	a'_{i_1}	.	.	$a'_{i_{k_0}}$	.	.	$a'_{i_{m-1}}$
e_1	1	0	0	.	0	$p.\Delta_{j_0}$	0	.	0
a'_{i_0}	0	1	0	.	0	$-p.y_{i_0 j_0}$	0	.	0
a'_{i_1}	0	0	1	.	0	$-p.y_{i_1 j_0}$	0	.	0
.	.	.	.	.	0	.	0	.	0
$a'_{i_{k_0-1}}$	0	0	0	.	1	$-p.y_{i_{k_0-1} j_0}$	0	.	0
a'_{j_0}	0	0	0	.	0	p	0	.	0
$a'_{i_{k_0+1}}$	0	0	0	.	0	$-p.y_{i_{k_0+1} j_0}$	1	.	0
.	.	.	.	.	0	.	0	.	0
$a'_{i_{m-1}}$	0	0	0	.	.	$-p.y_{i_{m-1} j_0}$	0	.	1

avec $p = 1/y_{i_{k_0} j_0}$.

Si donc, nous effectuons ce changement de base, la ligne du tableau associée au vecteur basique $a'_{i_{k_0}}$ va désormais correspondre au nouveau vecteur basique a'_{j_0} ; les *colonnes* associées aux différentes matrices inverses correspondant toujours *aux vecteurs canoniques* e_2, $e_3, \ldots, e_{m+1}$.

Analysons le produit matriciel $E'_1 B'^{-1}_0$. Nous pouvons mettre E'_1 sous la forme : $E'_1 = I + J$, où I est la matrice identité d'ordre m + 1 et :

$$J = \begin{array}{c|ccc|c|ccc|} & 1 & 2 \; . \; . & & k_0 & & . \; . & m+1 \\ \hline & & 0 & & f_{k_0} & & 0 & \\ \hline \end{array}$$

avec f_{k_0} = vecteur colonne de composantes :

$$(p.\Delta_{j_0}, -p.y_{i_0 j_0}, \ldots, -p.y_{i_{k_0-1} j_0}, p-1, -p.y_{i_{k_0+1} j_0}, \ldots, -p.y_{i_{m-1} j_0})$$

Si nous notons e'_{k_0} la colonne k_0 de la matrice E'_1, nous pouvons encore écrire :

$$f_{k_0} = e'_{k_0} - e_{k_0}$$

Nous obtenons alors comme produit matriciel :

$$B_1'^{-1} = B_0'^{-1} + JB_0'^{-1}$$

Avec les notations classiques des rangées de la matrice $B_0'^{-1}$ (à savoir : $c^0_{.j}$ = colonne j et $c^0_{i.}$ = ligne i), nous obtenons les relations donnant directement les colonnes de la matrice $B_1'^{-1}$, soient :

$$c^1_{.j} = c^0_{.j} + c^0_{j,k_0} f_{k_0}$$

$$j = 1,2,\ldots, m+1$$

$$c^1_{.j} = c^0_{.j} + c_{j,k_0}(e'_{k_0} - e_{k_0})$$

Nous avons de même :

$$x'_{B'_1} = B_1'^{-1} b' \qquad = E'_1 B_0'^{-1} b'$$

$$x'_{B'_1} = x'_{B'_0} + Jx'_{B'_0} = x'_{B'_0} + x_{i_{k_0}} f_{k_0}$$

Ce sont là les formules de passage du tableau associé à la base β'_0 au tableau associé à la base β'_1. Un exemple numérique de gestion de ce tableau sera donné à la fin de ce chapitre.

Terminons celui-ci par une remarque qui peut être utile pour des calculs faits à la main :

Les règles précédentes sont équivalentes à celles qui consisteraient à faire apparaître la colonne y'_{j_0} comme colonne basique, c'est-à-dire, comme dans la méthode des tableaux, à transformer cette colonne en la colonne e_{k_0}. Nous laissons la démonstration de cette propriété, d'ailleurs très simple, au lecteur intéressé.

Le calcul de la dernière colonne y'_{j_0} du tableau est régi par la formule :

$$y'_{j_0} = B'^{-1}_0 a'_{j_0}$$

Il nécessite donc la connaissance de la colonne a'_{j_0}. Or, l'indice j_0 est le résultat du premier critère de Dantzig pour l'application duquel il a fallu calculer les (n - m) coûts marginaux, le calcul de chaque coût marginal nécessitant la connaissance du vecteur a'_j correspondant. Le tableau précédent ne se suffit donc pas à lui-même; il faut, pour dérouler les calculs dans la méthode révisée du simplexe, conserver le tableau des a'_j initiaux, c'est-à-dire la matrice A.

III. ETUDE DU CAS OU IL FAUT INTRODUIRE DES VARIABLES ARTIFICIELLES

III.1. Présentation générale.

La méthode employée ici sera la méthode en deux phases. Rappelons ici que :

- la *première phase* consiste à amener les variables artificielles au niveau zéro, de manière à obtenir une solution réalisable;

- la *seconde phase* consiste à résoudre le programme linéaire initial.

Pour plus de détails, le lecteur pourra se reporter au chapitre V.

On a vu que lorsque certaines variables artificielles restent dans la base au niveau zéro à l'issue de la première phase, certaines précautions doivent être prises dans la phase II (voir pages 74 à 80, chapitre V).

Il serait bien entendu possible de répercuter ici cette technique qui, d'ailleurs, est fort simple; nous préférons cependant donner la méthode préconisée par les auteurs de la méthode révisée du simplexe (Dantzig et Orchard-Hays). Cette méthode consiste, *pour la phase II*, à écrire que la somme des variables artificielles *doit rester nulle*, contrainte supplémentaire qui empêchera une variable artificielle de retrouver un niveau *strictement positif*.

Ici encore, la fonction objectif (somme des variables artificielles pour la phase I) est intégrée à l'ensemble des contraintes sous la forme :

$$z' + \sum_{l=0}^{p} x_{i_l} = 0 \qquad \text{(i)}$$

Nous cherchons alors à déterminer une solution de base réalisable qui maximise z'. Deux issues sont alors possibles :

- MAX z' = 0 : nous pouvons alors démarrer la phase II;
- MAX z' $<$ 0 : le programme linéaire initial n'a pas de solution.

La phase II consistera alors à résoudre le programme linéaire initial auquel on aura adjoint la contrainte :

$$\sum_{l=0}^{p} x_{i_l} = 0 \qquad \text{(ii)}$$

Ici deux remarques supplémentaires sont nécessaires.

<u>*Remarque 1*</u> : A la fin de la phase I, et si le programme initial est compatible, z' est nul. Il en résulte que, dans la phase II, il suffit de traiter la variable z' comme une *variable positive ou nulle* pour que nous soyons assurés qu'elle reste nulle. En effet, d'après sa définition, z' ne peut être que négatif ou nul (voir (i)). Donc, en imposant, pendant la phase II, à la variable z' d'être positive ou nulle, la contrainte (ii) sera respectée.

Remarque 2 : A priori, c'est seulement lors de l'initialisation de la phase II que nous introduisons la nouvelle contrainte associée à la fonction objectif du programme linéaire initial, à savoir :

$$z - \sum_{j=1}^{n} c_j x_j = 0 \qquad \text{(iii)}$$

En fait, il n'est pas difficile de constater que, lorsqu'il faut introduire des variables artificielles, nous pouvons dès l'initialisation de la phase I introduire les contraintes (i) et (iii) tout en respectant les conditions suivantes :

- dans la phase I, maximiser z' en imposant aux seules variables x_j $(j = 1,2,\ldots, n)$ d'être positives ou nulles (ainsi qu'aux variables artificielles);

- dans la phase II, maximiser z en imposant aux variables x_j, aux variables artificielles et à la variable z' d'être positives ou nulles.

III.2. Technique associée aux variables artificielles.

Nous allons donc adopter le programme suivant comme forme initiale de la phase I :

$$z - \sum_{j=1}^{n} c_j x_j = 0$$

$$z' + \sum_{i \in B} t_i = 0$$

$$\sum_{j=1}^{n} a_{ij} x_j + s_i = b_i \qquad i \in A$$

$$\sum_{j=1}^{n} a_{ij} x_j - s_i + t_i = b_i \qquad i \in B$$

$$x_j \geqslant 0 \quad j = 1,2,\ldots, n; \; t_i \geqslant 0 \quad i \in B; \; s_i \geqslant 0 \quad i \in A \cup B$$

$$\text{MAX } z'$$

où :

- les x_j sont les variables principales;
- les s_i ($i \in A \cup B$) sont les variables d'écart;
- les t_i ($i \in B$) sont les variables artificielles.

La matrice A" associée à ce programme possède alors la structure suivante :

z	z'	x_j $j = 1,2,\ldots, n$						s_i $i \in A$			s_i $i \in B$			t_i $i \in B$		
1	0	$-c_1$	$-c_2$	.	.	.	$-c_n$	0	0	0	0	0	0	0	0	0
0	1	0	0	.	.	.	0	0	0	0	0	0	0	1	1	1
0	0	a_{11}	a_{12}	.	.	.	a_{1n}	1	0	0	0	0	0	0	0	0
0	0	a_{21}	a_{22}	.	.	.	a_{2n}	0	1	0	0	0	0	0	0	0
.	.	.	.	.	.	.	.	.	.	.	.	.	.	.	.	.
0	0	.	.	.	.	.	.	0	0	0	-1	0	0	1	0	0
0	0	.	.	.	.	.	.	0	0	0	0	-1	0	0	1	0
.	.	.	.	.	.	.	.	.	.	.	.	.	.	.	.	.
0	0	a_{m1}	a_{m2}	.	.	.	a_{mn}	0	0	0	0	0	-1	0	0	1

La première colonne canonique de A" est le vecteur e_1 associé à la variable z, la seconde colonne est le vecteur canonique e_2, il est associé à la variable z'. Ces deux vecteurs sont des vecteurs de R^{m+2}. La matrice obtenue en supprimant les deux premières lignes et colonnes est en fait la matrice A initiale.

On distinguera donc essentiellement trois types de colonnes dans A" :

- les deux premières, soient e_1 et e_2;
- les colonnes principales et d'écart de structure $a''_j = \begin{pmatrix} -c_j \\ 0 \\ a_j \end{pmatrix}$;
- les colonnes artificielles de structure $a''_j = \begin{pmatrix} 0 \\ 1 \\ e_h \end{pmatrix}$.

De la même manière que dans l'analyse du paragraphe II, il n'est pas difficile de montrer que les bases réalisables de A" contenant e_1 et e_2 sont en correspondance biunivoque avec les bases réalisables de A. Il en résulte que nous appliquerons la procédure suivante :

Pour la phase I. Toutes les bases considérées contiendront e_1 et e_2 et la base initiale sera :

$$B''_0 = \left[\begin{array}{cc|ccccc|ccccc}
1 & 0 & 0 & 0 & \cdot & \cdot & 0 & 0 & 0 & \cdot & \cdot & 0 \\
0 & 1 & 0 & 0 & \cdot & \cdot & 0 & 1 & 1 & \cdot & \cdot & 1 \\
\hline
0 & 0 & 1 & 0 & \cdot & \cdot & 0 & 0 & 0 & \cdot & \cdot & 0 \\
0 & 0 & 0 & 1 & \cdot & \cdot & 0 & 0 & 0 & \cdot & \cdot & 0 \\
\cdot & \cdot & \cdot & \cdot & \cdot & \cdot & \cdot & \cdot & \cdot & \cdot & \cdot & \cdot \\
0 & 0 & 0 & 0 & 0 & 0 & 1 & 0 & 0 & 0 & 0 & 0 \\
\hline
0 & 0 & 0 & 0 & 0 & 0 & 0 & 1 & 0 & 0 & 0 & 0 \\
\cdot & \cdot & \cdot & \cdot & \cdot & \cdot & \cdot & \cdot & \cdot & \cdot & \cdot & \cdot \\
0 & 0 & 0 & 0 & \cdot & \cdot & 0 & 0 & 0 & \cdot & 0 & 1
\end{array}\right]$$

Attention, cette matrice n'est pas la matrice identité $I_{m+2,m+2}$. Il nous faut par conséquent connaître son inverse aisément; constatons que la matrice de la page suivante est bien l'inverse de B''_0.

$$
\left[\begin{array}{cc|cccccccccccc}
1 & 0 & 0 & 0 & . & . & . & 0 & 0 & 0 & . & . & . & 0 \\
0 & 1 & 0 & 0 & . & . & . & 0 & -1 & -1 & -1 & . & . & -1 \\
\hline
0 & 0 & & & & & & & & & & & & \\
0 & 0 & & & & & & & & & & & & \\
0 & 0 & & & & & & & & & & & & \\
. & . & & & & & & & & & & & & \\
. & . & & & & & & & & & & & & \\
. & . & & & & & & & & & & & & \\
0 & 0 & \multicolumn{12}{c}{I_{m,m}} \\
0 & 0 & & & & & & & & & & & & \\
0 & 0 & & & & & & & & & & & & \\
. & . & & & & & & & & & & & & \\
. & . & & & & & & & & & & & & \\
. & . & & & & & & & & & & & & \\
0 & 0 & & & & & & & & & & & &
\end{array}\right]
$$

D'une manière générale, la matrice B" associée à une base de A" aura la structure suivante :

$$
B'' = \left[\begin{array}{cc|c}
1 & 0 & -c_B \\
\hline
0 & 1 & -c'_B \\
\hline
\multicolumn{2}{c|}{0} & B
\end{array}\right]
$$

où B est une sous-matrice carrée inversible de A. Il est facile de déterminer son inverse, en particulier par la méthode de partitionnement. En effet, si nous posons :

$$B'' = \left[\begin{array}{c|c} 1 & 0 \quad -c_B \\ \hline 0 & B' \end{array}\right]$$

nous obtenons directement, en appliquant la formule de la page 216 :

$$B''^{-1} = \left[\begin{array}{c|c|c} 1 & 0 & -c_B B^{-1} \\ \hline 0 & 1 & -c'_B B^{-1} \\ \hline 0 & 0 & B^{-1} \end{array}\right]$$

Il est surtout utile de constater que la seconde ligne de B''^{-1} (soit l_2) a toujours la structure suivante :

$$l_2 = (0, 1, - c'_B B^{-1})$$

Nous pourrons donc calculer les coûts marginaux, pour la phase I, de la manière suivante :

$$-\Delta_j = l_2 a''_j$$

pour tout a''_j hors-base.

Nous appliquerons alors le premier critère de Dantzig et ferons entrer a''_k. De la même façon, nous calculerons les coordonnées de a''_k dans la base B" car, ici encore :

$$y''_k = B''^{-1} a''_k$$

les m dernières coordonnées de y''_k constituent y_k (voir l'analyse du paragraphe II) et nous pouvons appliquer le second critère de Dantzig et faire sortir a''_r. Nous obtenons ainsi une nouvelle matrice B''_1 dont nous pouvons calculer l'inverse de la même façon qu'au paragraphe II.

La phase I se termine lorsque z' est nul ou bien lorsque tous les coûts marginaux sont négatifs ou nuls. Soit B" la dernière base obtenue pour la phase I; elle a la structure suivante :

$$B'' = \begin{array}{|c|c|} \hline 1 & -c_{B'} \\ \hline 0 & B' \\ \hline \end{array}$$

où B' est carrée, inversible et d'ordre m + 1; et :

$$c_{B'} = (0, c_B)$$

Nous allons, dans la *phase II*, traiter z' comme une variable *signée ordinaire* de coût unitaire nul (dans l'expression de z) pour nous assurer de la nullité des variables artificielles.

Revenons sur la structure de B''^{-1} et notons l_1 la première ligne; nous constatons à nouveau que, pour la nouvelle fonction objectif, nous avons :

$$-\Delta_j = l_1 a''_j$$

$B''^{-1} a''_j$ fournit les coordonnées de a''_j sur la base B".

En conclusion, nous voyons que l'introduction de variables artificielles n'entraîne pas de modification de méthode par rapport à la technique préconisée au paragraphe II. Il suffit de considérer *successivement les deux fonctions objectifs* en prenant quelques précautions supplémentaires.

Nous allons, dans le paragraphe suivant, illustrer tous ces points en traitant complètement un exemple numérique nécessitant l'introduction de variables artificielles.

IV. UN EXEMPLE NUMERIQUE

Considérons le programme linéaire suivant :

$$2x_1 + x_2 \geq 4 \qquad \text{(i)}$$

$$x_1 + x_2 \geq 3 \qquad \text{(ii)}$$

$$x_2 \leq 4 \qquad \text{(iii)}$$

$$x_1 \leq 3 \qquad \text{(iv)}$$

$$x_1;\ x_2 \geq 0$$

$$\text{MAX } z = x_1 + x_2$$

Ce programme nécessite l'introduction de deux variables artificielles, pour les contraintes (i) et (ii); si bien que nous obtenons la forme suivante :

$$2x_1 + x_2 - s_3 + t_1 = 4 \qquad \text{(i)}$$

$$x_1 + x_2 - s_4 + t_2 = 3 \qquad \text{(ii)}$$

$$x_2 + s_1 = 4 \qquad \text{(iii)}$$

$$x_1 + s_2 = 3 \qquad \text{(iv)}$$

$$x_1;\ x_2;\ s_1;\ s_2;\ s_3;\ s_4;\ t_1;\ t_2 \geq 0$$

$$\text{MAX } z = x_1 + x_2$$

En introduisant les deux fonctions objectifs (associées aux phases I et II) en tant que contraintes du programme linéaire, nous obtenons :

$$
\begin{array}{lllr}
z - x_1 - x_2 & & = 0 & \text{(i)} \\
z' & + t_1 + t_2 & = 0 & \text{(ii)} \\
2x_1 + x_2 - s_3 & + t_1 & = 4 & \text{(iii)} \\
x_1 + x_2 - s_4 & + t_2 & = 3 & \text{(iv)} \\
x_2 + s_1 & & = 4 & \text{(v)} \\
x_1 + s_2 & & = 3 & \text{(vi)}
\end{array}
$$

$$x_1;\ x_2;\ s_3;\ s_4;\ s_1;\ s_2;\ t_1;\ t_2 \geqslant 0$$

MAX z'

La matrice initiale A" s'écrit alors :

$$
A'' = \left[\begin{array}{cc|cccccccc}
1 & 0 & -1 & -1 & 0 & 0 & 0 & 0 & 0 & 0 \\
0 & 1 & 0 & 0 & 0 & 0 & 0 & 0 & 1 & 1 \\
\hline
0 & 0 & 0 & 1 & 1 & 0 & 0 & 0 & 0 & 0 \\
0 & 0 & 1 & 0 & 0 & 1 & 0 & 0 & 0 & 0 \\
0 & 0 & 2 & 1 & 0 & 0 & -1 & 0 & 1 & 0 \\
0 & 0 & 1 & 1 & 0 & 0 & 0 & -1 & 0 & 1
\end{array}\right]
$$

où les lignes 1, 2, 3, 4, 5, 6 représentent respectivement les contraintes (i), (ii), (v), (vi), (iii), (iv) afin d'obtenir la structure de la matrice initiale du paragraphe précédent. Nous noterons les vecteurs colonnes de la matrice A" respectivement : e_1, e_2, a_1, a_2, $a_{\bar{1}}$, $a_{\bar{2}}$, $a_{\bar{3}}$, $a_{\bar{4}}$, $a_{\bar{\bar{1}}}$, $a_{\bar{\bar{2}}}$ [1].

---

[1] Nous noterons encore ces colonnes, par commodité d'écriture : 0, 0', 1, 2, $\bar{1}$, $\bar{2}$, $\bar{3}$, $\bar{4}$, $\bar{\bar{1}}$, $\bar{\bar{2}}$.

La base B''_0 initiale est constituée des vecteurs colonnes e_1, e_2, $a_{\bar{1}}$, $a_{\bar{2}}$, $a_{\bar{\bar{1}}}$, $a_{\bar{\bar{2}}}$. La matrice B''_0 est donc la suivante :

$$B''_0 = \left|\begin{array}{cc|cccc} 1 & 0 & 0 & 0 & 0 & 0 \\ 0 & 1 & 0 & 0 & 1 & 1 \\ \hline 0 & 0 & 1 & 0 & 0 & 0 \\ 0 & 0 & 0 & 1 & 0 & 0 \\ 0 & 0 & 0 & 0 & 1 & 0 \\ 0 & 0 & 0 & 0 & 0 & 1 \end{array}\right|$$

Nous pouvons alors calculer son inverse (voir page 216) :

$$B''^{-1}_0 = \left|\begin{array}{cc|cccc} 1 & 0 & 0 & 0 & 0 & 0 \\ 0 & 1 & 0 & 0 & -1 & -1 \\ 0 & 0 & 1 & 0 & 0 & 0 \\ 0 & 0 & 0 & 1 & 0 & 0 \\ 0 & 0 & 0 & 0 & 1 & 0 \\ 0 & 0 & 0 & 0 & 0 & 1 \end{array}\right|$$

Le vecteur colonne second-membre a comme composantes (0, 0, 4, 3, 4, 3). Nous pouvons alors remplir en partie le premier tableau (colonnes associées à B''^{-1}_0 et colonne associée à $x''_{B''_0}$). Nous avons en effet :

$$x''_{B''_0} = B''^{-1}_0 b'' = {}^t(0,-7,4,3,4,3)$$

Les colonnes hors-base sont 1, 2, $\bar{3}$, $\bar{4}$; calculons leurs coûts marginaux. Il suffit pour cela de faire les produits scalaires de la seconde ligne de $B_0''^{-1}$ par les vecteurs colonne correspondants; il vient :

$$-d_1' = (0,1,0,0,-1,-1).{}^t(-1,0,0,1,2,1) = -3$$

de même, nous avons :

$$-d_2' = -2 \qquad -d_{\bar{3}}' = 1 \qquad -d_{\bar{4}}' = 1$$

Il en résulte (premier critère de Dantzig) que la colonne 1 va entrer dans la base; calculons ces coordonnées sur cette base; nous obtenons :

$$y_1'' = B_0''^{-1} a_1 = {}^t(-1,-3,0,1,2,1)$$

D'après le second critère de Dantzig, c'est la colonne $\bar{\bar{1}}$ qui va sortir de la base et nous allons effectuer les calculs associés au premier changement de base.

Changement de base n° 1.

La nouvelle base est constituée des colonnes 0, 0', $\bar{1}$, $\bar{2}$, 1, $\bar{\bar{2}}$. Nous noterons B_1'' la matrice de base associée. Les formules du paragraphe II.3 vont nous permettre le calcul de son inverse $B_1''^{-1}$.

Nous avons ici :

1) L'indice i_{k_0} correspond à la colonne artificielle $\bar{\bar{1}}$.

2) p = 1/2 et donc $f_{k_0} = {}^t(1/2,\ 3/2,\ 0,\ -1/2,\ -1/2,\ -1/2)$.

D'où les nouvelles colonnes de $B_1''^{-1}$ obtenues en appliquant les formules :

$$c^1_{.j} = c^0_{.j} + c^0_{jk_0} f_{k_0}$$

$$c^1_{.1} = {}^t(0,\ 1,\ 0,\ 0,\ 0,\ 0) + 0.f_{k_0} = {}^t(0,\ 1,\ 0,\ 0,\ 0,\ 0)$$

$$c^1_{.2} = c^0_{.2}$$

$$c^1_{.3} = c^0_{.3}$$

$$c^1_{.4} = c^0_{.4} + 1.f_{k_0} = {}^t(1/2,\ 1/2,\ 0,\ -1/2,\ 1/2,\ -1/2)$$

$$c^1_{.5} = c^0_{.5}$$

De la même façon, nous avons :

$$x''_{B''_1} = x''_{B''_0} + x_{i_{k_0}} f_{k_0}$$

soit ici :

$$x''_{B''_1} = {}^t(0,\ -7,\ 4,\ 3,\ 4,\ 3) + 4.{}^t(1/2,\ 3/2,\ 0,\ -1/2,\ -1/2,\ -1/2)$$

$$x''_{B''_1} = {}^t(2,\ -1,\ 4,\ 1,\ 2,\ 1)$$

Nous pouvons donc remplir toutes les colonnes (sauf la dernière) du tableau associé à la base B''_1. Nous obtenons le tableau suivant :

z	0	0	0	1/2	0	2	-
z'	1	0	0	1/2	-1	-1	-
s_1	0	1	0	0	0	4	-
s_2	0	0	1	-1/2	0	1	-
x_1	0	0	0	1/2	0	2	-
t_2	0	0	0	-1/2	1	1	-

Les colonnes hors-base sont les suivantes : 2, $\bar{3}$, $\bar{4}$, $\bar{\bar{1}}$; calculons leurs coûts marginaux. Nous avons :

$$-d'_2 = \underbrace{(0,\ 1,\ 0,\ 0,\ 1/2,\ -1)}_{2^{\text{ème}} \text{ ligne de } B_1''^{-1}} \ .\ {}^t(-1,\ 0,\ 1,\ 0,\ 1,\ 1) = -1/2$$

$$-d'_{\bar{3}} = -1/2 \qquad -d'_{\bar{4}} = 1 \qquad -d'_{\bar{\bar{2}}} = \frac{3}{2}$$

Nous pouvons faire entrer la colonne 2 dans la base; ses coordonnées dans cette base vont constituer la dernière colonne du tableau précédent qui devient :

$$y_2'' = B_1''^{-1} \ .\ {}^t(-1,\ 0,\ 1,\ 0,\ 1,\ 1) = {}^t(-1/2,\ -1/2,\ 1,\ -1/2,\ 1/2,\ 1/2)$$

Il en résulte que la colonne $\bar{\bar{2}}$ sort de la base et la nouvelle base $(0,\ 0,\ \bar{1},\ \bar{2},\ 1,\ 2)$ sera réalisable et initiale pour la phase II. Calculons la matrice $B_2''^{-1}$ associée. Nous avons :

$$p = 2 \qquad f_{k_0} = {}^t(1,\ 1,\ -2,\ 1,\ -1,\ 1)$$

d'où le nouveau tableau associé à la nouvelle base :

z	0	0	0	0	1	3	-
z'	1	0	0	0	0	0	-
s_1	0	1	0	1	-2	2	-
s_2	0	0	1	-1	1	2	-
x_1	0	0	0	1	-1	1	-
x_2	0	0	0	-1	2	2	-

Nous abordons maintenant la phase II; nous maximiserons la variable z, en traitant z' comme une variable *positive ou nulle*. Les colonnes hors-base sont $\bar{3}$, $\bar{4}$, $\bar{\bar{1}}$, $\bar{\bar{2}}$; calculons les coûts marginaux associés à la nouvelle fonction objectif z. Nous avons :

$$-d_{\bar{3}} = \underbrace{(1,\ 0,\ 0,\ 0,\ 0,\ 1)}_{1^{\text{ère}} \text{ ligne de } B_2''^{-1}} \ .\ {}^t(0,\ 0,\ 0,\ 0,\ -1,\ 0) = 0$$

de même nous aurons :

$$-d_{\bar{4}} = -1 \qquad -d_{\bar{\bar{1}}} = 0 \qquad -d_{\bar{\bar{2}}} = 1$$

Faisons rentrer dans la base la colonne $\bar{4}$ et calculons le vecteur $y''_{\bar{4}}$; il vient :

$$y''_{\bar{4}} = B''^{-1}_{2} a''_{\bar{4}} = (-1, 0, 2, -1, 1, -2)$$

qui nous fournit la dernière colonne du tableau précédent qui devient :

z	0	0	0	0	1	3	-1
z'	1	0	0	0	0	0	0
s_1	0	1	0	1	-2	2	2
s_2	0	0	1	-1	1	2	-1
x_1	0	0	0	1	-1	1	1
x_2	0	0	0	-1	2	2	-2

Le vecteur sortant est alors (2ème critère de Dantzig) la colonne 1 ou la colonne $\bar{1}$; nous choisirons la colonne 1. La nouvelle base sera donc constituée des colonnes 0, 0', $\bar{1}$, $\bar{2}$, $\bar{4}$, 2. Effectuons le changement de base; nous avons ici :

$$p = 1 \qquad f_{k_0} = {}^t(1, 0, -2, 1, 0, 2)$$

d'où le nouveau tableau partiel de la page suivante.

z	0	0	0	1	0	4	-
z'	1	0	0	0	0	0	-
s_1	0	1	0	-1	0	0	-
s_2	0	0	1	0	0	3	-
s_4	0	0	0	1	-1	1	-
x_2	0	0	0	1	0	4	-

Les colonnes hors-base sont les suivantes : $\bar{3}$, 1, $\bar{\bar{1}}$, $\bar{\bar{2}}$; calculons leurs coûts marginaux. Nous obtenons :

$$-d_{\bar{3}} = (1,\ 0,\ 0,\ 0,\ 1,\ 0)\ .\ {}^t(0,\ 0,\ 0,\ 0,\ -1,\ 0) = -1$$

$$-d_1 = 1 \qquad -d_{\bar{\bar{1}}} = 1 \qquad -d_{\bar{\bar{2}}} = 0$$

Nous devons faire entrer dans la base la colonne $\bar{3}$ et calculer ses coordonnées dans la nouvelle base, c'est-à-dire :

$$y''_{\bar{3}} = B''^{-1}_3 a''_{\bar{3}} = {}^t(-1,\ 0,\ 1,\ 0,\ -1,\ -1)$$

colonne constituant la dernière colonne du tableau précédent qui devient :

z	0	0	0	1	0	4	-1
z'	1	0	0	0	0	0	0
s_1	0	1	0	-1	0	0	1
s_2	0	0	1	0	0	3	0
s_4	0	0	0	1	-1	1	-1
x_2	0	0	0	1	0	4	-1

C'est donc la colonne $\bar{1}$ qui va sortir de la base; réalisons ce changement de base. Nous avons :

$$p = 1 \qquad f_{k_0} = {}^t(1, 0, 0, 0, 1, 1)$$

d'où le nouveau tableau partiel :

z	0	1	0	0	0	4	-
z'	1	0	0	0	0	0	-
s_3	0	1	0	-1	0	0	-
s_2	0	0	1	0	0	3	-
s_4	0	1	0	0	-1	1	-
x_2	0	1	0	0	0	4	-

Les colonnes hors-base sont les suivantes : 1, $\bar{1}$, $\bar{\bar{1}}$, $\bar{\bar{2}}$; calculons les coûts marginaux correspondants. Nous avons :

$$-d_1 = (1, 0, 1, 0, 0, 0) \,.\, {}^t(-1, 0, 0, 1, 2, 1) = -1$$

nous aurons, de même :

$$-d_{\bar{1}} = 1 \qquad -d_{\bar{\bar{1}}} = 0 \qquad -d_{\bar{\bar{2}}} = 0$$

La colonne 1 entre dans la base et ses coordonnées sont les suivantes :

$$y''_1 = B''^{-1}_4 a''_1 = {}^t(-1, 0, -2, 1, -1, 0)$$

dernière colonne du tableau précédent qui devient :

z	0	1	0	0	0	4	-1
z'	1	0	0	0	0	0	0
s_3	0	1	0	-1	0	0	-2
s_2	0	0	1	0	0	3	1
s_4	0	1	0	0	-1	1	-1
x_2	0	1	0	0	0	4	0

C'est donc la colonne $\bar{2}$ qui sort de la base; si nous effectuons ce changement de base, nous avons :

$$p = 1 \qquad f_{k_0} = {}^t(1,\ 0,\ 2,\ 0,\ 1,\ 0)$$

d'où le nouveau tableau partiel :

z	0	1	1	0	0	7	-
z'	1	0	0	0	0	0	-
s_3	0	1	2	-3	0	6	-
x_1	0	0	1	0	0	3	
s_4	0	1	1	0	-1	4	-
x_2	0	1	0	0	0	4	-

Les colonnes hors-base sont les suivantes : $\bar{1}$, $\bar{2}$, $\bar{\bar{1}}$, $\bar{\bar{2}}$; calculons les coûts marginaux. Nous avons :

$$-d_{\bar{1}} = (1,\ 0,\ 1,\ 1,\ 0,\ 0)\ .\ {}^t(0,\ 0,\ 1,\ 0,\ 0,\ 0) = 1$$

de la même façon, nous aurons :

$$- d_{\bar{2}} = 1 \qquad - d_{\bar{\bar{\bar{1}}}} = 0 \qquad - d_{\bar{\bar{\bar{2}}}} = 0$$

Tous les coûts marginaux sont ici négatifs ou nuls, la base obtenue (0, 0', $\bar{3}$, 1, $\bar{4}$, 2) est par conséquent optimale et la solution de base optimale est alors la suivante :

$$z = 7 \qquad z' = 0 \qquad s_3 = 6 \qquad x_1 = 3 \qquad s_4 = 4 \qquad s_2 = 4$$

V. COMPARAISON ENTRE LA METHODE DES TABLEAUX ET LA FORME REVISEE DU SIMPLEXE

V.1. Nombre d'opérations par itération.

Pour la méthode des tableaux, (n - m + 1) colonnes sont transformées (nouvelles colonnes y_j et nouvel x_B), chacune comportant (m + 1) éléments (m coordonnées et le coût marginal). Au total (m + 1) . (n - m + 1) éléments vont subir une transformation.

Si le pivot est l'élément $y_{i_0j_0}$, l'élément y_{i_kj} va subir la transformation suivante :

$$y'_{i_kj} = y_{i_kj} - y_{i_kj_0} \frac{y_{i_0j}}{y_{i_0j_0}}$$

Donc, pour la même ligne i_k, on calcule $r_k = y_{i_kj_0}/y_{i_0j_0}$ et l'on effectue les n - m + 1 multiplications suivantes :

$$y'_{i_kj} = y_{i_kj} - r_k y_{i_0j}$$

Si nous définissons une opération élémentaire comme :

- une multiplication suivie ou précédée d'une addition (soustraction);

- une multiplication seule;
- une division seule;

le nombre maximal d'opérations est alors pour une seule itération de la méthode des tableaux :

$$(n - m + 1).(m + 1) + m + 1 = (n - m + 2).(m + 1)$$

Pour la forme révisée du simplexe, il y a également m + 1 colonnes comportant chacune (m + 1) éléments. Les formules de la page 223 montrent qu'une opération élémentaire est nécessaire pour chaque élément. Nous aurons alors $(m + 1)^2$ opérations élémentaires. Le calcul d'un coût marginal coûte m opérations, ce qui implique, pour les n - m coûts marginaux, m.(n - m) opérations élémentaires. Il faut de plus calculer les m dernières coordonnées de y'_{j_0}, ce qui coûte m^2 multiplications et calculer le vecteur f_{k_0}, ce qui coûte m divisions. Au total nous obtenons comme nombre maximal d'opérations élémentaires pour une itération de la forme révisée du simplexe : $(m + 1)^2 + n.m + 1$ opérations élémentaires.

Il apparaît ainsi que la forme révisée du simplexe coûte, en général, plus d'opérations élémentaires par itération que la méthode des tableaux. Cependant, pour le cas particulier où la matrice initiale A comporte beaucoup de 0, le calcul des coûts marginaux qui, dans la forme révisée du simplexe, fait toujours intervenir les *vecteurs* a_j *initiaux*, peut être *considérablement* réduit en nombre d'opérations élémentaires. Par contre, dans la méthode des tableaux, les 0 vont, en général, très vite disparaître, ce qui n'entraînera aucune diminution du nombre d'opérations élémentaires.

V.2. Encombrement mémoire.

Dans la méthode des tableaux, il faut *essentiellement* (m + 1).(n - m + 1) cellules-mémoires (voir la structure du tableau) alors que la forme révisée du simplexe en nécessite (m + 1).(m + 2). Il est alors clair que, si n est grand, devant m, la forme révisée est de loin supérieure. Cet avantage sera d'autant plus sensible si la taille du problème nécessite l'emploi d'une mémoire secondaire de médiocre performance.

V.3. Précision.

C'est à la fois le problème le plus *difficile* et le plus *important* concernant l'utilisation d'un code de programmation linéaire. Ce problème se pose déjà pour les programmes de taille moyenne (plusieurs dizaines de contraintes et de variables). Pour tout problème lié à la résolution des systèmes linéaires (dégénérescence du système contrôle et précision de la solution), le lecteur pourra se reporter à l'ouvrage [17].

Deux remarques cependant seront suffisantes pour faire comprendre les avantages de la forme révisée du simplexe.

Remarque 1 : Si nous considérons une matrice initiale A qui comporte une assez forte proportion de "zéros", l'utilisation, à chaque itération, des *vecteurs* a_j *initiaux*, pour certains calculs, *absorbera* les erreurs d'arrondi faites sur certains éléments non nuls. Au contraire, dans la méthode des tableaux, la disparition presque immédiate des 0 entraînera inévitablement un cumul des erreurs d'arrondi.

Remarque 2 : Si le nombre d'itérations devient trop grand, les erreurs d'arrondi faites sur la suite des matrices B^{-1} peuvent devenir telles qu'il peut être préférable de *calculer directement* l'inverse de la matrice B par une procédure dont on dispose dans la bibliothèque de programmes et pour laquelle les erreurs d'arrondi sont *bornées supérieurement*. Ceci peut également être appliqué, mais beaucoup moins commodément, pour la méthode des tableaux (voir chapitre VII).

Nous conclurons en affirmant que, s'il est indéniable que la méthode des tableaux est beaucoup *plus pratique* pour des calculs "à la main", par contre la forme révisée du simplexe présente des avantages indiscutables (encombrement mémoire, précision) pour ce qui est de l'efficacité des codes de programmation et ceci d'autant plus que la taille de ces programmes linéaires augmente.

CHAPITRE IX

principaux algorithmes issus de la dualité

Nous allons dans ce chapitre étudier les deux principaux algorithmes basés sur les relations liant un programme linéaire primal et son dual. Nous conseillons au lecteur de se reporter au chapitre VI concernant la théorie de la dualité dans le cas où ses connaissances sur ce sujet ne seraient plus assez précises.

I. L'ALGORITHME DUAL DU SIMPLEXE

I.1. Retour sur la bijection f entre bases primales réalisables et bases duales.

Avant d'aborder ce paragraphe, nous conseillons au lecteur de relire le paragraphe VII du chapitre VI.

Examinons la nature d'une base γ associée par la bijection f à une base réalisable β du primal. En considérant les relations (ii) liant γ et β, nous concluons que γ possède la propriété P suivante :

les coûts marginaux associés à γ sont *tous négatifs ou nuls*

Par contre, nous pouvons ajouter que :

- γ n'est pas, en général, réalisable;
- si γ est *réalisable*, γ est *optimale*.

A partir de cette remarque, nous pouvons imaginer la méthode primale du simplexe comme un algorithme cherchant à rendre réalisable une base telle que γ.

Dans la suite, nous qualifierons de "*duale-réalisable*" une base qui vérifie la propriété P.

I.2. La méthode duale du simplexe.

I.2.1. GENERALITES.

L'idée essentielle de cette méthode est de résoudre le programme dual tout en travaillant sur le programme primal. Par conséquent, les bases construites seront *duales-réalisables* pour le programme primal, donc *réalisables* pour le programme dual. Cet algorithme va donc construire une suite de bases duales réalisables pour le primal dont la dernière sera également *réalisable* pour le primal, donc *optimale* [3].

I.2.2. PROBLEME DE LA BASE DUALE-REALISABLE INITIALE.

D'après la définition du concept de base duale-réalisable, le problème de la détermination d'une base duale-réalisable initiale pour le programme primal :

$$\begin{aligned} Ax &= b \\ x &\geqslant 0 \\ \text{MAX } z &= cx \end{aligned} \qquad \text{(I)}$$

est strictement identique à celui de la recherche d'une base réalisable pour le programme dual :

$$\begin{aligned} wA &\geqslant c \\ \text{MIN } u &= wb \end{aligned} \qquad \text{(I')}$$

Nous renvoyons donc le lecteur au chapitre V pour l'analyse des diverses solutions de ce problème. Remarquons tout de même que, si l'on ne dispose pas d'une base duale réalisable "à bon marché", l'utilisation des méthodes du chapitre V faisant elles-mêmes appel à l'algorithme primal du simplexe, *limite beaucoup* l'intérêt de l'algorithme dual que nous allons désormais décrire. Nous supposerons donc que nous disposons au départ d'une base duale-réalisable.

I.2.3. L'ALGORITHME.

Soit β une base duale-réalisable pour le programme linéaire primal :

$$\beta = (i_0, i_1, \ldots, i_{m-1})$$

nous avons :

$$\forall\ k = 0,1,2,\ldots, m-1 \qquad d_{i_k} = c_{i_k} - c_B B^{-1} a_{i_k} = 0 \qquad \text{(i)}$$

$$\forall\ j \qquad d_j = c_j - c_B B^{-1} a_j \leqslant 0 \qquad \text{(ii)}$$

Eliminons tout de suite le cas où : $x_B = B^{-1}b \geqslant 0$; en effet, dans ce cas, la base β est optimale. Nous supposons donc que :

$$K^- = \{k / x_{i_k} < 0\} \neq \emptyset$$

et, par une convention de numérotage, que : $0 \in K^-$; ce qui ne retire rien à la généralité du problème.

A ce moment, nous avons le choix entre deux présentations de la méthode, à savoir :

1) Un raisonnement fait sur le programme primal qui exploitera les formules associées à un changement de base primale, deux bases consécutives de la suite, β_{k-1} et β_k devant respecter les conditions suivantes :

β_{k-1} et β_k sont *adjacentes* et *duales-réalisables*

$z_{B_k} > z_{B_{k-1}}$ (pour assurer la convergence)

2) Un raisonnement fait sur le programme dual et qui est en fait la traduction du passage de la solution duale :

$$w_{k-1} = c_{B_{k-1}} B_{k-1}^{-1}$$

à la solution duale :

$$w_k = c_{B_k} B_k^{-1}$$

Nous invitons, à ce niveau, le lecteur à revenir sur le paragraphe II du chapitre VI.

Nous pensons que la première présentation est plus classique, son architecture est en effet identique à celle de la méthode primale du simplexe; nous la proposons à titre d'exercice au lecteur intéressé.

Nous raisonnerons donc sur la solution du programme dual que l'on peut associer à toute base du programme primal vérifiant (i) et (ii). Nous noterons donc : $w = c_B B^{-1}$ la solution du programme dual associée à la base. Notons également g_k la $(k + 1)^{\text{ème}}$ ligne de la matrice B^{-1} $(k = 0,1,2,\ldots, m - 1)$; nous aurons alors :

$$\forall\ k,k' \qquad g_k a_{i_{k'}} = \delta_{kk'} \begin{cases} 1 & \text{si } k = k' \\ 0 & \text{sinon} \end{cases}$$

En effet, n'oublions pas que les colonnes de la matrice B sont précisément $a_{i_0}, a_{i_1}, \ldots, a_{i_{m-1}}$.

Soit alors un nombre réel r; examinons sous quelles conditions le vecteur ligne w' défini comme suit :

$$w' = w - rg_0$$

est une solution *réalisable* du programme dual *meilleure* que w.

Pour que w' soit meilleure que w, évaluons u(w'). Nous avons :

$$u(w') = w'b = wb - rg_0 b$$

Or :

$$g_0 b = x_{i_0} \quad (1^{\text{ère}} \text{ composante de } B^{-1}b)$$

nous pouvons donc écrire :

$$u(w') = u(w) - rx_{i_0}$$

Par hypothèse, nous savons que : $0 \in K^-$, c'est-à-dire $x_{i_0} < 0$.

Par conséquent, si nous choisissons r *négatif*, w' sera *strictement meilleure* que w, si toutefois w' est réalisable pour le programme dual. Le vecteur ligne w' doit être réalisable pour le programme dual, il doit donc vérifier :

$$w'a_j \geqslant c_j \qquad j = 1,2,\dots, n$$

soit, en remplaçant :

$$(w - rg_0)\, a_j \geqslant c_j \qquad j = 1,2,\dots, n$$

Or, d'une manière générale, nous pouvons écrire :

$$g_0 a_j = y_{i_0 j} \qquad j = 1,2,\dots, n$$

Nous pouvons donc déjà statuer sur certains indices j; en effet :

1. Pour $j = i_0$.

$y_{i_0 i_0} = 1$ donc $w'a_{i_0} = wa_{i_0} - r$. Par conséquent :

$w'a_{i_0} > wa_{i_0} = c_{i_0}$ car $r < 0$ et w est une solution réalisable

$(w = c_B B^{-1})$.

2. Pour $j = i_k$ $k = 1,2,\dots, m-1$.

$y_{i_0 i_k} = 0$ et par conséquent : $w'a_{i_k} = wa_{i_k} = c_{i_k}$.

3. Pour $j \notin \beta$ et tel que $y_{i_0 j} \geqslant 0$.

On doit avoir : $wa_j - ry_{i_0 j} \geqslant c_j$, condition qui se trouve réalisée puisque $ry_{i_0 j} \leqslant 0$.

4. <u>Pour $j \notin \beta$ et tel que $y_{i_0 j} \leq 0$.</u>

On doit avoir : $(wa_j - c_j)\ 1/y_{i_0 j} \leqslant r$; nous choisirons donc r de la manière suivante :

$$r = \underset{j \in J_4}{\text{MAX}} \{1/y_{i_0 j}(wa_j - c_j)\}$$

où $J_4 = \{j/y_{i_0 j} < 0\}$.

Remarque 1 : Que se passe-t-il si aucun indice j n'est dans la classe 4 ? Alors, quel que soit r négatif, w' est réalisable pour le programme dual et nous avons :

$$u(w') = u(w) - rx_{i_0}$$

Le programme dual possède donc une *solution infinie* et le programme primal, lui, n'a pas de solution (voir chapitre VI).

Supposons donc que nous ayons choisi comme valeur de r la valeur r_0 définie par :

$$r_0 = \underset{j \in J_4}{\text{MAX}} \quad 1/y_{i_0 j}(wa_j - c_j)$$

$$= 1/y_{i_0 j_0}(wa_{j_0} - c_{j_0}) = -d_{j_0}/y_{i_0 j_0}$$

où d_{j_0} est le coût marginal associé à la colonne hors-base a_{j_0}.

Montrons que la solution w' ainsi construite est, en fait, la solution du programme dual associée à la base duale-réalisable du programme primal :

$$\gamma = \beta - \{i_0\} \cup \{j_0\}$$

Il nous suffira de constater que :

$$w'a_{j_0} = wa_{j_0} - 1/y_{i_0 j_0}(wa_{j_0} - c_{j_0})\ g_0 a_{j_0}$$

$$= wa_{j_0} - (wa_{j_0} - c_{j_0}) = c_{j_0}$$

et que :

$$w'a_{i_0} = wa_{i_0} - r > c_{i_0}$$

La première relation jointe aux relations :

$$w'a_{i_k} = c_{i_k} \qquad k = 1,2,\ldots, m-1$$

montre que w' est l'unique solution du système Cramérien :

$$yB_1 = c_{B_1}$$

où B_1 est la matrice carrée associée à la base "duale-réalisable" γ.

<u>*Remarque 2*</u> : Bien entendu, ici aussi tous les phénomènes de *dégénérescence* se posent. En effet, il peut se faire que l'indice j_0 ne soit pas unique; on en déduit alors que certains coûts marginaux associés à des variables *hors-base* du primal seront nuls (pour la base γ). A l'itération suivante, il peut se faire que, si l'un au moins de ces coûts marginaux a un indice vérifiant le cas 4 : $r = 0$. La fonction économique du programme dual ne décroît pas et, par conséquent, un phénomène de cyclage peut être engendré.

La convergence de l'algorithme dual du simplexe (lorsque l'on suppose qu'aucun cyclage ne peut se produire) est assurée de la même façon que pour l'algorithme primal par les deux propriétés suivantes :

1) La fonction économique duale décroît à chaque itération.

2) Le nombre de bases "duales-réalisables" est fini.

I.3. Règles opératoires de l'algorithme dual du simplexe.

Résumons maintenant les deux critères de l'algorithme dual du simplexe, réalisant dans le programme primal un changement de base "duale-réalisable".

CRITERE I.

Choisir i_0, indice d'une colonne de base, tel que :

$$x_{i_0} < 0$$

Ici, les mêmes choix se présentent que pour la discussion concernant le premier critère de Dantzig, à savoir : faut-il choisir l'indice i_0 tel que x_{i_0} est le plus grand en valeur absolue, négatif ou bien celui pour la décroissance de la fonction économique est la plus forte ?

Le vecteur a_{i_0} sort de la base.

CRITERE II.

Choixir j_0, indice d'une colonne hors-base, tel que :

$$-d_{j_0}/y_{i_0 j_0} = \text{MAX } \{-d_j/y_{i_0 j}\}$$

pour les indices j tels que : $y_{i_0 j} < 0$.

Si plusieurs indices j répondent à la question, il suffit d'en choisir un. Certaines règles concernant ce choix permettent d'éviter le phénomène de cyclage; nous ne les étudierons pas ici et renvoyons le lecteur concerné au cyclage dans l'algorithme primal (voir chapitre III).

Le vecteur a_{j_0} entre dans la nouvelle base.

I.4. Un exemple numérique.

Considérons l'exemple numérique suivant que nous allons développer sur les tableaux du chapitre VII :

$$2x_1 + x_2 \geqslant 4$$

$$x_1 + 7x_2 \geqslant 7$$

$$x_1 ; \quad x_2 \geqslant 0$$

$$\text{MIN } z = x_1 + x_2$$

Ramenons ce programme linéaire à notre forme canonique; nous obtenons :

$$2x_1 + x_2 - s_1 \qquad = 4$$

$$x_1 + 7x_2 \qquad - s_2 = 7$$

$$x_1 ; \quad x_2 ; \quad s_1 ; \quad s_2 \geqslant 0$$

$$-\text{MAX} - z = -x_1 - x_2$$

Remarquons que la base $\beta = (a_{s_1}, a_{s_2})$ est duale-réalisable, les tableaux associés à cette base étant les suivants :

		1	2	s_1	s_2	
0	s_1	-2	-1	1	0	-4
0	s_2	-1	-7	0	1	-7
		-1	-1	0	0	
		-1	-1	0	0	0

Nous faisons sortir la colonne a_{s_2} et entrer la colonne a_2, car :

$$-d_2/y_{s_2 2} = 1/-7 \qquad -d_1/y_{s_2 1} = 1/-1$$

Nous obtenons alors, pour la base duale-réalisable (a_{s_1}, a_2) les tableaux suivants :

		1	2	s_1	s_2	
0	s_1	-13/7	0	1	-1/7	-3
-1	2	1/7	1	0	-1/7	1
		-1	-1	0	0	
		-6/7	0	0	-1/7	-1

Nous faisons maintenant sortir la colonne a_{s_1} et entrer la colonne a_1 car :

$$-d_{s_2}/y_{s_1 s_2} = -(1/7)/(-1/7) = +1$$

$$-d_1/y_{s_1 1} = -(6/7)/(-13/7)$$

La nouvelle base duale-réalisable est constituée des colonnes a_1 et a_2 et les tableaux associés sont les suivants :

		1	2	s_1	s_2	
-1	1	1	0	-7/13	1/13	21/13
-1	2	0	1	1/13	-2/13	10/13
		-1	-1	0	0	
		0	0	-6/13	-1/13	-31/13

Nous sommes donc en présence de la base optimale, primale et duale réalisable. La solution de base associée est définie par :

$$x_1 = 21/13 \qquad x_2 = 10/13 \qquad s_1 = s_2 = 0 \qquad z = 31/13$$

II. L'ALGORITHME PRIMAL-DUAL.

II.1. Introduction.

Jusqu'à présent, tous les algorithmes présentés faisaient appel, pour l'obtention d'une solution initiale (primale ou duale réalisable) aux techniques développées dans le chapitre IV. Rappelons que celles-ci, d'une manière générale, ne tiennent pas compte d'une manière suffisante de la *valeur de la fonction économique* de la première solution réalisable trouvée. Dans la plupart des cas, celle-ci peut fort bien être *très éloignée* de la valeur optimale. Beaucoup de recherches ont été effectuées pour essayer de remédier à cet inconvénient. L'un des principaux résultats a été *l'algorithme primal-dual* mis au point par Dantzig, Ford et Fulkerson [4].

D'une certaine manière, cet algorithme répond de la meilleure façon au problème car la première *solution réalisable primale* trouvée est la *solution optimale*. Nous verrons que cet algorithme présente d'autres aspects très instructifs, provenant essentiellement du fait qu'il utilise le *programme dual* pour ne réaliser que des *optimisations partielles* du primal.

Nous devons également attirer fortement l'attention du lecteur sur le fait que cet algorithme est à la base des méthodes de résolution les plus efficaces à l'heure actuelle concernant les problèmes de transport et d'affectation.

II.2. Présentation générale de l'algorithme.

Nous considérons toujours comme problème primal le programme linéaire mis sous la forme PL_0, à savoir :

$$P_0 \begin{cases} Ax = b \\ x \geqslant 0 \\ \text{MAX } z = cx \end{cases}$$

A : matrice m.n
x : vecteur colonne n.1
c : vecteur ligne 1.n
b : vecteur colonne m.1

Le programme dual est alors :

$$D_0 \begin{cases} wA \geqslant c \\ \text{MIN } u = wb \end{cases}$$

w : vecteur ligne 1.m

L'architecture générale de la méthode est alors la suivante :

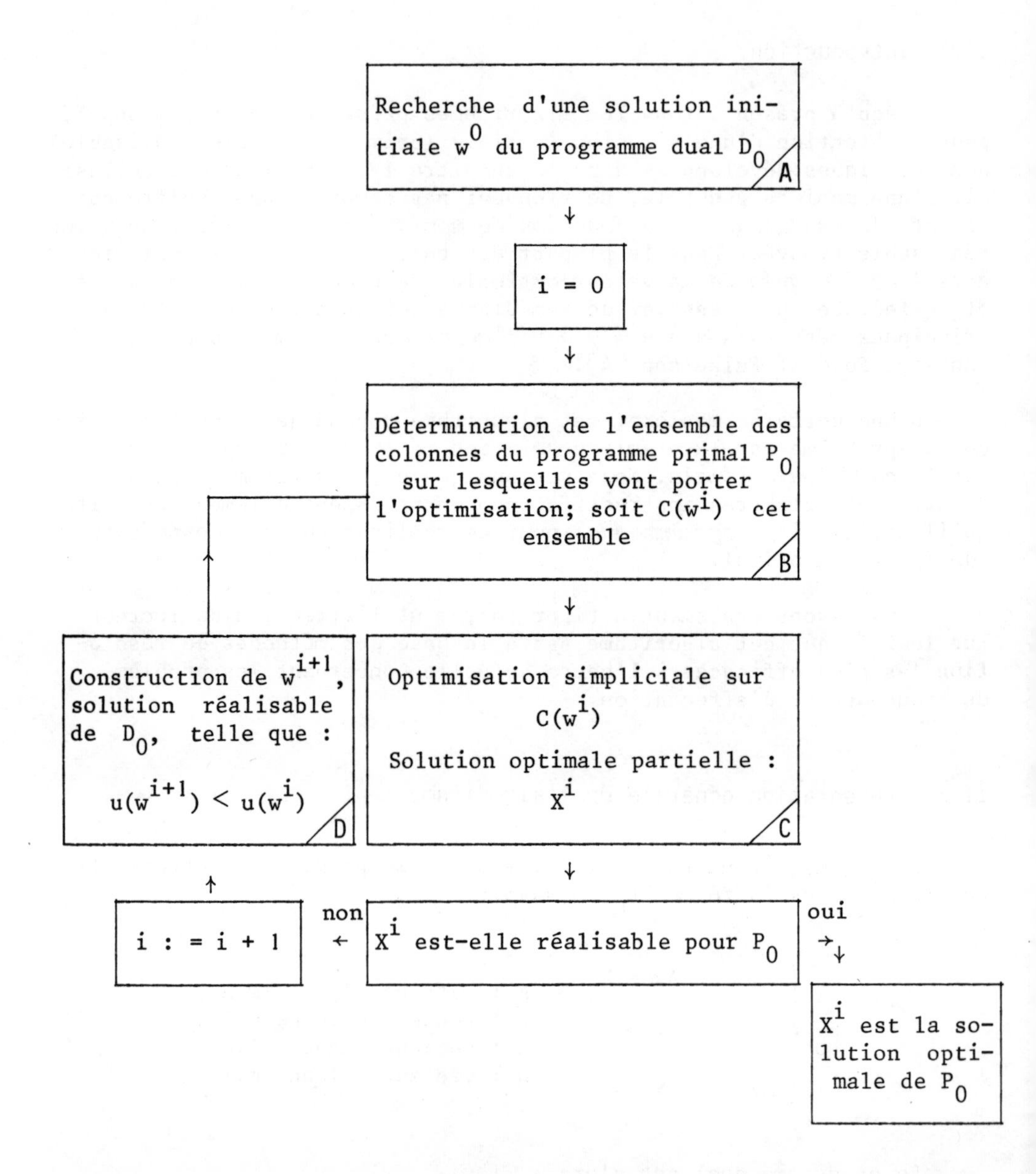

Si l'on s'en tenait aux programmes initiaux P_0 et D_0, cette méthode ne serait en rien originale par rapport aux méthodes classiques en raison du pavé A. En effet, celui-ci nous oblige à déterminer une solution réalisable du dual et nous renverrait par conséquent aux techniques du chapitre IV.

En fait, pour pallier à ce problème, nous allons *légèrement transformer* P_0 en lui adjoignant la contrainte :

$$\sum_{j=1}^{n} x_j \leqslant b_0 \qquad \text{(i)}$$

où nous choisirons b_0 suffisamment grand de manière à ce que (i) ne "tronque" pas l'espace des solutions réalisables de P_0. Nous verrons que dans la pratique nous n'aurons pas besoin de donner une valeur numérique à b_0; d'autre part, nous appellerons x_0 la variable d'écart associée à (i) si bien que le programme linéaire P_0 est transformé en un programme linéaire P_1 qui s'écrit :

$$P_1 \begin{cases} x_0 + \sum_{j=1}^{n} x_j = b_0 & i = 0 \\ \sum_{j=1}^{n} a_{ij} x_j = b_i & i = 1,2,\ldots, m \\ & j = 0,1,2,\ldots, n \quad x_j \geqslant 0 \\ \text{MAX } z = \sum_{j=1}^{n} c_j x_j & \end{cases}$$

Remarquons que la fonction objectif est la même pour P_0 et P_1. Bien entendu, nous aurons besoin du programme linéaire dual D_1 et P_1 qui s'écrit :

$$\begin{aligned} & w_0 \geqslant 0 \\ & w_0 + \sum_{i=1}^{m} a_{ij} w_i \geqslant c_j \\ & \text{MIN } U = w_0 b_0 + \sum_{i=1}^{m} w_i b_i \end{aligned}$$

Transformons dans D_1 les inégalités en égalités, en introduisant les variables d'écart s_0, s_1, s_2,..., s_n; nous obtenons :

$$D_1 \left\{ \begin{array}{lll} w_0 - s_0 = 0 & & j = 0 \\ w_0 + \sum_{i=1}^{m} w_i a_{ij} - s_j = c_j & & j = 1,2,\ldots, n \\ s_j \geqslant 0 & & j = 0,1,2,\ldots, n \\ \text{MIN } U = w_0 b_0 + \sum_{i=1}^{m} w_i b_i & & \end{array} \right.$$

Pourquoi être passé du programme P_0 au programme P_1 ? Réponse : parce que D_1 possède une solution évidente :

$$w_i = 0 \qquad i = 1,2,\ldots, m$$

$$w_0 = \text{MAX } (0,c_1,c_2,\ldots, c_n)$$

Cette solution va constituer la solution de départ du pavé A.

Examinons les liaisons entre P_0 et P_1 d'une part, D_0 et D_1 d'autre part. Considérons une solution de D_1; si w_0 est nul, alors $(w_1, w_2,\ldots, w_m)$ est solution de D_0 (cette condition est suffisante, non nécessaire). Soit $(x_0,x_1,\ldots, x_n)$ une solution de P_1 et $(w_0, w_1,\ldots, w_m,s_0,s_1,\ldots, s_n)$ une solution de D_1 vérifiant :

$$C_1 \qquad x_0 s_0 + x_1 s_1 + \ldots + x_n s_n = 0$$

Nous allons alors montrer que les fonctions économiques U et Z sont égales aux deux points considérés.

En effet, en remplaçant $s_0,s_1,\ldots, s_n$, nous obtenons :

$$x_0 w_0 + x_1(w_0 + \sum_{i=1}^{m} w_i a_{i1} - c_1) + \ldots + x_n(w_0 + \sum_{i=1}^{m} w_i a_{in} - c_n) = 0$$

En remarquant que :

$$w_0(\sum_{j=0}^{n} x_j) = w_0 b_0 \qquad (1)$$

$$w_i \sum_{j=1}^{n} a_{ij}x_j = w_i b_i \qquad (2)$$

La relation C_1 s'écrit :

$$U - Z = 0$$

Notons que cette relation est vérifiée, même si les x_j ($j = 0, 1, \ldots, n$) ne sont pas tous positifs ou nuls. Si, de plus, $(x_0, x_1, \ldots, x_n)$ est solution de P_1, alors la relation C_1 entraîne :

$(x_0, x_1, x_2, \ldots, x_n)$ est solution *optimale* de P_1

$(w_0, w_1, \ldots, w_m)$ est solution *optimale* de D_1

Ce résultat est une application directe du théorème de la dualité (voir chapitre VI).

Si, de plus, $w_0 = 0$, alors :

$(x_1, x_2, \ldots, x_n)$ est solution de P_0

$(w_1, w_2, \ldots, w_m)$ est solution de D_0

et, comme $U = u = Z = z$, l'application du théorème de la dualité implique :

$(x_1, x_2, \ldots, x_n)$ est solution *optimale* de P_0

$(w_1, w_2, \ldots, w_m)$ est solution *optimale* de D_0

Si maintenant nous possédons, d'une part une solution de $D_1 (w_0, w_1, \ldots, w_m)$ telle que $w_0 > 0$ (ce qui entraîne $x_0 = 0$), et d'autre part une solution réalisable de P_1 $(x_0, x_1, \ldots, x_n)$, et si ces deux solutions vérifient la condition C_1, alors, d'après la relation précédente, nous avons :

$$U = w_0 b_0 + \sum_{i=1}^{m} w_i b_i = Z = z$$

La solution $(x_0, x_1,\dots, x_n)$ est alors optimale pour P_1, donc $(x_1,x_2,\dots, x_n)$ est la solution optimale de P_0 de valeur économique :

$$w_0b_0 + \sum_{i=1}^{m} w_ib_i$$

Comme b_0 peut être rendu *infiniment grand*, z peut devenir également *infiniment grand*.

Conclusion de ces remarques.

La méthode utilisée consistera à construire une suite de couples (w^i, x^i) pour laquelle :

$w^i = (w_0^i,w_1^i,\dots, w_m^i)$ est une solution réalisable de D_1

$x^i = (x_0^i,x_1^i,\dots, x_n^i)$ vérifie C_1, c'est-à-dire :

$$x_0^is_0^i + x_1^is_1^i +\dots+ x_n^is_n^i = 0$$

$$U^{i+1} < U^i$$

Si x^k est réalisable pour P_1, c'est la solution optimale; on examine alors w_0^k :

- si $w_0^k > 0$ la solution du programme linéaire P_0 est infinie;

- si $w_0^k = 0$ $(x_1^k,x_2^k,\dots, x_n^k)$ est la solution optimale de P_0.

II.3. Détail de l'algorithme.

Plaçons-nous dans le cas le plus défavorable, c'est-à-dire où il faut ajouter une variable artificielle pour chaque ligne de P_1; nous obtenons alors comme programme principal initial :

$$x_0 + \sum_{j=1}^{n} x_j + t_0 = b_0 \qquad i = 0$$

$$\sum_{j=1}^{n} a_{ij} x_j + t_i = b_i \qquad i = 1,2,\ldots, m$$

$$\text{MAX } Z' = - \sum_{i=0}^{m} t_i$$

où toutes les variables doivent être positives ou nulles.

La base initiale, *non réalisable*, est la base β_0 associée aux indices des variables artificielles.

Comme il a été dit plus haut, la solution w^0 initiale pour D_1, choisie, est :

$$w_i^0 = 0 \qquad i = 1,2,\ldots, m$$

$$w_0^0 = \max_{j=0,1,\ldots,n} (c_j) \qquad s_j = w_0^0 - c_j \quad j = 1,2,\ldots, n$$

Nous procédons alors à l'explication du *pavé B* de l'organigramme général présenté à la page 256.

Quelles sont les colonnes de P_1 qui peuvent devenir basiques tout en laissant la condition C_1 satisfaite ? Réponse : toute colonne j telle que s_j soit nul. Notons E^0 cet ensemble de colonnes; nous savons que :

$$E^0 \neq \emptyset$$

(voir la définition de w_0^0).

Nous passons maintenant à l'explication du *pavé C* de l'organigramme. Pour cela nous appliquons la technique simpliciale classique en ne faisant entrer que des vecteurs E^0 (optimisation locale) jusqu'à l'itération pour laquelle tous les coûts marginaux des colonnes de E^0 soient négatifs ou nuls (optimum local). Notons B_1 la base obtenue à cette étape.

Remarque : Si B_1 ne contient pas de colonnes artificielles, la solution correspondante est optimale.

Sinon, nous allons construire (*pavé D de l'organigramme*) une solution de D_1 meilleure que $(w_0, w_1, \ldots, w_m)$.

Il nous sera utile de noter g le vecteur défini par :

$$g = c'_{B_1} B_1^{-1}$$

Nous allons montrer qu'il existe r (r > 0) pour lequel :

$$w^1 = (w_0^1, w_1^1, w_2^1, \ldots, w_m^1) = (w_0^0, w_1^0, \ldots, w_m^0) + rg$$

est une solution de D_1 meilleure que w^0, c'est-à-dire telle que :

$$U^1 < U^0$$

Examinons pour cela les coûts marginaux associés à la base B_1. Pour cela il nous sera commode de noter A' la matrice associée à P_1, c'est-à-dire vérifiant :

$$A' \begin{pmatrix} x_0 \\ x \end{pmatrix} = \begin{pmatrix} b_0 \\ b \end{pmatrix}$$

et a'_j (j = 0,1,2,..., n) les colonnes de cette matrice. Le programme D_1 s'écrit alors :

$$(w_0, w) A' \geqslant (c_0, c) \qquad c_0 = 0$$

Pour tout j de E^0, nous avons :

$$d'_j = 0 - c'_{B_1} B_1^{-1} a'_j \leqslant 0$$

soit :

$$c'_{B_1} B_1^{-1} a'_j \geqslant 0$$

Pour tout j appartenant à E^0, nous savons que :

$$s_j = 0$$

(par définition de E^0).

Nous pouvons encore écrire que :

$$(w_0^0, w^0)\ a'_j = c'_j$$

Il en résulte que, pour tout indice j de E^0 :

$$(w_0^1, w^1)\ a'_j = (w_0^0, w^0)\ a'_j + rga'_j$$

$$= (w_0^0, w^0)\ a'_j + rc'_{B_1} B_1^{-1} a'_j \geqslant c'_j$$

Pour les indices j n'appartenant pas à E^0, nous savons que :

$$(w_0^0, w^0)\ a'_j > c'_j$$

nous aurons donc :

$$(w_0^1, w^1)\ a'_j = (w_0^0, w^0)\ a'_j + rga'_j$$

Mais ici, le signe de ga'_j est quelconque; il nous faut donc envisager plusieurs cas.

Premier cas : Pour tout indice j n'appartenant pas à E^0 : $ga'_j \geqslant 0$; alors pour tout r positif, (w_0^1, w^1) est solution réalisable de D_1.

Deuxième cas : Il existe des indices j n'appartenant pas à E^0 tels que : $ga'_j < 0$; la condition nécessaire et suffisante pour que (w_0^1, w^1) soit solution réalisable de D_1, est alors :

$$\forall\ j \text{ tel que } ga'_j < 0 \quad (j \notin E^0) \qquad r \leqslant \left((w_0^0, w^0)\ a'_j - c'_j\right) / (-ga'_j)$$

Nous devons ici faire deux remarques.

1) Pour $j = 0,1,2,\dots, n$ (c'est-à-dire les indices j qui nous intéressent) :

$$c'_j = 0$$

par conséquent :

$$d'_j = 0 - c'_{B_1} B_1^{-1} a'_j = -ga'_j$$

2) En utilisant la définition de la variable d'écart s_j, nous pouvons réécrire la condition précédente :

$$r \leqslant \min_{\substack{j \notin E^0 \\ d'_j > 0}} (s_j/d'_j)$$

Si cette condition est vérifiée, (w_0^1, w^1) est solution de D_1.

Que vaut la fonction objectif U pour cette nouvelle solution ? Nous avons :

$$U^1 = (w_0^1, w^1)\binom{b_0}{b} = (w_0^0, w^0)\binom{b_0}{b} + rg\binom{b_0}{b} = U^0 + rZ_{B_1}$$

Puisque nous avons supposé que B_1 n'était pas la base optimale, nous pouvons affirmer que :

$$Z_{B_1} < 0$$

et, par conséquent, nous constatons que :

$$r > 0 \quad \text{et} \quad U^1 < U^0$$

Pour obtenir la décroissance maximale de U, nous choisirons la plus grande valeur positive possible de r, c'est-à-dire :

$$r = \min_{\substack{j \notin E^0 \\ d'_j > 0}} (s_j/d'_j)$$

Remarquons dès maintenant que, dans le *premier cas* envisagé lors de la discussion précédente, la fonction objectif duale U pouvait être rendue aussi petite que l'on voulait (solution duale infinie) et que, par conséquent, dans ce cas particulier, le *programme linéaire primal* P_1 *et donc également* P_0 *ne possède pas de solution réalisable.*

Nous venons de décrire complètement une itération de l'algorithme. Pour la suivante, la solution duale initiale sera (w_0^1, w^1). Faisons quelques remarques sur l'ensemble E^1.

Si $r = s_{j_0} / (-d'_{j_0}) (j_0 \notin E^0)$, alors *cette colonne* j_0 *appartient à* E^1; elle pourra par conséquent entrer en base.

Si a'_j est une colonne de base B_1, appartenant à E^0, nous avons :

$$d'_j = 0 = 0 - ga'_j$$

donc :

$$ga'_j = 0$$

et :

$$(w_0^1, w^1)\ a'_j = (w_0^0, w^0)\ a'_j + r.0 = c'_j$$

La colonne a'_j *est donc une colonne de* E^1.

II.4. Conclusion.

Dès que l'on obtient une base B_1 réalisable (ou même une valeur de Z' nulle avec toutes les précautions que cela comporte - voir chapitre V), cette solution est optimale si w_0 est nul.

Si w_0 est strictement positif, le programme primal possède une solution infinie.

Si la solution du dual est infinie, le programme primal n'a pas de solution. Nous constatons ici qu'à chaque itération :

$$r > 0 \quad \text{et } U_1 < U_0$$

(voir page 262), par conséquent un cyclage n'est pas possible et cet algorithme est *convergent*; ce qui représente un *grand avantage* par rapport aux algorithmes précédents.

Comme nous allons le voir sur l'exemple développé au paragraphe suivant, la méthode des tableaux (à laquelle on adjoint trois lignes supplémentaires pour la contrainte i = 0, pour les valeurs de s_j^0, pour les valeurs de s_j^1) peut être utilisée pour développer les calculs de cet algorithme, ce qui est bien agréable !

II.5. Un exemple numérique.

Nous reprenons l'exemple que nous avions choisi pour la méthode révisée du simplexe, nous pourrons ainsi apprécier les différences de démarche de ces deux algorithmes. Cet exemple est le suivant :

$$2x_1 + x_2 \geqslant 4$$

$$x_1 + x_2 \geqslant 3$$

$$x_2 \leqslant 4$$

$$x_1 \leqslant 3$$

$$x_1 ;\ x_2 \geqslant 0$$

$$\text{MAX } z = x_1 + x_2$$

Ce programme s'écrit encore, avec les notations habituelles :

$$2x_1 + x_2 - s_1 = 4$$

$$x_1 + x_2 - s_2 = 3$$

$$x_2 + s_3 = 4$$

$$x_1 + s_4 = 3$$

$$x_1 ;\ x_2 ;\ s_1 ;\ s_2 ;\ s_3 ;\ s_4 \geqslant 0$$

$$\text{MAX } z = x_1 + x_2$$

Les colonnes artificielles introduites dans la partie théorique ne nous seront d'aucune utilité ici, elles ne seront mentionnées que dans le tableau qui contient les indices des colonnes de la base. Le premier tableau sera donc le suivant :

		0	1	2	$\bar{1}$	$\bar{2}$	$\bar{3}$	$\bar{4}$	
-1	$\bar{\bar{0}}$	1	1	1	1	1	1	1	b_0
-1	$\bar{\bar{1}}$	0	2	1	-1	0	0	0	4
-1	$\bar{\bar{2}}$	0	1	1	0	-1	0	0	3
-1	$\bar{\bar{3}}$	0	0	1	0	0	1	0	4
-1	$\bar{\bar{4}}$	0	1	0	0	0	0	1	3
	d_j	1	5	4	0	0	2	2	$-14-b_0$
			E^0						
	s_j^0	1	0	0	1	1	1	1	

E^0 est constitué des colonnes 1 et 2 correspondant aux écarts s_j^0 nuls. Nous allons donc utiliser la technique simpliciale pour rendre négatifs ou nul d_1 et d_2. Nous obtenons alors les tableaux suivants :

Itération 1 : 1 entre en base, $\bar{\bar{1}}$ sort.

		0	1	2	$\bar{1}$	$\bar{2}$	$\bar{3}$	$\bar{4}$	
-1	$\bar{\bar{0}}$	1	0	1/2	3/2	1	1	1	b_0-2
0	1	0	1	1/2	-1/2	0	0	0	2
-1	$\bar{\bar{2}}$	0	0	1/2	1/2	-1	0	0	1
-1	$\bar{\bar{3}}$	0	0	1	0	0	1	0	4
-1	$\bar{\bar{4}}$	0	0	-1/2	1/2	0	0	1	1
	d_j	1	0	3/2	5/2	0	2	2	$-4-b_0$

<u>*Itération* 2</u> : 2 entre en base, $\bar{\bar{2}}$ sort.

		0	1	2	$\bar{1}$	$\bar{2}$	$\bar{3}$	$\bar{4}$	
-1	$\bar{\bar{0}}$	1	0	0	1	2	1	1	b_0-3
0	1	0	1	0	-1	1	0	0	1
0	2	0	0	1	1	-2	0	0	2
-1	$\bar{\bar{3}}$	0	0	-1	2	2	1	0	2
-1	$\bar{\bar{4}}$	0	0	0	1	-1	0	1	2
	d'_j	1	0	0	1	3	2	2	$-b_0-1$
	s^0_j	1	0	0	1	1	1	1	
	s^1_j	2/3	0	0	2/3	0	1/3	1/3	

L'optimisation partielle sur les colonnes 1 et 2 est terminée, il reste des variables artificielles dans la base; il nous faut donc changer la solution du programme dual.

Les colonnes n'appartenant pas à E^0 sont 0, $\bar{1}$, $\bar{2}$, $\bar{3}$, $\bar{4}$; les rapports s_j/d_j à considérer correspondent à ces colonnes et le plus petit est 1/3, associé à la colonne $\bar{2}$ (colonne j_0 du cours). Pour calculer les nouveaux écarts s^1_j des contraintes duales, nous partons de la définition de la nouvelle solution duale, à savoir :

$$(w^1_0, w^1) = (w^0_0, w^0) + rg$$

qui conduit pour toute colonne j (j = 0,1,2,..., n) à :

$$(w^1_0, w^1)\, a'_j - c'_j = (w^0_0, w^0)\, a'_j - c'_j + rga'_j$$

soit :

$$s^1_{.j} = s^0_{.j} - r d'_{.j}$$

formule directement exploitable sur les tableaux.

Le nouvel ensemble E^1 est alors constitué des colonnes 1, 2, $\bar{2}$, sur lequel nous reprenons l'optimisation partielle.

<u>*Itération* 3</u> : $\bar{2}$ entre en base, $\bar{\bar{3}}$ sort.

		0	1	2	$\bar{1}$	$\bar{2}$	$\bar{3}$	$\bar{4}$	
-1	$\bar{\bar{0}}$	1	0	0	2	0	0	1	b_0-5
0	1	0	1	0	-1/2	0	-1/2	0	0
0	2	0	0	1	0	0	1	0	4
0	$\bar{2}$	0	0	0	-1/2	1	1/2	0	1
-1	$\bar{\bar{4}}$	0	0	0	1/2	0	1/2	1	3
	$d'_{.j}$	1	0	0	5/2	0	1/2	2	$-b_0+2$
	$s^1_{.j}$	2/3	0	0	2/3	0	1/3	1/3	
	$s^2_{.j}$	1/2	0	0	1/4	0	1/4	0	

Nous ne sommes toujours pas à l'optimum puisque $\bar{\bar{4}}$ est <u>dans</u> la base. Le nouvel ensemble E^2 est constitué des colonnes 1, 2, $\bar{2}$, $\bar{4}$. D'où la nouvelle optimisation partielle :

Itération 4 : $\bar{4}$ entre en base, $\bar{\bar{4}}$ sort.

		0	1	2	$\bar{1}$	$\bar{2}$	$\bar{3}$	$\bar{4}$	
-1	$\bar{\bar{0}}$	1	0	0	3/2	0	-1/2	0	b_0-8
0	1	0	1	0	-1/2	0	-1/2	0	0
0	2	0	0	1	0	0	1	0	4
0	$\bar{2}$	0	0	0	-1/2	1	1/2	0	1
0	$\bar{4}$	0	0	0	1/2	0	1/2	1	3
	d'_j	1	0	0	3/2	0	-1/2	0	$8-b_0$
	s^2_j	1/2	0	0	1/4	0	1/4	0	
	s^3_j	1/3	0	0	0	0	1/3	0	

La variable artificielle $\bar{\bar{0}}$ est encore dans la base, il nous faut poursuivre. Nouvel ensemble E^3 : 1, 2, $\bar{1}$, $\bar{2}$, $\bar{4}$.

Itération 5 : $\bar{1}$ entre en base, $\bar{4}$ sort.

		0	1	2	$\bar{1}$	$\bar{2}$	$\bar{3}$	$\bar{4}$	
-1	$\bar{\bar{0}}$	1	0	0	0	0	-2	-3	b_0-14
0	1	0	1	0	0	0	0	1	3
0	2	0	0	1	0	0	1	0	4
0	$\bar{2}$	0	0	0	0	1	1	1	4
0	$\bar{1}$	0	0	0	1	0	1	2	6
	d'_j	1	0	0	0	0	-2	-3	$14-b_0$
	s^3_j	1/3	0	0	0	0	1/3	0	
	s^4_j	0	0	0	0	0	1	1	

Nouvel ensemble E^4 : 0, 1, 2, $\bar{1}$, $\bar{2}$.

Itération 6 : 0 entre en base, $\bar{\bar{0}}$ sort.

		0	1	2	$\bar{1}$	$\bar{2}$	$\bar{3}$	$\bar{4}$	
0	0	1	0	0	0	0	-2	-3	b_0-15
0	1	0	1	0	0	0	0	1	3
0	2	0	0	1	0	0	1	0	4
0	$\bar{2}$	0	0	0	0	1	1	1	4
0	$\bar{1}$	0	0	0	1	0	1	2	6
	d'_j	0	0	0	0	0	0	0	
	s^4_j	0	0	0	0	0	1	1	

Nous obtenons donc la solution optimale du programme linéaire primal, puisque ce tableau est réalisable pour le primal. Nous laissons au lecteur le soin de déduire de ces tableaux la solution optimale du dual.

CHAPITRE X

résolution informatique des programmes linéaires

L'objet de ce chapitre est de présenter le programme informatique de résolution des programmes linéaires à l'aide :

- d'un programme standard et du jeu d'essai proposé;

- d'un second programme traité manuellement puis automatiquement;

- d'un programme de gestion bancaire dont la résolution manuelle était impossible.

Remarque : Les numéros à gauche servent à la fois de références aux explications et permettent le décompte des pas de programme.

```
101 LET C=1
102 DIM A(18,30)
103 PRINT "TYPE 2 POUR SORTIR LES TABLEAUX ET LA BASE"
104 PRINT "A CHAQUE ITERATION, '1' POUR LA BASE SEULEMENT,"
105 PRINT "ou 0 POUR LA SOLUTION SEULEMENT."
106 INPUT P5
108 PRINT
112 PRINT "QUELLE EST LA TAILLE M ET N DE LA MATRICE DES DONNEES";
116 INPUT M,N
120 PRINT
124 PRINT "COMBIEN DE 'MOINS QUE', 'EGAL', 'PLUS GRAND QUE'";
128 INPUT L, E, G
132 IF L+E+G = M THEN 144
136 PRINT "LES DONNEES NE SONT PAS PRATICABLES."
140 STOP
144 LET B = M+N+G+1
148 LET W = M
152 IF B*(W+1)<540 THEN 164
156 PRINT "LE PROBLEME EST TROP GRAND"
```

```
160 STØP
164 IF B>30 THEN 169
168 IF W+1<18 THEN 180
169 PRINT "CHANGER LA DIMENSION D'ENTREE (NØ 102) POUR A";W+1;"BY";B;
   "MATRICE"
170 PRINT
171 PRINT "SOIT L'INSTRUCTION 164 OU 168 OU LES DEUX DOIVENT ETRE
    CHANGEES"
172 PRINT "COMME SUIT:"
173 PRINT
174 IF B<31 THEN 176
175 PRINT " 164 IF B>";B;"THEN 169"
176 IF W+1<18 THEN 178
177 PRINT " 168 IF W+1<";"THEN 180"
178 STOP
180 LET M = M - 1
184 LET H = 1
188 FOR I = 0 TØ W+1
192 FOR J = 1 TØ B
196 LET A(I,J) = 0
200 NEXT J
204 NEXT I
208 FOR I = 0 TØ M
212 FOR J = 1 TØ N
216 READ A(I,J)
220 NEXT J
224 NEXT I
228 FOR I = 0 TØ M
232 READ A(I,B)
236 NEXT I
240 FOR J = 1 TØ N
244 READ A(W,J)
248 A(W,J)=-A(W,J)
252 NEXT J
256 FOR K = 1 TØ M+1
260 LET A(K-1,N+G+K) = 1
264 LET A(K-1,0) = K+N+G
268 NEXT K
272 IF E<>0 THEN 280
276 IF G=0 THEN 340
280 FOR K = L+E+1 TØ M+1
284 LET A(K-1,K+N-L-E) = -1
288 NEXT K
292 LET W = W + 1
296 LET Q = 0
300 FOR J = 1 TØ N + G
304 LET S = 0
308 FØR I = M-G-E+1 TØ M
312 LET S = S + A(I,J)
316 NEXT I
```

```
320 LET A(W,J) = -S
324 IF A(W,J) > Q THEN 336
328 LET Q = A(W,J)
332 LET C = J
336 NEXT J
340 PRINT
344 PRINT "VOS VARIABLES";H;"A";N
348 IF G = 0 THEN 356
352 PRINT "VOS VARIABLES DE SURPLUS";N+1;"A";N+G
356 IF L = 0 THEN 364
360 PRINT "VOS VARIABLES D'ECART";N+G+1;"A";N+G+L
364 IF G+E = 0 THEN 372
368 PRINT "VARIABLES ARTIFICIELLES";N+G+L+1;"A";B-1
372 IF P5=0 THEN 379
376 GØSUB 636
379 IF G+E=0 THEN 512
380 IF Q=0 THEN 540
384 IF P5>0 THEN 564
388 LET H = H + 1
392 Q=10+45
396 LET R = -1
400 FØR I = 0 TØ M
404 IF A(I,C) <=0 THEN 420
408 IF A(I,B)/A(I,C) > Q THEN 420
412 LET Q = A(I,B)/A(I,C)
416 LET R = I
420 NEXT I
424 IF R >= -.5 THEN 440
425 PRINT "SOLUTION NON DEFINIE"
426 GØ SUB 636
436 STØP
440 LET P = A(R,C)
447 LET A(R,0)=C
448 FØR J = 1 TØ B
452 A(R,J)=A(R,J)/P
456 NEXT J
460 FØR I = 0 TØ W
464 IF I = R THEN 492
468 FØR J = 1 TØ B
472 IF J = C THEN 488
476 A(I,J)=A(I,J)-A(R,J)*A(I,C)
480 IF ABS(A(I,J)) > 1E-8 THEN 488
484 LET A(I,J) = 0
488 NEXT J
492 NEXT I
496 FØR I = 0 TØ W
500 LET A(I,C) = 0
504 NEXT I
508 LET A(R,C) = 1
512 LET Q = 0
```

```
516 FØR J = 1 TØ N+G+L
520 IF A(W,J) > Q THEN 532
524 LET Q = A(W,J)
528 LET C = J
532 NEXT J
536 GØTØ 380
540 IF W=M+1 THEN 551
544 LET W = W-1
548 GØTØ 512
551 PRINT
553 FOR I=0 TØ M
554 IF A(I,0)<N+G+L+1 THEN 556
555 IF A(I,B)<>0 THEN 558
556 NEXT I
557 GO TØ 560
558 PRINT "PAS DE SOLUTION FAISABLE TROUVEE"
559 GØ TØ 70000
560 PRINT "REPONSES"
564 PRINT
568 IF Q = 0 THEN 576
572 PRINT "BASE AVANT ITERATION";H
576 PRINT "VARIABLE","VALEUR"
580 FØR I = 0 TØ M
584 IF A(I,0) = 0 THEN 592
588 PRINT A(I,0), A(I,B)
592 NEXT I
593 PRINT
594 PRINT "VALEUR DE LA FONCTION OBJECTIF",A(W,B)
596 IF Q <> 0 THEN 388
600 PRINT
604 PRINT
608 PRINT "VARIABLES DUALES"
612 PRINT "COLONNE", "VALEUR"
616 FØR J = N+1 TØ B-G-1
620 PRINT J, A(W,J)
624 NEXT J
626 IF P5=0 THEN 632
628 GØSUB 636
632 GØTØ 70000
636 PRINT
638 IF P5=1 THEN 676
640 PRINT
644 PRINT "TABLEAU APRES";H-1;"ITERATIONS"
648 FØR I = 0 TØ W
652 FØR J = 1 TØ B
656 PRINT A(I,J),
660 NEXT J
664 PRINT
668 PRINT
672 NEXT I
676 RETURN
50000 GØTØ 101
70000 END
READY
```

MODE OPERATOIRE

Pour maximiser une fonction objectif, il suffit de se conformer aux instructions suivantes car le programme adjoint automatiquement les variables d'écart, de surplus et artificielles requises pour obtenir la solution.

Avant d'utiliser le programme, arranger toutes les contraintes comme suit :

1) Les inégalités $\leqslant$.

2) Les égalités strictes.

3) Les inégalités $\geqslant$.

Pour utiliser ce programme, commencer au pas 10 000 en agissant dans cet ordre :

1. Coefficients des variables du programme y compris "0" pour les variables qui n'apparaissent pas dans les contraintes en commençant par la première jusqu'à ce que tous les coefficients soient entrés.

2. Les éléments du vecteur B (les constantes à droite des contraintes) dans le même ordre que les contraintes.

3. Les coefficients de la fonction objectif dans le même ordre que les variables des inégalités avec des "0" si nécessaire.

Jeu d'essai :

Maximiser la fonction $30x_1 + 45x_2$ satisfaisant aux contraintes suivantes :

$$x_1 \leqslant 6\ 000$$

$$x_2 \leqslant 4\ 000$$

$$2{,}5x_1 + 2x_2 \leqslant 24\ 000$$

$$x_1 \geqslant 1\ 000$$

$$x_2 \geqslant 1\ 000$$

$$3x_1 - x_2 \geqslant 0$$

$$2{,}5x_1 + 2x_2 \geqslant 10\ 000$$

Les données sont entrées au pas 10 000 dans l'ordre suivant :

- coefficients des variables de chaque contrainte :

10 000 données 1, 0, 0, 1, 2.5, 2, 1, 0, 0, 1, 3, -1, 2.5, 2

- les valeurs des 2ème membres :

10 001 données 6 000, 4 000, 24 000, 1 000, 1 000, 0, 10 000

- les coefficients de la fonction objectif :

10 002 données 30, 45

Taille M × N de la matrice 7, 2 où 7 est le nombre de contraintes et 2 le nombre de variables.

Nombre de contraintes <, =, > : 3, 0, 4 c'est-à-dire 3 inégalités ⩽, 0 égalité et 4 inégalités ⩾.

Choix du type : type 2 pour la sortie des tableaux et de la base à chaque itération, type 1 pour la base seulement, type 0 pour la solution simplement.

On verra apparaître :

- l'indice des variables 1 à 2;
- l'indice des variables de surplus 3 à 6;
- l'indice des variables d'écart 7 à 9;
- l'indice des variables artificielles 10 à 13.

Après les itérations nécessaires, les résultats apparaissent :

Variables	Valeurs
5	14 000
6	13 000
9	1 000
4	3 000
2	4 000
1	6 000
3	5 000

Variables duales

Colonne	Valeurs
3	0
4	0
5	0
6	0
7	30
8	45
9	0

Résolution manuelle du programme d'essai.

$$\left.\begin{array}{lrcrcl}
1 & x_1 & & & \leqslant & 6\,000 \\
2 & & & x_2 & \leqslant & 4\,000 \\
3 & 2{,}5x_1 & + & 2x_2 & \leqslant & 24\,000 \\
4 & x_1 & & & \geqslant & 1\,000 \\
5 & & & x_2 & \geqslant & 1\,000 \\
6 & 3x_1 & - & x_2 & \geqslant & 0 \\
7 & 2{,}5x_1 & + & 2x_2 & \geqslant & 10\,000
\end{array}\right\} \text{programme}$$

$$\text{MAX} \quad 30x_1 + 45x_2$$

FORME STANDARD DU PROGRAMME :

$$
\begin{array}{ll}
1 & x_1 + x_7 = 6\,000 \\
2 & x_2 + x_8 = 4\,000 \\
3 & 2{,}5x_1 + 2x_2 + x_9 = 24\,000 \\
4 & x_1 - x_3 + x_{10} = 1\,000 \\
5 & x_2 - x_4 + x_{11} = 1\,000 \\
6 & 3x_1 - x_2 - x_5 + x_{12} = 0 \\
7 & 2{,}5x_1 + 2x_2 - x_6 + x_{13} = 10\,000
\end{array}
$$

$$
\text{MAX} \quad 30x_1 + 45x_2 + 0x_3 + 0x_4 + 0x_5 + 0x_6 + 0x_7 + 0x_8 + 0x_9 - Mx_{10} - Mx_{11} - Mx_{12} - Mx_{13}
$$

c_i	i \ j	1	2	3	4	5	6	7	8	9	10	11	12	13	(0)	$\frac{x_i}{x_{ij}}$
0	7	1	0	0	0	0	0	1	0	0	0	0	0	0	6 000	6 000
0	8	0	1	0	0	0	0	0	1	0	0	0	0	0	4 000	-
0	9	2,5	2	0	0	0	0	0	0	1	0	0	0	0	24 000	9 600
0	10	1	0	-1	0	0	0	0	0	0	1	0	0	0	1 000	1 000
-M	11	0	1	0	-1	0	0	0	0	0	0	1	0	0	1 000	-
-M	12	③	-1	0	0	-1	0	0	0	0	0	0	1	0	0	$\frac{\varepsilon}{3}$ ⇒
-M	13	2,5	2	0	0	0	-1	0	0	0	0	0	0	1	10 000	4 000
	c_j	30	45	0	0	0	0	0	0	0	-M	-M	-M	-M		
	sol	0	0	0	0	0	0	6 000	4 000	24 000	1 000	1 000	ε	10 000		
	Δ_j	30 +6,5M	45 +2M	0 -M	0 -M	0 -M	0 -M	0	0	0	0	0	0	0	12 000 M	= F
		⇑														

c_i	i \ j	1	2	3	4	5	6	7	8	9	10	11	13	(0)	$\frac{x_i}{x_{ij}}$
0	7	0	$\frac{1}{3}$	0	0	$\frac{1}{3}$	0	1	0	0	0	0	0	6 000	18 000
0	8	0	1	0	0	0	0	0	1	0	0	0	0	4 000	4 000
0	9	0	$\frac{8,5}{3}$	0	0	$\frac{2,5}{3}$	0	0	0	1	0	0	0	24 000	$\frac{72\ 000}{8,5}$
-M	10	0	$\frac{1}{3}$	-1	0	$\frac{1}{3}$	0	0	0	0	1	0	0	1 000	3 000
-M	11	0	①	0	-1	0	0	0	0	0	0	1	0	1 000	1 000 ⇒
30	1	1	$-\frac{1}{3}$	0	0	$-\frac{1}{3}$	0	0	0	0	0	0	0	0	-
-M	13	0	$\frac{8,5}{3}$	0	0	$\frac{2,5}{3}$	-1	0	0	0	0	0	1	10 000	10 000
	c_j	30	45	0	0	0	0	0	0	0	-M	-M	-M		
	sol	0	0	0	0	0	0	6 000	4 000	24 000	1 000	1 000	10 000		
	Δ_j	0	$55 + \frac{12,5}{3} M$ ⇑	M	-M	$10 + \frac{3,5\ M}{3}$	-M	0	0	0	0	0	0	12 000 M	= F

c_i	i \ j	1	2	3	4	5	6	7	8	9	10	13	(0)	$\frac{x_i}{x_{ij}}$
0	7	0	0	0	$\frac{1}{3}$	$\frac{1}{3}$	0	1	0	0	0	0	5 666,67	17 000
0	8	0	0	0	1	0	0	0	1	0	0	0	3 000	3 000
0	9	0	0	0	$\frac{8,5}{3}$	$\frac{2,5}{3}$	0	0	0	1	0	0	21 166,7	7 500
-M	10	0	0	-1	$\boxed{\frac{1}{3}}$	$\frac{1}{3}$	0	0	0	0	1	0	666,67	2 000 ⇒
45	2	0	1	0	-1	0	0	0	0	0	0	0	1 000	
30	1	1	0	0	$-\frac{1}{3}$	$-\frac{1}{3}$	0	0	0	0	0	0	333,33	
-M	13	0	0	0	$\frac{8,5}{3}$	$\frac{2,5}{3}$	-1	0	0	0	0	1	7 166,67	
	c_j	30	45	0	0	0	0	0	0	0	-M	-M		
	sol	333,33	1 000	0	0	0	0	5 666,67	3 000	21 166,7	666,67	1 000		
	Δ_j	0	0	M	55 $+ \frac{9,5}{3}$ M	10 $+ \frac{3,5}{3}$ M	-M	0	0	0	0	0	55 000 + 7 833,33 M	= F
					⇑									

c_i	i \ j	1	2	3	4	5	6	7	8	9	13	(0)	$\frac{x_i}{x_{ij}}$	
0	7	0	0	0	0	0	0	1	0	0	0	5 000	-	
0	8	0	0	3	0	-1	0	0	1	0	0	1 000	$\frac{1\ 000}{3}$	
0	9	0	0	8,5	0	-2	0	0	0	1	0	15 500	1 847	
0	4	0	0	-3	1	1	0	0	0	0	0	2 000	-	
45	2	0	1	-3	0	1	0	0	0	0	0	3 000	-	
30	1	1	0	-1	0	0	0	0	0	0	0	1 000	-	
-M	13	0	0	(8,5)	0	-2	-1	0	0	0	1	1 500	$\frac{1\ 500}{8,5}$	⇒
	c_j	30	45	0	0	0	0	0	0	0	-M			
	sol	1 000	3 000	0	2 000	0	0	5 000	1 000	15 500	1 500			
	Δ_j	0	0	165 +8,5M	0	-45 -2M	-M	0	0	0	0	16 500 + 1 500 M	= F	
				⇑										

c_i	i \ j	1	2	3	4	5	6	7	8	9	(0)	$\frac{x_i}{x_{ij}}$
0	7	0	0	0	0	$\frac{2}{8,5}$	$\frac{1}{8,5}$	1	0	0	4 823,53	41 000
0	8	0	0	0	0	$\frac{-2,5}{8,5}$	$\boxed{\frac{3}{8,5}}$ (circled)	0	1	0	470,58	$\frac{4\ 000}{3}$ ⇒
0	9	0	0	0	0	0	1	0	0	1	14 000	14 000
0	4	0	0	0	1	$\frac{2,5}{8,5}$	$\frac{-3}{8,5}$	0	0	0	2 529,41	-
45	2	0	1	0	0	$\frac{2,5}{8,5}$	$-\frac{3}{8,5}$	0	0	0	3 529,41	-
30	1	1	0	0	0	$-\frac{2}{8,5}$	$-\frac{1}{8,5}$	0	0	0	1 176,47	-
0	3	0	0	1	0	$-\frac{2}{8,5}$	$-\frac{1}{8,5}$	0	0	0	176,47	-
	c_j	30	45	0	0	0	0	0	0	0		
	sol	1 176,47	3 529,41	176,47	0	0	0	4 823,53	47 958	14 000		
	Δ_j	0	0	0	0	$-\frac{52,5}{8,5}$	$\frac{165}{8,5}$ ⇑	0	0	0	194 117,55	= F

c_i	i j	1	2	3	4	5	6	7	8	9	(0)	$\frac{x_i}{x_{ij}}$
0	7	0	0	0	0	$\textcircled{\frac{1}{3}}$	0	1	$-\frac{1}{3}$	0	4 666,67	14 000 ⇒
0	6	0	0	0	0	$-\frac{2,5}{3}$	1	0	$\frac{8,5}{3}$	0	1 333,33	-
0	9	0	0	0	0	$\frac{2,5}{3}$	0	0	$-\frac{8,5}{3}$	1	12 666,67	15 600
0	4	0	0	0	1	0	0	0	1	0	3 000	-
45	2	0	1	0	0	0	0	0	1	0	4 000	-
30	1	1	0	0	0	$-\frac{1}{3}$	0	0	$\frac{1}{3}$	0	1 333,33	-
0	3	0	0	1	0	$-\frac{1}{3}$	0	0	$\frac{1}{3}$	0	333,33	-
	c_j	30	45	0	0	0	0	0	0	0		
	sol	1 333,33	4 000	333,33	3 000	0	1 333,33	4 666,67	0	12 666,67		
	j	0	0	0	0	$\frac{30}{8,5}$	0	0	-55	0		
						⇑						

c_i	i \ j	1	2	3	4	5	6	7	8	9	(0)	$\frac{x_i}{x_{ij}}$
0	5	0	0	0	0	1	0	3	-1	0	14 000	
0	6	0	0	0	0	0	1	2,5	2	0	13 000	
0	9	0	0	0	0	0	0	-2,5	-2	1	1 000	
0	4	0	0	0	1	0	0	0	1	0	3 000	
45	2	0	1	0	0	0	0	0	1	0	4 000	
30	1	1	0	0	0	0	0	1	0	0	6 000	
0	3	0	0	1	0	0	0	1	0	0	5 000	
	c_j	30	45	0	0	0	0	0	0	0		
	sol	6 000	4 000	5 000	3 000	14 000	13 000	0	0	1 000		
	Δ_j	0	0	0	0	0	0	-30	-45	0	360 000	= F

Etude du programme LINPRO.

Avec le jeu d'essai initial :

$$\begin{aligned}
x_1 \quad\quad\quad\quad &\leqslant 6\ 000 \\
x_2 &\leqslant 4\ 000 \\
2{,}5x_1 + 2x_2 &\leqslant 24\ 000 \\
x_1 \quad\quad\quad\quad &\geqslant 1\ 000 \\
x_2 &\geqslant 1\ 000 \\
3x_1 - x_2 &\geqslant 0 \\
2{,}5x_1 + 2x_2 &\geqslant 10\ 000 \\
\text{MAX} \quad 30x_1 + 45x_2 & \quad 10\ 000
\end{aligned}$$

Il est nécessaire d'ordonner le programme avec d'abord :

- les contraintes $\leqslant$;
- les contraintes = ensuite;
- puis les contraintes $\geqslant$.

Seul l'ordre permettra à la machine de reconnaître la nature des contraintes.

Le choix de la plus petite valeur d'une suite est implicite (ordre LET).

Dans le listing du programme, il est d'abord commode de séparer les instructions en groupes.

a. PREPARATION DU PROGRAMME.

De l'instruction 32 à l'instruction 332 :

102 DIM A (18,30)
La dimension de ce tableau est liée à la capacité de la machine

qui traitera ce problème. Les instructions suivantes concernent le choix d'édition effectué :

104 Sortie de toutes les itérations (1)

103 Sortie du tableau et de la base seulement (2)

112 Introduction des paramètres :
M nombre de contraintes
N nombre de variables
c'est-à-dire la dimension de la matrice à introduire

124 Introduire :
- combien de contraintes <
- combien de contraintes =
- combien de contraintes >

128 On les entre

132 On teste la validité des entrées. Si la somme des ">, =, <" = M on continue; autrement, la machine imprime

136 Les données ne sont pas praticables

b. COMPARAISON DES DIMENSIONS DU PROGRAMME AVEC LES CAPACITES DE LA MACHINE.

144 Faire B = M + N + G + 1
nombre de contraintes + nombre de variables + nombre de ⩾ + 1
Exemple 7 + 2 + 4 + 1 = 14

148 Faire W = M nombre de contraintes W = 7

152 Si B × (W + 1) < 540 on teste 164
14 × 8 < 540 (30 × 18)

164 Si B > 30 aller en 169

169 Changer les dimensions d'entrée de la matrice (102)

156 Autrement imprimer problème trop grand

171 Permet de changer la dimension

c. CHANGEMENT EVENTUEL DE DIMENSION.

Instructions 164 à 178.

d. MISE EN PLACE DE LA MATRICE DE DEPART.

Par convention, tant qu'il n'y a rien aux intersections des tableaux, c'est qu'il s'agit de "0".

180 Faire M = M − 1 c'est-à-dire 6

184 Faire H = 1

188 On prépare un tableau de "0" en mémoire centrale

192 Pour I = 0 à W + 1 c'est-à-dire 0 à 8

196 Pour J = 1 à B c'est-à-dire 1 à 14

	1	2	3	4	5	6	7	8	9	10	11	12	13	14
0														
1														
2														
3														
4														
5														
6														
7														
8														

On introduit les coefficients du programme linéaire :

208 Pour I = 0 à M 0 à 6

212 Pour J = 1 à N 1 à 2

216 Lire A(I, J)

220
224 Pour les J et les I

232 On entre les 2èmes membres en 14 :

	1	2	3	4	5	6	7	8	9	10	11	12	13	14
0	1													6 000
1		1												4 000
2	2,5	2												24 000
3	1													1 000
4		1												1 000
5	3	-1												0
6	2,5	2												10 000
7														
8														

228 à 236 : lecture des coefficients des 7 premières lignes de la matrice

240 Pour J = 1 à N c'est-à-dire 1 à 2, on lit A(W, J) W varie de 0 à 7

248 Faire A(W, J) = - A(W, J) on entre les coefficients de la fonction économique :

	1	2	3	4	5	6	7	8	9	10	11	12	13	14
0	1													6 000
1	1													4 000
2	2,5	2												24 000
3	1													1 000
4		1												1 000
5	3	-1												0
6	2,5	2												10 000
7	-30	-45												
8														

256 Pour K = 1 à M + 1 c'est-à-dire 1 à 7

260 Faire A(K - 1, N + G + K) = 1 c'est-à-dire :

K = 1	A(0, 2 + 4 + 1)	A(0,7) = 1
K = 2	A(1, 2 + 4 + 2)	A(1,8) = 1
K = 7	A(6, 2 + 4 + 7)	A(7,13) = 1

	1	2	3	4	5	6	7	8	9	10	11	12	13	14
0	1						1							6 000
1		1						1						4 000
2	2,5	2							1					24 000
3	1									1				1 000
4		1									1			1 000
5	3	-1										1		0
6	2,5	2											1	10 000
7	-30	-45												
8														

264 Faire A(K - 1,0) = K + N + G

K = 1 A(0,0) = 1 + 2 + 4 = 7

K = 2 A(1,0) = 2 + 2 + 4 = 8

K = 7 A(6,0) = 7 + 2 + 4 = 13

	0	1	2	3	4	5	6	7	8	9	10	11	12	13	14
0	7	1						1							6 000
1	8								1						4 000
2	9	2,5	2							1					24 000
3	10	1									1				1 000
4	11		1									1			1 000
5	12	3	-1										1		0
6	13	2,5	2											1	10 000
7		-30	-45												
8															

C'est la mise en place des variables de base

272 Si le nombre de contraintes "égal" ≠ 0 on va en 280

276 S'il n'y a pas de contraintes ">" on va en 340

280 Si K = L + E + 1 à M + 1 si K = 3 + 0 + 1 à 7

284 On fait A(K - 1, K + N - L - E) = -1

K = 4 A(3, 4 + 2 - 3 - 0) = A(3,3) = -1

K = 5 A(4, 5 + 2 - 3 - 0) = A(4,4) = -1

K = 6 A(5, 6 + 2 - 3 - 0) = A(5,5) = -1

K = 7 A(6, 7 + 2 - 3 - 0) = A(6,6) = -1

	0	1	2	3	4	5	6	7	8	9	10	11	12	13	14
0	7	1						1							6 000
1	8		1						1						4 000
2	9	2,5	2							1					24 000
3	10	1		-1							1				1 000
4	11		1		-1							1			1 000
5	12	3	-1			-1							1		0
6	13	2,5	2				-1							1	10 000
7	-30	-45													
8															

292 Faire W = W + 1 c'est-à-dire 8

296 Faire Q = 0

300 Pour J = 1 à N + 6 1 à 2 + 4 = 6

304 Faire S = 0

308 Pour I = M - 6 - E + 1 à M c'est-à-dire I = 6 - 4 - 0 + 1 à 6 (3 à 6)

312 Faire S = S + A(I, J) somme des coefficients des 4 lignes correspondant aux contraintes . C'est l'application de la méthode du M

320 Faire A(W, J) = -S. On travaillera avec des coefficients inverses de ceux du programme manuel :

	0	1	2	3	4	5	6	7	8	9	10	11	12	13	14
0	7	1						1							6 000
1	8		1						1						4 000
2	9	2,5	2							1					24 000
3	10	1		-1							1				1 000
4	11		1		-1							1			1 000
5	12	3	-1			-1							1		0
6	13	2,5	2				-1							1	10 000
7		-30	-45												
8		-6,5	-2	1	1	1	1								

324 Si A(W, J) > 0 on va en 336 (au suivant)

328 Autrement faire Q = A(W, J) = -6, 5 dans ce cas, c'est-à-dire que de toutes les valeurs on ne garde que la plus petite

332 Faire C = J c'est-à-dire choisir la colonne qui va entrer dans la base C = 1 dans ce cas

e. IMPRESSION DE LA MISE EN EQUATIONS DU PROBLEME.

344 Variables de 1 à 2

352 Variables de surplus de N + 1 à N + G (de 3 à 6 ici)

360 Variables complémentaires de N + G + 1 à N + G + L (de 7 à 9)

368 Variables artificielles de N + G + L + 1 à B - 1 (de 10 à 13)

f. PREPARATION DE L'IMPRESSION.

372 Si on a choisi l'impression simple aller en 372

379 Si G + E = 0 édition simple aller en 512

380 Si Q = 0 aller en 540

384 Si P5 > 0 impression complexe

g. PREPARATION DE L'ALGORITHME DE CALCUL.

388 Faire H = H + 1 c'est-à-dire 2

392 Faire Q = 10^{45} (un très grand nombre)

396 Faire R = -1

h. RECHERCHE DU NOUVEAU TABLEAU (DETERMINATION DU PIVOT).

400 Pour I = 0 à M (M = 6)

404 Si A(I, C) ⩽ 0 aller en 420
A I,1 ⩽ 0 (420 est le I suivant) si le coefficient de la matrice est ⩽ 0

408 Si A(I, B)/A(I, C) > Q aller en 420. C'est le cas où Q tend vers l'infini

412 Faire Q = A(I, B)/A(I, C)
Ex : Q = A(0,14)/A(0,1) = 6 000
Q = A(2,14)/A(2,1) = 9 600
On retient le premier. On arrive à Q = A(5,14)/A(5,1) = 0 que l'on retient finalement (c'est le plus petit)
Faire R = I c'est-à-dire 5 ici

424 Si R $\geqslant$ -0,5 aller en 440

425 Sinon imprimer "solution non définie"

426 On remet le programme prêt au départ

436 Arrêt

440 Faire P = A(R, C) P = A(5,1) = 3 (le pivot)

447 Faire A(R, 0) = C. Dans la colonne des variables de base, on marque la variable qui entre à la place de celle qui sort C = 1 A(5,0) = 1

448 Pour J = 1 à B (1 à 14)

452 A(R, J) = A(R, J)/P c'est-à-dire A(5/J)/3

	0	1	2	3	4	5	6	7	8	9	10	11	12	13	14
0	7	1						1							6 000
1	8		1						1						4 000
2	9	2,5	2							1					24 000
3	10	1		-1							1				1 000
4	11		1		-1							1			1 000
5	1	1	$-\frac{1}{3}$			$-\frac{1}{3}$							$\frac{1}{3}$		0
6	13	2,5	2				-1							1	10 000
7	14	-30	-45												
8		-6,5	-2	1	1	1	1								

456 Pour toute la ligne

460 Pour J = 0 à W (0 à 8)

464 On passe cette ligne

468 De J = 1 à B (1 à 14)

472 Si J = C J = 1 on passe à la colonne suivante

476 A(I, J) = A(I, J) - A(R, J) * A(I, C)
On dresse le nouveau tableau (fonction objectif et sa valeur y compris)
Ex : A(2,2) = 2 - A(5,2) * A(2,1) = 2 - $(-\frac{1}{3}) \times 2{,}5$

480 Si ABS A(I, J) si la valeur absolue du coefficient est très petite on fait 0

488-492 Calcul de tous les coefficients pour tous les J et I autres que la colonne choisie

	0	1	2	3	4	5	6	7	8	9	10	11	12	13	14
0	7	1	$\frac{1}{3}$			$\frac{1}{3}$		1					$-\frac{1}{3}$		6 000
1	8		1						1						4 000
2	9	2,5	$\frac{8,5}{3}$			$\frac{2,5}{3}$				1			$-\frac{2,5}{3}$		24 000
3	10	1	$\frac{1}{3}$	-1		$\frac{1}{3}$					1		$-\frac{1}{3}$		1 000
4	11		1		-1							1			1 000
5	1	1	$-\frac{1}{3}$			$-\frac{1}{3}$							$\frac{1}{3}$		0
6	13	2,5	$\frac{8,5}{3}$			$\frac{2,5}{3}$	-1						$-\frac{2,5}{3}$	1	10 000
7	14	-30	-55										$-\frac{30}{3}$		
8		-6,5	$-\frac{12,5}{3}$	1	1	$-\frac{3,5}{3}$	1						$\frac{6,5}{3}$		

496 Pour I = 0 à W (0 à 8)

500 On fait A(I, C) = 0 pour toutes les lignes (504)

508 Et A(R, C) = 1 A(5,1) = 1
La colonne 1 devient :

		1
0	7	
1	8	
2	9	
3	10	
4	11	
5	1	1
6	13	
7	14	
8		

i. CHOIX DE LA COLONNE A ENTRER DANS LA BASE.

512 Faire Q = 0

516 Pour J = 1 à N + 6 + L 1 à 2 + 4 + 1 (1 à 7)

520 Si A(W, J) > 0 on continue (532 = J suivant)

524 Faire Q = A(W, J) on a choisi le plus petit
Q = A(8,5) = $-\frac{12}{3}$ ici

528 Faire C = J J = 2 donc C = 2

j. VERIFICATION DE L'OPTIMALITE DE LA SOLUTION.

526 Aller en 380

380 Si Q = 0 aller en 540

540 Si W = M + 1 W = 6 + 1 = 7 donc 551 (imprimer)

544 Faire W = W - 1 8 - 1 = 7

548 Aller en 512. Faire (Q = 0). On reprend sans les coefficients de la matrice le choix de la colonne à entrer.

k. INSTRUCTIONS D'IMPRESSION.

553 Pour I = 0 à M (0 à 6)

554 Si A(I, 0) < N + G + L + 1 aller en 556
A(I,0) < 2 + 4 + 3 + 1 c'est-à-dire 10

555 Si A(I, B) ≠ 0 aller en 558

556 I suivant

557 à 560 Imprimer les réponses

558 Imprimer, pas de solution possible

559 Aller en 7 000 (fin)

560 Imprimer les réponses

564 Saut de ligne

568 Si Q = 0 aller en 576 pour imprimer variables, valeurs c'est-à-dire le programme optimal

572 Imprimer la base avant l'itération H

576 Imprimer variable, valeur

580 Pour I = 0 à M (0 à 6)

584 Si A(I, 0) = 0 aller en 592 I suivant

588 Imprimer A(I, 0), A(I, B) variables de vase et leurs valeurs

592 I suivant

593 Saut de ligne

594 Imprimer la valeur de la fonction objectif A(W, B)

596 Si Q ≠ 0 aller en 388 (relancer l'itération)

600, 604 Sauter 2 lignes

608 Imprimer variables duales

612 Imprimer colonnes, valeurs

616 Pour J = N + 1 à B - G - 1 2 + 1 à 14 - 4 - 1 (3 à 9)

620 Imprimer J, A(W, J)

626 Si P5 = 0 aller en 632 (7 000 fin)

628 Retour aller en 636

632 Fin

636 Saut de ligne

638 Si P5 = 1 aller en 676

640 Saut de ligne

644 Imprimer le tableau après H - 1 itérations

648 Pour I = 0 à W (0 à 7)

652 Pour J = 1 à B (1 à 14)

656 Imprimer A(I, J) les coefficients du tableau

660 J suivant

664 Sauter 2 lignes

672 I suivant

676 Retour

EXERCICE 1

Une usine de composants électriques fabrique 3 types d'articles dont les débouchés mensuels sont respectivement de 4 000 unités pour les articles du premier type, 3 000 unités pour les articles du 2ème type et 2 000 unités pour les articles du 3ème type. On dispose de 40 machines qui travaillent chacune 10 h par jour, le nombre moyen de jours travaillés par mois étant de 30. La fabrication d'une unité de A_1 nécessite 2 h, 3 h pour une unité de A_2 et 4 h pour une unité de A_3. Les articles produits rapportent respectivement 3 F, 6 F et 5 F par unité. Sachant que la stratégie de l'entreprise est de maximiser son bénéfice, quelle production doit-on assurer ?

RESOLUTION

Introduction.

HYPOTHESES.

3 types d'articles A_1, A_2, A_3.

A_1 = marché limité à 4 000 unités
2 heures/machine
3 F de bénéfice unitaire

A_2 = marché limité à 3 000 unités
3 heures/machine
6 F de bénéfice unitaire

A_3 = marché limité à 2 000 unités
4 heures/machine
5 F de bénéfice unitaire

Le total des heures/machine = $40 \times 10 \times 30 = 12\ 000$ h/mois.

FORMALISATION DU PROBLEME.

Soient x_1, x_2, x_3 respectivement les quantités à produire de A_1, A_2, A_3 :

$$
\begin{aligned}
x_1 &\leqslant 4\,000 \\
x_2 &\leqslant 3\,000 \\
x_3 &\leqslant 2\,000 \\
2x_1 + 3x_2 + 4x_3 &\leqslant 12\,000 \\
\text{MAX } 3x_1 + 6x_2 + 5x_3 &
\end{aligned}
$$

MISE EN PLACE DE L'ALGORITHME DU SIMPLEXE.

Transformation des inéquations en équations par introduction des variables d'écart :

$$
\begin{aligned}
x_1 + x_{\bar{1}} &= 4\,000 \\
x_2 + x_{\bar{2}} &= 3\,000 \\
x_3 + x_{\bar{3}} &= 2\,000 \\
2x_1 + 3x_2 + 4x_3 + x_{\bar{4}} &= 12\,000 \\
\text{MAX } 3x_1 + 6x_2 + 5x_3 &
\end{aligned}
$$

Si on associe une notation matricielle au système ainsi créé, on obtient :

$$
\begin{array}{ccc|cccc|c}
1 & 0 & 0 & 1 & 0 & 0 & 0 & 4\,000 \\
0 & 1 & 0 & 0 & 1 & 0 & 0 & 3\,000 \\
0 & 0 & 1 & 0 & 0 & 1 & 0 & 2\,000 \\
2 & 3 & 4 & 0 & 0 & 0 & 1 & 12\,000 \\
\hline
3 & 6 & 5 & 0 & 0 & 0 & 0 &
\end{array}
$$

C'est un espace vectoriel de dimension 4 dont les 4 dernières colonnes constituent la base.

L'application de l'algorithme du simplexe consistera à substituer une autre base à la base initiale. Le critère de substitution des colonnes est celui de l'indicateur du profit marginal maximum. Dans le cas ci-dessus, on fera entrer la 2ème colonne, celle qui indique un profit marginal maximum. Il se pose alors le problème de la variable à faire sortir.

Le calcul du rapport $\dfrac{\text{valeur du } 2^{\text{ème}} \text{ membre}}{\text{élément correspondant de la colonne}}$ permet de déterminer la variable qui sortira de la base. On formalise cette démarche sous forme de tableaux.

I. Présentation de l'algorithme du simplexe par la méthode des tableaux.

c_i	i \ j	1	2	3	$\bar{1}$	$\bar{2}$	$\bar{3}$	$\bar{4}$	(0)
0	$\bar{1}$	1	0	0	1	0	0	0	4 000
0	$\bar{2}$	0	1	0	0	1	0	0	3 000
0	$\bar{3}$	0	0	1	0	0	1	0	2 000
0	$\bar{4}$	2	3	4	0	0	0	1	12 000
	c_j	3	6	5	0	0	0	0	
	sol	0	0	0	4 000	3 000	2 000	12 000	
	Δ_j	3	6	5	0	0	0	0	0 = F

COMMENTAIRES DU TABLEAU.

La première partie met en évidence les variables de la base initiale dont la valeur correspond à celle du 2ème membre des inéquations (3ème partie). Le coefficient c_i est l'indicateur marginal associé à ces variables, indicateur nul dans le cas des variables d'écart. La 2ème partie correspond aux coefficients des matrices associées aux inéquations. La 3ème partie reprend la valeur des 2ème membres. Les c_j reprennent les coefficients des variables de la fonction critère. La ligne solution consiste à reprendre la valeur des variables de la base. La ligne des Δ_j est celle des indicateurs marginaux. Lors du fonctionnement de l'algorithme, la valeur des Δ_j est donnée par la valeur :

$$\boxed{\Delta_j = c_j - \sum_i x_{ij} c_i}$$

PRESENTATION DE L'ALGORITHME DU SIMPLEXE.

1. Choix du Δ_j le plus grand positif.

2. Calcul des rapports :

$$\frac{\text{valeur du deuxième membre}}{\text{valeur des } x_{ij} \text{ de la colonne entrant dans la base}}$$

et le choix du plus petit possible pour déterminer la variable qui sortira de la base.

3. On en tire le pivot.

4. On divise chaque élément de la ligne par le pivot (y compris le 2ème membre).

5. On rend nul les autres éléments de la colonne par combinaison linéaire des valeurs des coefficients de la colonne à annuler sur les éléments de la nouvelle ligne.

6. Calcul des nouveaux $\Delta_j = c_j - \sum_i x_{ij} c_i$ et application de l'algorithme jusqu'à ce que tous les Δ_j soient négatifs.

L'application des règles de l'algorithme telles qu'elles sont définies ci-dessus mènent aux itérations suivantes :

c_i	i \ j	1	2	3	$\bar{1}$	$\bar{2}$	$\bar{3}$	$\bar{4}$	(0)	$\frac{x_i}{x_{ij}}$	
0	$\bar{1}$	1	0	0	1	0	0	0	4 000	-	
0	$\bar{2}$	0	(1)	0	0	1	0	0	3 000	3 000	⇒
0	$\bar{3}$	0	0	1	0	0	1	0	2 000	-	
0	$\bar{4}$	2	3	4	0	0	0	1	12 000	4 000	
	c_j	3	6	5	0	0	0	0			
	sol	0	0	0	4 000	3 000	2 000	12 000			
	Δ_j	3	6	5	0	0	0	0	0	= F	
			⇑								

1ère ITERATION.

c_i	i \ j	1	2	3	$\bar{1}$	$\bar{2}$	$\bar{3}$	$\bar{4}$	(0)	$\frac{x_i}{x_{ij}}$	
0	$\bar{1}$	1	0	0	1	0	0	0	4 000	-	
6	2	0	1	0	0	1	0	0	3 000	-	
0	$\bar{3}$	0	0	1	0	0	1	0	2 000	2 000	
0	$\bar{4}$	2	0	(4)	0	-3	0	1	3 000	750	⇒
	c_j	3	6	5	0	0	0	0			
	sol	0	3 000	0	4 000	0	2 000	3 000			
	Δ_j	3	0	5	0	-6	0	0	18 000	= F	
				⇑							

2ème ITERATION.

c_i	i j	1	2	3	$\bar{1}$	$\bar{2}$	$\bar{3}$	$\bar{4}$	(0)	$\frac{x_i}{x_{ij}}$
0	$\bar{1}$	1	0	0	1	0	0	0	4 000	4 000
6	2	0	1	0	0	1	0	0	3 000	-
0	$\bar{3}$	$-\frac{1}{2}$	0	0	0	$\frac{3}{4}$	1	$-\frac{1}{4}$	1 250	-
5	3	$\textcircled{\frac{1}{2}}$	0	1	0	$-\frac{3}{4}$	0	$\frac{1}{4}$	750	$\frac{750}{1/2}$ ⇒
	c_j	3	6	5	0	0	0	0		
	sol	0	3 000	750	4 000	0	1 250	0		
	Δ_j	$\frac{1}{2}$ ⇑	0	0	0	$-\frac{3}{4}$	0	$-\frac{5}{4}$	21 750	= F

3ème ITERATION.

c_i	i j	1	2	3	$\bar{1}$	$\bar{2}$	$\bar{3}$	$\bar{4}$	(0)	
0	$\bar{1}$	0	0	-2	1	$\frac{3}{2}$	0	$-\frac{1}{2}$	2 500	
6	2	0	1	0	0	1	0	0	3 000	
0	$\bar{3}$	0	0	1	0	0	1	0	2 000	
3	1	1	0	2	0	$-\frac{1}{2}$	0	$\frac{1}{2}$	1 500	
	c_j	3	6	5	0	0	0	0		
	sol	1 500	3 000	0	2 500	0	2 000	0		
	Δ_j	0	0	-1	0	$-\frac{3}{2}$	0	$-\frac{3}{2}$	22 500	= F

Tous les Δ_j étant négatifs, on est à l'optimum. On produira 1 500 articles A_1, 3 000 articles A_2 et pas d'article A_3. Le bénéfice sera de 22 500 F.

INTERPRETATION GRAPHIQUE.

1 cm = 1 000 unités.

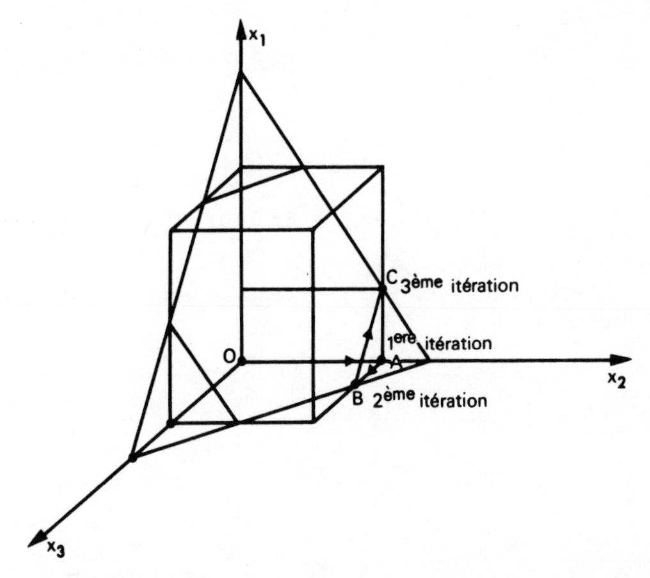

La fonction économique peut être matérialisée par un plan qui se déplace en s'éloignant de l'origine, l'optimum étant atteint au moment où le plan est tangent en C au polyèdre des solutions admissibles.

II. Interprétation matricielle et dualité.

	x_1	x_2	x_3	MIN
y_1	1	0	0	4 000
y_2	0	1	0	$\leqslant$ 3 000
y_3	0	0	1	2 000
y_4	2	3	4	12 000
		$\geqslant$		
MAX	3	6	5	

Le système d'inéquations associé à ce tableau est :

$$x_1 \leqslant 4\,000$$

$$x_2 \leqslant 3\,000$$

$$x_3 \leqslant 2\,000$$

$$2x_1 + 3x_2 + 4x_3 \leqslant 12\,000$$

$$\text{MAX } 3x_1 + 6x_2 + 5x_3$$

On peut associer un second système d'inéquations au même tableau, c'est le programme dual :

$$y_1 + 2y_4 \geqslant 3$$

$$y_2 + 3y_4 \geqslant 6$$

$$y_3 + 4y_4 \geqslant 5$$

$$\text{MIN } 4\,000\, y_1 + 3\,000\, y_2 + 2\,000 y_3 + 12\,000 y_4$$

Primal	Dual
$AX \leqslant B$	$YA \geqslant C$
MAX CX	MIN YB

Vérification de la compatibilité de la taille des matrices :

$$(4,3)(3,1) = (4,1) \qquad (1,4)(4,3) = (1,3)$$

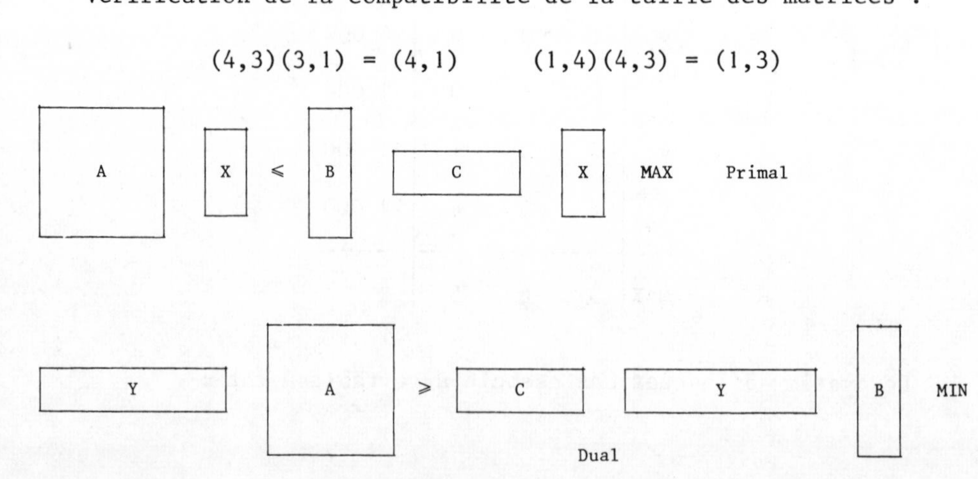

III. Passage direct de l'optimum du primal à l'optimum du dual.

a. RECLASSEMENT DU TABLEAU DU PRIMAL.

c_i	i \ j	1	2	3	$\bar{1}$	$\bar{2}$	$\bar{3}$	$\bar{4}$	(0)
3	1	1	0	2	0	$-\frac{3}{2}$	0	$\frac{1}{2}$	1 500
6	2	0	1	0	0	1	0	0	3 000
0	$\bar{1}$	0	0	-2	1	$\frac{3}{2}$	0	$-\frac{1}{2}$	2 500
0	$\bar{3}$	0	0	1	0	0	1	0	2 000
	c_j	3	6	5	0	0	0	0	
	sol	1 500	3 000	0	2 500	0	2 000	0	
	Δ_j	0	0	-1	0	$-\frac{3}{2}$	0	$-\frac{3}{2}$	22 500 = F

Les variables d'écart du primal deviennent les variables principales du dual et réciproquement. Les variables de base du dual sont les variables hors base du primal. Les 2èmes membres du dual sont les Δ_j du primal au signe près et réciproquement. On transpose de la même manière les coefficients de la matrice optimale du primal dans le tableau du dual au signe près. Pour appliquer l'algorithme du simplexe, on ne peut minimiser; on maximise alors avec des signes négatifs la fonction objectif.

b. TABLEAU OPTIMAL DU DUAL.

c_i	i \ j	1	2	3	4	$\bar{1}$	$\bar{2}$	$\bar{3}$	(0)
-3 000	2	$-\frac{1}{2}$	1	0	0	$\frac{3}{2}$	-1	0	$\frac{3}{2}$
-12 000	4	$\frac{1}{2}$	0	0	1	$-\frac{1}{2}$	0	0	$\frac{3}{2}$
0	$\bar{3}$	2	0	-1	0	-2	0	1	1
	c_j	-4 000	-3 000	-2 000	-12 000	0	0	0	
	sol	0	$\frac{3}{2}$	0	$\frac{3}{2}$	0	0	1	
	Δ_j	-2 500	0	-2 000	0	-1 500	-3 000	0	-22 500 = F

c. RESOLUTION D'UN PROGRAMME LINEAIRE DANS LE CAS DE CONTRAINTES $\geqslant$.

C'est le cas de la résolution du programme dual sans passer par l'optimum du primal.

$$\begin{array}{lllll} y_1 & & & + & 2y_4 \geqslant 3 \\ & y_2 & & + & 3y_4 \geqslant 6 \\ & & y_3 & + & 4y_4 \geqslant 5 \end{array}$$

$$\text{MIN} \quad 4\,000\ y_1 + 3\,000\ y_2 + 2\,000\ y_3 + 12\,000\ y_4$$

ou :

$$\text{MAX} - 4\,000\ y_1 - 3\,000\ y_2 - 2\,000\ y_3 - 12\,000\ y_4$$

Pour saturer les contraintes, il faut introduire les variables d'écart mais en les retranchant :

$$\left.\begin{array}{l} y_1 + 2y_4 - y_{\bar{1}} = 3 \\ y_2 + 3y_4 - y_{\bar{2}} = 6 \\ y_3 + 4y_4 - y_{\bar{3}} = 5 \end{array}\right\} \begin{array}{l} y_{\bar{1}} = -3 \\ y_{\bar{2}} = -6 \\ y_{\bar{3}} = -5 \end{array}$$

Or, par définition, les variables d'écart sont positives, de même que les $2^{\text{èmes}}$ membres :

$$y_1,\ y_2,\ y_3,\ y_{\bar{1}},\ y_{\bar{2}},\ y_{\bar{3}} \geqslant 0$$

On introduit donc des variables artificielles affectées d'un coefficient de pondération M très grand qui entraînera rapidement leur substitution dans la base. Le système devient :

$$y_1 + 2y_4 - y_{\bar{1}} + y_{\bar{\bar{1}}} = 3$$

$$y_2 + 3y_4 - y_{\bar{2}} + y_{\bar{\bar{2}}} = 6$$

$$y_3 + 4y_4 - y_{\bar{3}} + y_{\bar{\bar{3}}} = 5$$

$$\text{MAX} - 4\,000\,y_1 - 3\,000\,y_2 - 2\,000\,y_3 - 12\,000\,y_4 - 0y_{\bar{1}} - 0y_{\bar{2}} - 0y_{\bar{3}} - My_{\bar{\bar{1}}} - My_{\bar{\bar{2}}} - My_{\bar{\bar{3}}}$$

c_i	i j	1	2	3	4	$\bar{1}$	$\bar{2}$	$\bar{3}$	$\bar{\bar{1}}$	$\bar{\bar{2}}$	$\bar{\bar{3}}$	(0)	$\frac{x_i}{x_{ij}}$
-M	$\bar{\bar{1}}$	1	0	0	2	-1	0	0	1	0	0	3	$\frac{3}{2}$
-M	$\bar{\bar{2}}$	0	1	0	3	0	-1	0	0	1	0	6	2
-M	$\bar{\bar{3}}$	0	0	1	(4)	0	0	-1	0	0	1	5	$\frac{5}{4}$ ⇒
	c_j	-4 000	-3 000	-2 000	-12 000	0	0	0	-M	-M	-M		
	sol	0	0	0	0	0	0	0	3	6	5		
	Δ_j	-4 000 +M	-3 000 +M	-2 000 +M	-12 000 +9M	-M	-M	-M	0	0	0	0	= F
					⇑								

A chaque fois qu'une colonne M sort de la base, elle n'y rentrera plus du fait de ce coefficient M. On peut donc ignorer la colonne. Après la disparition des colonnes liées au M on revient à un programme normal :

c_i	i j	1	2	3	4	$\bar{1}$	$\bar{2}$	$\bar{3}$	$\bar{\bar{1}}$	$\bar{\bar{2}}$	(0)	$\frac{x_i}{x_{ij}}$
-M	$\bar{\bar{1}}$	1	0	$-\frac{1}{2}$	0	-1	0	($\frac{1}{2}$)	1	0	$\frac{1}{2}$	1 ⇒
-M	$\bar{\bar{2}}$	0	1	$-\frac{3}{4}$	0	0	-1	$\frac{3}{4}$	0	1	$\frac{9}{4}$	3
-12 000	4	0	0	$\frac{1}{4}$	1	0	0	$-\frac{1}{4}$	0	0	$\frac{5}{4}$	-
	c_j	-4 000	-3 000	-2 000	-12 000	0	0	0	-M	-M		
	sol	0	0	0	$\frac{5}{4}$	0	0	0	$\frac{1}{2}$	$\frac{9}{4}$		
	Δ_j	-4 000 +M	-3 000 +M	1 000 $-\frac{5}{4}$ M	0	-M	-M	-3 000 $+\frac{5}{2}$ M	0	0	-15 000 $-\frac{11}{4}$ M	= F
								⇑				

c_i	i \ j	1	2	3	4	$\bar{1}$	$\bar{2}$	$\bar{3}$	$\bar{\bar{2}}$	(0)	$\frac{x_i}{x_{ij}}$
0	$\bar{3}$	2	0	-1	0	-2	0	1	0	1	-
-M	$\bar{\bar{2}}$	$-\frac{3}{2}$	1	0	0	($\frac{3}{2}$)	-1	0	1	$\frac{3}{2}$	1 ⇒
-12 000	4	$\frac{1}{2}$	0	0	1	$-\frac{1}{2}$	0	0	0	$\frac{3}{2}$	-
	c_j	-4 000	-3 000	-2 000	-12 000	0	0	0	-M		
	sol	0	0	0	$\frac{3}{2}$	0	0	1	$\frac{3}{2}$		
	Δ_j	2 000 $-\frac{3}{2}$ M	-3 000 +M	-2 000	0	$\frac{3}{2}$ M	-M	0	0	-18 000 $-\frac{3}{2}$ M	= -F
						⇑					

c_i	i \ j	1	2	3	$\bar{4}$	$\bar{1}$	$\bar{2}$	$\bar{3}$	(0)	$\frac{x_i}{x_{ij}}$
0	$\bar{3}$	0	$\frac{4}{3}$	-1	0	0	$-\frac{4}{3}$	1	3	$\frac{9}{4}$
0	$\bar{1}$	-1	($\frac{2}{3}$)	0	0	1	$-\frac{2}{3}$	0	1	$\frac{3}{2}$ ⇒
-12 000	4	0	$\frac{1}{3}$	0	1	0	$-\frac{1}{3}$	0	2	6
	c_j	-4 000	-3 000	-2 000	-12 000	0	0	0		
	sol	0	0	0	2	1	0	3		
	Δ_j	-4 000	1 000	-2 000	0	1	-4 000	0	-24 000	= -F
			⇑							

c_i	i \ j	1	2	3	4	$\bar{1}$	$\bar{2}$	$\bar{3}$	(0)	
0	$\bar{3}$	2	0	-1	0	-2	0	1	1	
-3 000	2	$-\frac{3}{2}$	1	0	0	$\frac{3}{2}$	-1	0	$\frac{3}{2}$	
-12 000	4	$\frac{1}{2}$	0	0	1	$-\frac{1}{2}$	0	0	$\frac{3}{2}$	
	c_j	-4 000	-3 000	-2 000	-12 000	0	0	0		
	sol	0	$\frac{3}{2}$	0	$\frac{3}{2}$	0	0	1		
	Δ_j	-2 500	0	-2 000	0	-1 500	-3 000	0	-22 500	= F

Remarque. Une autre méthode de résolution de ce type de programme existe, c'est *la méthode de l'algorithme composite* qui consiste :

1) A inverser les équations.

2) A utiliser des pseudo Δ_j égaux à la somme des coefficients de la colonne tant que les 2èmes membres sont encore négatifs mais affectés du signe +.

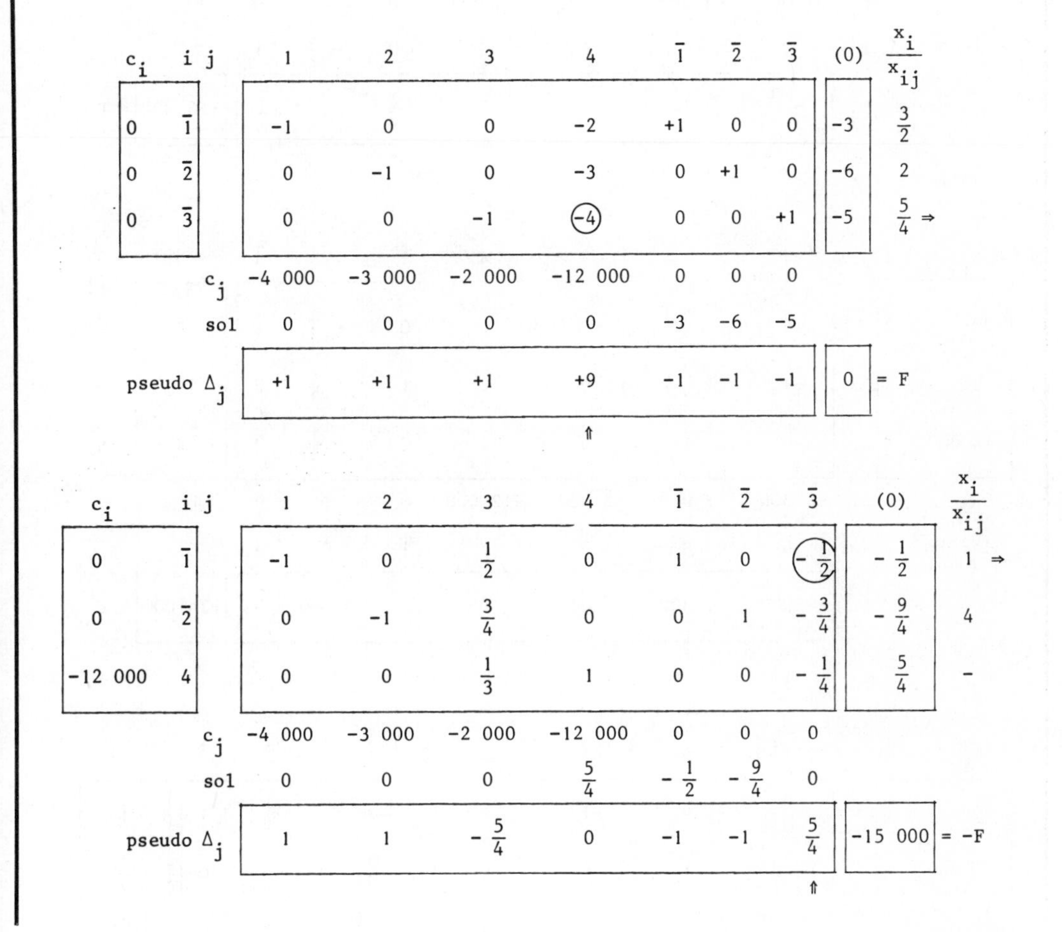

c_i	i j	1	2	3	4	$\bar{1}$	$\bar{2}$	$\bar{3}$	(0)	$\frac{x_i}{x_{ij}}$
0	$\bar{1}$	-1	0	0	-2	+1	0	0	-3	$\frac{3}{2}$
0	$\bar{2}$	0	-1	0	-3	0	+1	0	-6	2
0	$\bar{3}$	0	0	-1	(-4)	0	0	+1	-5	$\frac{5}{4}$ ⇒
	c_j	-4 000	-3 000	-2 000	-12 000	0	0	0		
	sol	0	0	0	0	-3	-6	-5		
	pseudo Δ_j	+1	+1	+1	+9	-1	-1	-1	0	= F
					⇑					

c_i	i j	1	2	3	4	$\bar{1}$	$\bar{2}$	$\bar{3}$	(0)	$\frac{x_i}{x_{ij}}$
0	$\bar{1}$	-1	0	$\frac{1}{2}$	0	1	0	($-\frac{1}{2}$)	$-\frac{1}{2}$	1 ⇒
0	$\bar{2}$	0	-1	$\frac{3}{4}$	0	0	1	$-\frac{3}{4}$	$-\frac{9}{4}$	4
-12 000	4	0	0	$\frac{1}{3}$	1	0	0	$-\frac{1}{4}$	$\frac{5}{4}$	-
	c_j	-4 000	-3 000	-2 000	-12 000	0	0	0		
	sol	0	0	0	$\frac{5}{4}$	$-\frac{1}{2}$	$-\frac{9}{4}$	0		
	pseudo Δ_j	1	1	$-\frac{5}{4}$	0	-1	-1	$\frac{5}{4}$	-15 000	= -F
								⇑		

c_i	i j	1	2	3	4	$\bar{1}$	$\bar{2}$	$\bar{3}$	(0)	$\frac{x_i}{x_{ij}}$
0	$\bar{3}$	2	0	−1	0	−2	0	1	1	−
0	$\bar{2}$	$\frac{3}{2}$	−1	0	0	**$-\frac{3}{2}$**	1	0	$-\frac{3}{2}$	1 ⇒
−12 000	4	$\frac{1}{2}$	0	0	1	$-\frac{1}{2}$	0	0	$\frac{3}{2}$	−
	c_j	−4 000	−3 000	−2 000	−12 000	0	0	0		
	sol	0	0	0	$\frac{3}{2}$	0	$-\frac{3}{2}$	1		
	pseudo Δ_j	$-\frac{3}{2}$	1	0	0	$\frac{3}{2}$	−1	0	−18 000	= F
						⇑				

c_i	i j	1	2	3	4	$\bar{1}$	$\bar{2}$	$\bar{3}$	(0)	$\frac{x_i}{x_{ij}}$
0	$\bar{3}$	0	$\frac{4}{3}$	−1	0	0	$-\frac{4}{3}$	1	3	$\frac{9}{4}$
0	$\bar{1}$	−1	**$\frac{2}{3}$**	0	0	1	$-\frac{2}{3}$	0	1	$\frac{3}{2}$ ⇒
−12 000	4	0	$\frac{1}{3}$	0	1	0	$-\frac{1}{3}$	0	2	6
	c_j	−4 000	−3 000	−2 000	−12 000	0	0	0		
	sol	0	0	0	2	1	0	3		
	Δ_j	−4 000	1 000	−2 000	0	0	−4 000	0	−24 000	= F
			⇑							

c_i	i j	1	2	3	4	$\bar{1}$	$\bar{2}$	$\bar{3}$	(0)	
0	$\bar{3}$	2	0	−1	0	−2	0	1	1	
−3 000	2	$-\frac{3}{2}$	1	0	0	$\frac{3}{2}$	−1	0	$\frac{3}{2}$	
−12 000	4	$\frac{1}{2}$	0	0	1	$-\frac{1}{2}$	0	0	$\frac{3}{2}$	
	c_j	−4 000	−3 000	−2 000	−12 000	0	0	0		
	sol	0	$\frac{3}{2}$	0	$\frac{3}{2}$	0	0	1		
	Δ_j	−2 500	0	−2 000	0	−1 500	−3 000	0	−22 500	= −F

d. SIGNIFICATION ECONOMIQUE DU DUAL.

La fonction critère du dual est constituée de "nombre "nombre d'unités × un prix". On peut donc interpréter ce programme comme donnant le prix maximum auquel on peut accepter de recourir si l'on s'adresse à la sous-traitance. Ces prix sont souvent interprétés comme les "prix cachés" de la théorie économique (shadow price).

IV. Quelques difficultés particulières concernant les programmes linéaires.

a. SECOND MEMBRE NUL.

On se situe alors dans le cas d'une dégénérescence de 2ème espèce. Une manière commode de s'en dégager est de remplacer le 2ème membre nul par une quantité très petite ε et de faire fonctionner l'algorithme jusqu'à son terme. Les combinaisons d'ε dans les second membres étant, par simplification, notés ε (cf. annexe).

b. TRADUCTION D'UNE EGALITE.

Exemple : la somme de 3 variables = 10.

On peut traduire par :

$$\begin{cases} x_1 + x_2 + x_3 \geqslant 10 \\ x_1 + x_2 + x_3 \leqslant 10 \end{cases}$$

en stricte logique, ou se contenter de :

$$x_1 + x_2 + x_3 = 10$$

en ajoutant une variable artificielle :

$$x_1 + x_2 + x_3 + x_{\bar{\bar{i}}} = 10$$

c. CAS DE DEGENERESCENCE DE 1ère ESPECE.

C'est ce qui arrive quand la fonction critère est multiple d'une des contraintes. Le plan de la fonction économique est alors parallèle à une arête ou à tout une face du polyèdre. Les solutions optimales possibles sont alors non définissables.

V. La paramétrisation des coefficients de la fonction économique.

Il est possible d'utiliser le programme linéaire pour étudier l'impact du changement de certaines contraintes. Par exemple, faisons varier le bénéfice unitaire du premier type d'article. On ajoute à 3, un coefficient de pondération tel que $3(1 + \lambda)$ varie avec $\lambda \in [-1, +\infty[$.

On repart du tableau optimal du primal :

c_i	i j	1	2	3	$\bar{1}$	$\bar{2}$	$\bar{3}$	$\bar{4}$	(0)	
$3(1+\lambda)$	1	1	0	2	0	$-\frac{3}{2}$	0	$\frac{1}{2}$	1 500	
6	2	0	1	0	0	1	0	0	3 000	
0	0	0	0	-2	1	$\frac{3}{2}$	0	$-\frac{1}{2}$	2 500	
0	0	0	0	1	0	0	1	0	2 000	
	c_j	$3(1+\lambda)$	6	5	0	0	0	0		
	sol	1 500	3 000	0	2 500	0	2 000	0		
	Δ_j	0	0	$-1 -6\lambda$	0	$-\frac{3}{2} + \frac{9}{2}\lambda$	0	$-\frac{3}{2} - \frac{3}{2}\lambda$	$22\,500 + 4\,500\lambda$	= F

$$- 1 - 6\lambda \geq 0 \qquad - 6\lambda \geq 1 \qquad \lambda \leq - \frac{1}{6}$$

$$- \frac{3}{2} + \frac{9}{2}\lambda \geq 0 \qquad \frac{9}{2}\lambda \geq \frac{3}{2} \qquad \lambda \geq \frac{1}{3}$$

$$- \frac{3}{2} - \frac{3}{2}\lambda \geq 0 \qquad - \frac{3}{2}\lambda \geq \frac{3}{2} \qquad \lambda \leq - 1$$

λ	-1		$-\frac{1}{6}$	0	$\frac{1}{9}$	$\frac{1}{3}$		∞
$-1-6\lambda$		+	0 −		−	−		−
$+\frac{3}{2}+\frac{9}{2}\lambda$		−	−		−	−	0	+
$-\frac{3}{2}-\frac{3}{2}\lambda$	0	−	−		−	−		−

3 entre dans base (1)	solution stable	$\bar{2}$ entre dans la base (2)
$x_2 = 3\ 000$	$F = 22\ 500 + 4\ 500\ \lambda$	$x_1 = 4\ 000$
$x_3 = 750$	$x_1 = 1\ 500$	$x_2 = 1\ 333{,}33$
$F = 21\ 750$	$x_2 = 3\ 000$	$F = 20\ 000 + 12\ 000\ \lambda$
21 750		24 000

1) 3 entre dans la base. On retrouve la 2ème itération du primal :

c_i	i j	1	2	3	$\bar{1}$	$\bar{2}$	$\bar{3}$	$\bar{4}$	(0)
5	3	$\frac{1}{2}$	0	1	0	$-\frac{3}{4}$	0	$\frac{1}{4}$	750
6	2	0	1	0	0	1	0	0	3 000
0	$\bar{1}$	1	0	0	1	0	0	0	4 000
0	$\bar{3}$	$-\frac{1}{2}$	0	0	0	$\frac{3}{4}$	1	$-\frac{1}{4}$	1 250
	c_j	3 $(1+\lambda)$	6	5	0	0	0	0	
	sol	0	3 000	750	4 000	0	1 250	0	
	Δ_j	$\frac{1}{2}+3\lambda$	0	0	0	$-\frac{9}{4}$	0	$-\frac{5}{4}$	21 750 = F

$$\frac{1}{2} + 3\lambda \geqslant 0 \qquad 3\lambda \geqslant -\frac{1}{2} \qquad \lambda \geqslant -\frac{1}{2}$$

Ce n'est pas le cas, donc c'est l'optimum.

2) $\bar{2}$ entre dans la base, $\bar{1}$ sort.

c_i	i j	1	2	3	$\bar{1}$	$\bar{2}$	$\bar{3}$	$\bar{4}$	(0)
3(1+λ)	1	1	0	0	1	0	0	0	4 000
6	2	0	1	$\frac{4}{3}$	$-\frac{2}{3}$	0	0	$\frac{1}{3}$	1 333,33
0	$\bar{2}$	0	0	$-\frac{4}{3}$	$\frac{2}{3}$	1	0	$-\frac{1}{3}$	1 666,66
0	$\bar{3}$	0	0	1	0	0	1	0	2 000
	c_j	3 (1+λ)	6	5	0	0	0	0	
	sol	4 000	1,333,33	0	0	1 666,66	2 000	0	
	Δ_j	0	0	-3	1 -3λ	0	0	-2	20 000 +12 000 λ

$$1 - 3\lambda \geqslant 0 \qquad 1 \geqslant 3\lambda \qquad \lambda \leqslant \frac{1}{3}$$

or $\lambda \geqslant \frac{1}{3}$ c'est donc optimal.

ETUDE DU RESULTAT EN FONCTION DE λ.

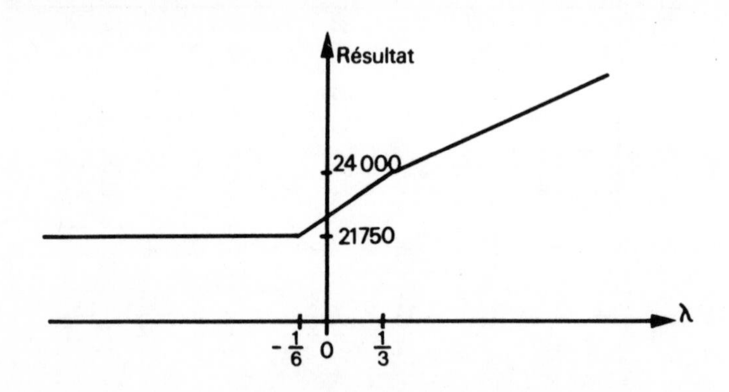

Quand $\lambda \leqslant -\frac{1}{6}$ le profit est constant (21 750).

Quand $-\frac{1}{6} \leqslant \lambda \leqslant \frac{1}{3}$ le profit suit la droite d'équation : 22 500 + 4 500 λ.

Quand $\lambda \geqslant \frac{1}{3}$ le profit suit la droite d'équation :
$20\,000 + 12\,000\,\lambda$.

On peut représenter la saturation des contraintes et les quantités produites selon les valeurs de λ.

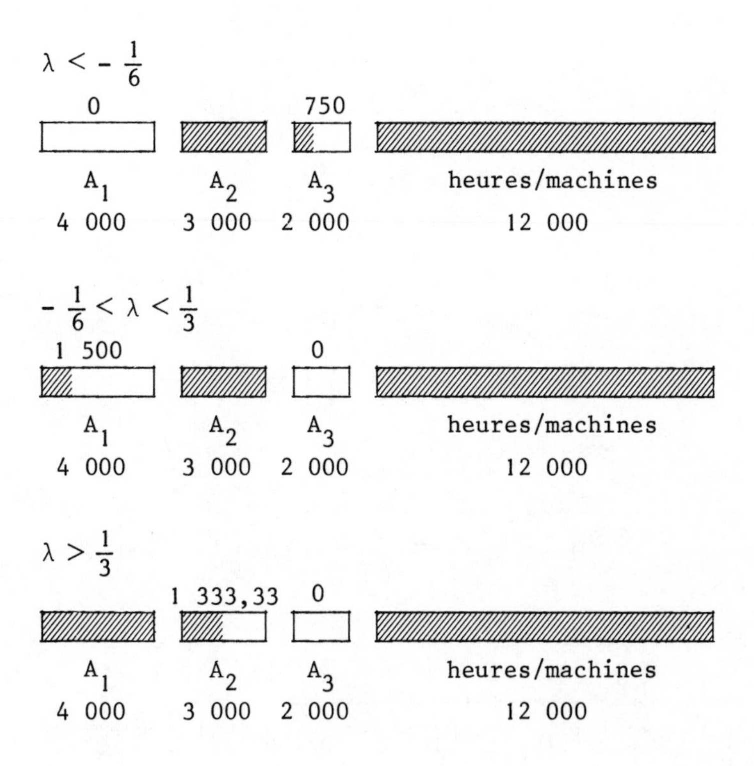

On s'aperçoit que la contrainte la plus stricte est formée par les heures-machine et que seul un accroissement du montant de ces heures permettra d'accroître le montant des produits fabriqués.

Remarque : La paramétrisation du second membre se ramène au 1er cas du fait de la dualité. Il est possible de paramétrer chaque coefficient indépendamment et successivement, mais il est également possible de paramétrer les coefficients en même temps. Il est possible d'interpréter géométriquement les problèmes de paramétrisation dans ce programme linéaire à 3 dimensions. Il est également possible de paramétrer les coefficients de la matrice.

Annexe : Résolution d'un programme linéaire dans le cas d'une dégénérescence de $2^{\text{ème}}$ espèce.

$$x_1 + x_2 + x_3 \leqslant 1$$

$$2x_1 - 3x_2 + 2x_3 \leqslant 0$$

$$x_2 + 3x_3 \leqslant 5$$

$$\text{MAX } 5x_1 - 2x_2 + 3x_3$$

$$x_1 + x_2 + x_3 + x_{\bar{1}} = 1$$

$$2x_1 - 3x_2 + 2x_3 + x_{\bar{2}} = \varepsilon$$

$$x_2 + 3x_3 + x_{\bar{3}} = 5$$

$$\text{MAX } 5x_1 - 2x_2 + 3x_3$$

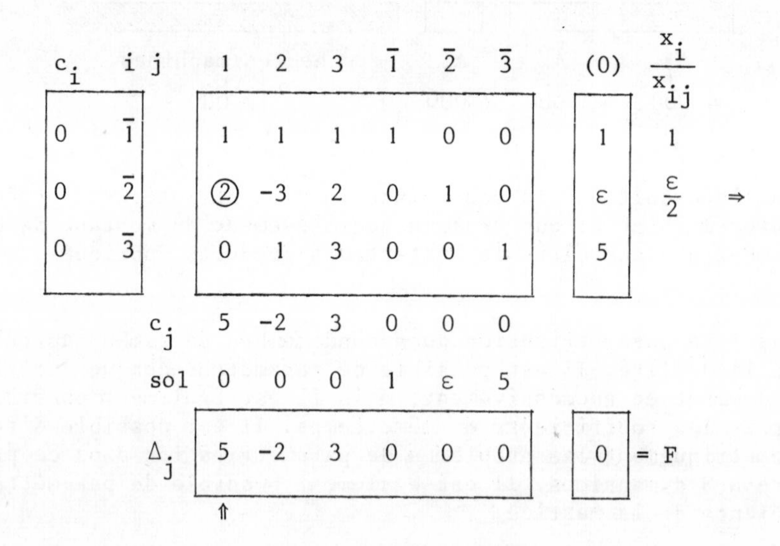

c_i	i j	1	2	3	$\bar{1}$	$\bar{2}$	$\bar{3}$	(0)	$\frac{x_i}{x_{ij}}$	
0	$\bar{1}$	1	1	1	1	0	0	1	1	
0	$\bar{2}$	(2)	-3	2	0	1	0	ε	$\frac{\varepsilon}{2}$	⇒
0	$\bar{3}$	0	1	3	0	0	1	5		
	c_j	5	-2	3	0	0	0			
	sol	0	0	0	1	ε	5			
	Δ_j	5	-2	3	0	0	0	0 = F		
		⇑								

c_i	i j	1	2	3	$\bar{1}$	$\bar{2}$	$\bar{3}$	(0)	$\frac{x_i}{x_{ij}}$	
0	$\bar{1}$	0	$-\frac{3}{2}$	0	1	$-\frac{1}{2}$	0	1	-	
5	1	1	$-\frac{3}{2}$	1	0	$\frac{1}{2}$	0	ε	-	
0	$\bar{3}$	0	①	3	0	0	0	5	5	⇒
	c_j	5	-2	3	0	0	0			
	sol	ε	0	0	1	0	5			
	Δ_j	0	$\frac{11}{2}$	-2	0	$-\frac{5}{2}$	0	ε	= F	
			⇑							

c_i	i j	1	2	3	$\bar{1}$	$\bar{2}$	$\bar{3}$	(0)	
0	$\bar{1}$	0	0	$\frac{15}{2}$	1	$\frac{1}{2}$	$\frac{5}{2}$	$\frac{27}{2}$	
5	1	1	0	$\frac{11}{2}$	0	$\frac{1}{3}$	$\frac{3}{2}$	$\frac{15}{2}$	
-2	2	0	1	3	0	0	1	5	
	c_j	5	-2	3	0	0	0		
	sol	$\frac{15}{2}$	5	0	$\frac{27}{2}$	0	0		
	Δ_j	0	0	$-\frac{37}{2}$	0	$-\frac{5}{2}$	$-\frac{11}{2}$	$\frac{52}{2}$	= F

Conclusion : programmation linéaire informatisée.

Données 1, 0, 0, 0, 1, 0, 0, 0, 1, 2, 3, 4

Données 4 000, 3 000, 2 000, 12 000

Données 3, 6, 5

Choix du type et introduction des paramètres et vérification des solutions trouvées.

EXERCICE 2

(d'après l'Agrégation des Techniques Economiques de Gestion)

La banque L possède un ensemble d'actifs d'une valeur de 10 milliards de francs dont la contrepartie au passif du bilan s'établit comme suit :

- dépôts à vue : 6,5 milliards de francs;
- dépôts à terme : 2,5 milliards de francs;
- capital : 1 milliard de francs.

La banque désire déterminer la répartition de son actif de manière à maximiser son profit global. Le rendement afférent à chaque type d'actif est indiqué ci-après :

	Taux de rendement attendu en %
1) Caisse	0
2) Prêts :	
. prêts commerciaux	5,5
. prêts hypothécaires	6,2
. autres prêts	6,9
3) Placements :	
. bons du trésor à court terme	3
. titres de rente	4,2

Dans ce choix, elle doit respecter différentes contraintes légales ou professionnelles destinées à assurer sa liquidité et sa solvabilité :

a) Le total des prêts ne peut excéder 55 % ou tomber au-dessous de 45 % des actifs globaux.

b) Les prêts hypothécaires ne peuvent être supérieurs à 20 % des dépôts à terme.

c) Les prêts commerciaux ne peuvent être supérieurs à 45 % ni tomber au-dessous de 30 % du total des prêts.

d) Les "autres prêts" ne peuvent être supérieurs au total des prêts hypothécaires.

e) L'encaisse doit être supérieure ou égale à 25 % des dépôts à vue.

f) Les actifs à risque (total de l'actif moins caisse et placements en titres d'Etat) ne peuvent excéder 5 fois le capital de la banque.

Il est demandé :

1) De présenter, sous forme matricielle, le programme linéaire correspondant à ces données.

2) D'écrire le dual de ce programme.

3) D'établir le tableau qui servira de base à la recherche de solutions par la méthode du simplexe.

4) De rapprocher le primal du dual et d'indiquer une préférence entre ces deux formulations pour résoudre le problème de la manière la plus efficiente.

5) D'interpréter la fonction objectif du dual au point de vue de sa signification économique.

RESOLUTION

Hypothèses.

La banque a 10 milliards de francs d'actifs A.

Passif :

Dépôts à vue	6,5 milliards de francs	B
Dépôts à terme	2,5 milliards de francs	C
Capital	1 milliard de francs	D

Rendements : 0 % pour la caisse

Prêts
- 5,5 % pour frêts commerciaux
- 6,2 % pour les prêts hypothécaires
- 6,9 % pour les autres prêts

Placements
- 3 % pour les bons du trésor à court terme
- 4,2 % pour les titres de rente

Conditions.

0,45 A ⩽ prêts ⩽ 0,55 A.

Prêts hypothécaires ⩽ 0,2 C.

0,3 prêts ⩽ prêts commerciaux ⩽ 0,45 prêts.

Autres prêts ⩽ prêts hypothécaires.

En caisse ⩾ 0,25 B.

A - (caisse + placements en titres d'Etat) ⩽ 5 D.

I. Formalisation du problème.

a. LE BILAN DE LA BANQUE.

Actif		Passif	
Caisse	x_1	Dépôts à vue	6,5
Prêts :		Dépôts à terme	2,5
- commerciaux	x_2	Capital	1
- hypothécaires	x_3		
- autres	x_4		
Placements :			
- bons du trésor	x_5		
- titres de rente	x_6		
	10		10

Soient x_1, x_2, x_3, x_4, x_5, x_6 les inconnues :

$$0,45 \times 10 \leqslant x_2 + x_3 + x_4 \leqslant 0,55 \times 10$$

$$x_3 \leqslant 0,2 \times 2,5$$

$$0,3(x_2 + x_3 + x_4) \leqslant x_2 \leqslant 0,45(x_2 + x_3 + x_4)$$

$$x_4 \leqslant x_3$$

$$x_1 \geqslant 0,25 \times 6,5$$

$$10 - (x_1 + x_5 + x_6) \leqslant 5$$

ou encore :

$$x_2 + x_3 + x_4 \geqslant 4,5$$

$$x_2 + x_3 + x_4 \geqslant 5,5$$

$$x_3 \leqslant 0,5$$

$$0,3x_2 + 0,3x_3 + 0,3x_4 \leqslant x_2$$

ou encore :

$$- 0,7x_2 + 0,3x_3 + 0,3x_4 \leqslant 0$$

$$x_2 \leqslant 0,45x_2 + 0,45x_3 + 0,45x_4$$

ou encore :

$$0,55x_2 - 0,45x_3 - 0,45x_4 \leqslant 0$$

$$x_4 - x_3 \leqslant 0$$

ou encore :

$$- x_3 + x_4 \leqslant 0$$

$$x_1 \geqslant 1,625$$

$$10 - x_1 - x_5 - x_6 \leqslant 5$$

ou encore :

$$5 \leqslant x_1 + x_5 + x_6$$

ou encore :

$$x_1 + x_5 + x_6 \geqslant 5$$

On ajoute encore la contrainte actif = passif, c'est-à-dire :

$$x_1 + x_2 + x_3 + x_4 + x_5 + x_6 = 10$$

Contraintes		Variables d'écart	Variables artificielles
$x_2 + x_3 + x_4$	$\leqslant 5,5$	$+ \bar{x}_1$	
$- x_2 - x_3 - x_4$	$\leqslant - 4,5$	$+ \bar{x}_2$	$- \bar{\bar{x}}_2$
x_3	$\leqslant 0,5$	$+ \bar{x}_3$	
$0,55x_2 - 0,45x_3 - 0,45x_4$	$\leqslant 0\ (\varepsilon)$	$+ \bar{x}_4$	
$- 0,7x_2 + 0,3x_3 + 0,3x_4$	$\leqslant 0\ (\varepsilon)$	$+ \bar{x}_5$	
$- x_3 + x_4$	$\leqslant 0\ (\varepsilon)$	$+ \bar{x}_6$	
$- x_1$	$\leqslant - 1,625$	$+ \bar{x}_7$	$- \bar{\bar{x}}_7$
$- x_1 - x_5 - x_6$	$\leqslant - 5$	$+ \bar{x}_8$	$- \bar{\bar{x}}_8$
$x_1 + x_2 + x_3 + x_4 + x_5 + x_6$	$= 10$		$+ \bar{\bar{x}}_9$
$0x_1 + 0,055x_2 + 0,062x_3 + 0,069x_4 + 0,03x_5 + 0,042x_6$	MAX		

3 ε et 4 variables artificielles : on peut s'attendre à 7 itérations au départ.

b. PRESENTATION MATRICIELLE DU PROBLEME.

Il faut souligner l'importance des contraintes de non négativité auparavant :

$$x_1, x_2, x_3, x_4, x_5, x_6 \geqslant 0$$

	x_1	x_2	x_3	x_4	x_5	x_6	MIN
y_1	0	1	1	1	0	0	5,5
y_2	0	-1	-1	-1	0	0	-4,5
y_3	0	0	1	0	0	0	0,5
y_4	0	0,55	-0,45	-0,45	0	0	0
y_5	0	-0,7	0,3	0,3	0	0	$\leqslant$ 0
y_6	0	0	-1	1	0	0	0
y_7	-1	0	0	0	0	0	-1,625
y_8	-1	0	0	0	-1	-1	-5
y_9	1	1	1	1	1	1	10
MAX	0	5,5 %	6,2 %	6,9 %	3 %	4,2 %	

Primal	Dual
Trouver $X \geqslant 0$	Trouver $Y \geqslant 0$
tel que $AX \leqslant B$	tel que $YA \geqslant C$
MAX CX	MIN YB

Vérification de la compatibilité des dimensions des matrices :

$$AX \leqslant B \quad (9,6)(6,1) = (9,1)$$

$$YA \geqslant C \quad (1,9)(9,6) = (1,6)$$

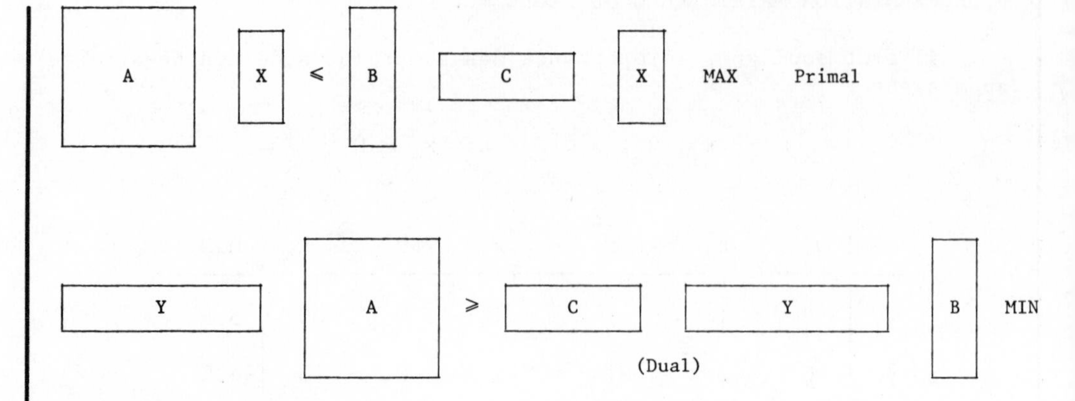

c. LE DUAL DU PROGRAMME.

Il s'obtient directement par interprétation matricielle du problème.

$$- y_7 - y_8 + y_9 \geqslant 0 \ (\varepsilon)$$

$$y_1 - y_2 + 0{,}55y_4 - 0{,}7y_5 + y_9 \geqslant 0{,}055$$

$$y_1 - y_2 + y_3 - 0{,}45y_4 + 0{,}3y_5 - y_6 + y_9 \geqslant 0{,}062$$

$$y_1 - y_2 - 0{,}5y_4 + 0{,}3y_5 + y_6 + y_9 \geqslant 0{,}069$$

$$- y_8 + y_9 \geqslant 0{,}03$$

$$- y_8 + y_9 \geqslant 0{,}042 \quad \text{contrainte redondante}$$

$$5{,}5y_1 - 4{,}4y_2 + 0y_3 + 0y_4 + 0y_5 + 0y_6 - 1{,}625y_7 - 5y_8 + 10y_9 \ \text{MIN}$$

II. Algorithme du simplexe.

Il y a deux manières de poser le tableau :

- avec l'algorithme composite (pseudo Δ_j) et on n'introduit alors que des variables d'écart;

- avec la méthode du M qui introduit en outre des variables artificielles.

De toutes façons, la contrainte $\sum_i x_i = 10$ milliards s'exprime difficilement avec l'algorithme composite, donc on choisit la méthode du M.

		1	2	3	4	5	6	$\bar{1}$	$\bar{2}$	$\bar{3}$	$\bar{4}$	$\bar{5}$	$\bar{6}$	$\bar{7}$	$\bar{8}$	$\bar{9}$	$\bar{\bar{2}}$	$\bar{\bar{7}}$	$\bar{\bar{8}}$	$\bar{\bar{9}}$	(0)
0	$\bar{1}$	0	1	1	1	0	0	1	0	0	0	0	0	0	0	0	0	0	0	0	5,5
-M	$\bar{\bar{2}}$	0	1	1	1	0	0	0	-1	0	0	0	0	0	0	0	1	0	0	0	4,5
0	$\bar{3}$	0	0	1	0	0	0	0	0	1	0	0	0	0	0	0	0	0	0	0	0,5
0	$\bar{4}$	0	0,55	-0,45	-0,45	0	0	0	0	0	1	0	0	0	0	0	0	0	0	0	0 (ε)
0	$\bar{5}$	0	-0,7	0,3	0,3	0	0	0	0	0	0	1	0	0	0	0	0	0	0	0	0 (ε)
0	$\bar{6}$	0	0	-1	1	0	0	0	0	0	0	0	1	0	0	0	0	0	0	0	0 (ε)
-M	$\bar{\bar{7}}$	1	0	0	0	0	0	0	0	0	0	0	0	-1	0	0	0	1	0	0	1,605
-M	$\bar{\bar{8}}$	1	0	0	0	1	1	0	0	0	0	0	0	0	-1	0	0	0	1	0	5
-M	$\bar{\bar{9}}$	1	1	1	1	1	1	0	0	0	0	0	0	0	0	-1	0	0	0	1	10
	cj	0	5,5%	6,2%	6,9%	3%	4,2%	0	0	0	0	0	0	0	0	0	-M	-M	-M	-M	
	sol	0	0	0	0	0	0	5,5	0	0,5	0	0	0	0	0	0	4,5	1,625	5	10	
	Δj	0	0,055	0,062	0,069	0,03	0,042	0	-M	0	0	0	0	-M	-M	-M	0	0	0	0	0
		+3M	+2M	+2M	+2M	+2M	+2M														

a. TABLEAU DU PRIMAL.

b. CHOIX ENTRE LE PRIMAL ET LE DUAL.

Primal	Dual
7 itérations initiales	6 itérations initiales
9 inéquations	5 inéquations
6 variables principales	9 variables principales
9 variables d'écart	5 variables d'écart
4 variables artificielles	5 variables artificielles

Il y aurait avantage à résoudre le problème d'après la formalisation du dual.

c. INTERPRETATION ECONOMIQUE DE LA FONCTION OBJECTIF DU DUAL.

Si la banque devait emprunter la totalité de ses actifs, il lui faudrait minimiser les sommes donnant lieu à versement d'intérêts (donc ces intérêts). La fonction économique est une somme de termes constitués par : montant × taux.

Conclusion.

La résolution informatisée de ce cas s'impose du fait du grand nombre de contraintes et de variables.

L'optimum de ce programme est :

x_2 : montant des prêts commerciaux	818 181 813 F
x_3 : montant des prêts hypothécaires	500 000 000 F
x_4 : autres prêts	500 000 000 F
x_6 : titres de rente	8 181 818 900 F
Total des prêts	10 000 000 000 F
Le bénéfice est alors de :	454 136 364 F

EXERCICE PROPOSE

L'étude de la fabrication de produits d'alliages obtenus à partir de 2 minerais donne les caractéristiques qui suivent :

- Les produits sont fabriqués à partir de deux minerais qui arrivent chaque semaine selon les quantités moyennes suivantes :

minerai 1 10 000 t (2 500 F/t)

minerai 2 6 000 t (3 000 F/t)

- On concasse le minerai. La perte est de 10 % pour le minerai 1 et 25 % pour le minerai 2. La capacité de la concasseuse est de 15 000 t par semaine. Le coût est de 50 F par tonne produite.

- Les minerais sont alors fondus. La perte est de 10 % dans les 2 cas. La capacité du four est de 14 000 t par semaine et le coût de 120 F par tonne produite.

- La matière obtenue à partir du minerai 2 est alors affinée et la capacité de cette installation est de 4 000 t par semaine. La perte est de 10 % et le coût de 20 F par tonne produite.

- On mélange alors les deux minerais afin d'obtenir soit des tubes, soit des plaques. La production d'une plaque nécessite 20 % de minerai 1 et 80 % de minerai 2. La production des tubes nécessite 40 % de minerai 1 et 60 % de minerai 2. La capacité des 2 installations est de 6 000 t par semaine chacune. Une tonne de plaque à usiner sortant de la mélangeuse revient à 25 F pour les plaques, et 22 F pour les tubes.

- A partir de ces deux produits, on réalise 4 types de produits :

  . tôles 1 t à partir de 1,05 t de plaques. Son marché est limité à 500 t/semaine et le prix de vente est de 5 000 F/t;

  . rails 1 t à partir de 1,1 t de tubes; le marché est limité à 3 000 t/semaine et le prix de vente est de 4 000 F/t;

  . des trémies obtenues (1 t) à partir de 0,9 t de plaques et 0,3 t de tubes; le marché est limité à 2 000 t/semaine et le prix de vente est de 6 000 F/t;

. des containers obtenus (1 t) à partir de 0,8 t de plaques et 0,4 t de tubes; le marché est limité à 2 500 t/semaine et le prix de vente est de 10 000 F/t.

1) Donner le programme de production.

2) Ecrire et interpréter le problème dual.

3) Résolution éventuellement.

bibliographie

[1] G.B. DANTZIG.- Computational algorithm of the revised simplex method. R.M. 1266, *the Rand Corp.*, oct. 1953.

[2] W. ORCHARD-HAYS.- Background, development and extensions of the revised simplex method. R.M. 1433, *the Rand Corp.*, avr. 1954.

[3] G.B. DANTZIG.- The dual simplex algorithm. R.M. 1270, *the Rand Corp.*, juill. 1954.

[4] G.B. DANTZIG, L.R. FORD, D.R. FULKERSON.- A primal-dual algorithm for linear programming. R.M. 1709, *the Rand Corp.*, mai 1956.

[5] G.B. DANTZIG.- Composite simplex-dual algorithm. R.M. 1274, *the Rand Corp.*, avr. 1954.

[6] J. ABADIE.- Cours de programmation linéaire professé à la Faculté des Sciences de Paris : Problèmes d'optimisation. *Publication de l'Institut Blaise Pascal*, Paris, 1965.

[7] H. MAURIN.- Paramétrisation générale d'un programme linéaire. *Thèse de doctorat en mathématiques et statistiques*, Paris, juin 1963.

[8] M. SIMONNARD.- Programmation linéaire. *Dunod*, Paris, 1962.

[9] G.B. DANTZIG, A. ORDEN, P. WOLFE.- The generalised simplex method of minimizing a linear form under inequality restraints. R.M. 1264, *the Rand Corp.*, avr. 1954.

[10] P. TOLLA.- Méthodes de décomposition triangulaires pour les erreurs d'arrondi en programmation linéaire. *Thèse de doctorat 3ème cycle*, Université Paris VI, mai 1974.

[11] P. CHRETIENNE.- Détermination rapide d'une solution initiale en programmation linéaire continue. *RAIRO*, revue verte, p. 113-118, janv. 1975.

[12] F.P. FISHER.- Speed-up the solution to linear programming problems. *The Journal of Industrial Engineering*, vol. XII, n° 6, nov.-dec. 1961.

[13] G.B. DANTZIG.- Linear programming and extensions. *Princeton University Press*, 1963.

[14] H.W. KUHN, A.W. TUCKER.- Linear inequalities and related systems. *Princeton University Press*, 1956.

[15] W. ORCHARD-HAYS.- Advanced linear programming computing techniques. *MacGraw Hill*, 1968.

[16] S. VAJDA.- Mathematical Programming. *Addison Wesley*, 1961.

[17] M. LA PORTE, J. VIGNES.- Algorithmes numériques, analyse et mise en oeuvre. Arithmétique des ordinateurs, systèmes linéaires. Collection langages et algorithmes de l'Informatique. *Editions Technip*, Paris, 1974.

[18] B.G. BLAND.- New finite pivoting rules for the simplex method. *Mathematics of Operation Research*, vol. 2, n° 2, mai 1978.

ACHEVÉ D'IMPRIMER
EN JUIN 1980
PAR L'IMPRIMERIE F. PAILLART
80100 ABBEVILLE
N° d'éditeur 489 – N° d'impression 4786.
Dépôt légal : 2e trimestre 1980.

IMPRIMÉ EN FRANCE